Donald Abenheim / Uwe Hartmann
Einführung in die Tradition der Bundes
Das soldatische Erbe in dem besten De

CH00687594

Einführung
in die Tradition der Bundeswehr
–
Das soldatische Erbe in dem besten
Deutschland, das es je gab

Donald Abenheim und Uwe Hartmann

2019

Carola Hartmann Miles-Verlag Berlin

Bibliografische Information der Deutschen Nationalbibliothek
Die Deutsche Nationalbibliothek verzeichnet diese Publikation in der Deutschen Nationalbibliografie; detaillierte bibliografische Daten sind im Internet über www.dnb.de abrufbar.

© 2019 Carola Hartmann Miles-Verlag, Berlin
www.miles-verlag.jimdo.com
email: miles-verlag@t-online.de

Herstellung: Books on Demand, Norderstedt

Titelbilder: Bundeswehr

Printed in Germany

ISBN 978-3-945861-89-9

„Die Bilanz nach siebzig Jahren? Dieses Deutschland ist das beste, das es je gab: liberal, demokratisch, krisenfest und stabil."

Josef Joffe

„Jawohl, das gemeinsame Leiden verbindet mehr als die Freude. In den gemeinsamen Erinnerungen wiegt die Trauer mehr als die Triumphe, denn sie erlegt Pflichten auf, sie gebietet gemeinschaftliche Anstrengungen."

Ernest Renan

Für die Bundesrepublik Deutschland zum 70. Geburtstag

Inhalt

Anhang:

Einleitung

2017 war für die Bundeswehr ein schwieriges Jahr. Nicht nur die erschreckend geringe Einsatzbereitschaft ihrer Flugzeuge, U-Boote und Panzer, sondern auch schockierende Fälle menschenunwürdiger Behandlungen von Soldaten in Ausbildungseinrichtungen bestimmten die Schlagzeilen der Medien. Als dann auch noch rechtslastige Umtriebe an die Öffentlichkeit kamen und bei einer großangelegten Durchsuchung von Kasernenunterkünften einige „Wehrmachtsdevotionalien" gefunden wurden, reagierte die Bundesministerin der Verteidigung, Ursula von der Leyen, prompt. Sie gab die Überarbeitung des aus dem Jahr 1982 stammenden Traditionserlasses in Auftrag.

Nach einer einjährigen Phase des ministeriellen sowie öffentlichen Nachdenkens über Tradition wurde der neue Erlass am 28. März 2018 in Kraft gesetzt. Er trägt den Titel „Die Tradition der Bundeswehr. Richtlinien zum Traditionsverständnis und zur Traditionspflege". Die Bundesministerin der Verteidigung unterschrieb das Dokument im Rahmen einer Veranstaltung in der Emmich-Cambrai-Kaserne in Hannover, die an eben diesem Tage umbenannt wurde. Anstelle des Nachnamens eines deutschen Generals des Ersten Weltkrieges, dem noch der Ort der ersten Panzerschlacht im November 1917 angehängt worden war, trägt sie nun Dienstgrad und Namen des Hauptfeldwebels Tobias Lagenstein, der 2011 während seines Einsatzes in Afghanistan gefallen ist. Mit dieser Maßnahme wollte die Ministerin ein wichtiges politisches Signal senden. Der bereits im Weißbuch 2006 und sodann im Weißbuch von 2016 erneut geforderten stärkeren Betonung von bundeswehreigenen Traditionen sollten nun endlich Taten folgen.

Bei der Bearbeitung des neuen Erlasses gingen die Verantwortlichen im Bundesministerium der Verteidigung (BMVg) neue Wege. Wie bereits beim knapp zwei Jahre zuvor erschienenen Weißbuch, so führten sie auch diesmal öffentlichkeitswirksame Workshops durch, an denen zahlreiche Repräsentanten der Zivilgesellschaft teilnahmen. Weißbuch sowie Traditionserlass stehen damit gleichermaßen für eine Neuausrichtung der Kommunikationsstrategie des BMVg. Weitaus stärker als in der Vergangenheit sollen die Bürger Deutschlands in die Debatte über Sicherheitspolitik und deren Ausgestaltung einbezogen werden.[1] Hier liegt eine zentrale strategische Bedeu-

---

[1] Die Bundesregierung, Weißbuch 2016 zur Sicherheitspolitik und zur Zukunft der Bundeswehr, Berlin 2016, S. 111-112. Siehe dazu auch das Interview des Generalinspekteurs der Bundeswehr, General Eberhard Zorn, in der Zeitung „Die Zeit" vom 25. August 2018 unter dem Titel „Wehrpflicht? Nein danke". Darin sagte er: „In der Öffentlichkeit präsenter zu sein, das erwarte ich auch von meinen nachgeordneten Kommandeuren, und zwar von jedem in seinem Bereich." Auch Wolfgang Ischinger versteht sein Buch „Welt in Gefahr" als „Bei-

tung des neuen Erlasses: Die permanente Arbeit am Traditionsverständnis der Bundeswehr und dessen Pflege verkörpern und eröffnen wichtige Kommunikationskanäle zwischen Bundeswehr, Politik und Gesellschaft. Auch die Schnelligkeit bei der Bearbeitung des neuen Erlasses überraschte. Seine Vorgänger von 1965 und 1982 hatten deutlich längere Zeit in Anspruch genommen. Die Debatten verliefen damals allerdings weitaus kontroverser. Die Skepsis der Deutschen gegenüber dem Einsatz bewaffneter Gewalt und die Kritik an der Sicherheitspolitik der jeweiligen Bundesregierungen waren im Kalten Krieg vielleicht noch stärker ausgeprägt als heute. Denn die Menschen hatten damals sehr gut verstanden, dass ein Krieg auch sie direkt betroffen hätte. Wer das Traditionsverständnis der Bundeswehr in seiner ganzen Tiefe verstehen will, sollte sich deshalb eingehend mit dem gesellschafts- und sicherheitspolitischen Kontext der Traditionsdebatten beschäftigen. Dazu will diese Einführung einen Beitrag leisten.

Die Veröffentlichung des neuen Traditionserlasses bedeutet nicht das Ende der Diskussionen und kritischen Anfragen an das Traditionsverständnis der Bundeswehr. Zwar ist die Zustimmung zu den Inhalten des neuen Erlasses in Politik und interessierter Öffentlichkeit überraschend groß. Es werden jedoch mit großer Wahrscheinlichkeit neue Fragen auftauchen. Die Suche nach dem gültigen Erbe der Bundeswehr im 21. Jahrhundert ist nicht abgeschlossen. Fragen wie die nach der Bedeutung Europas für das Selbstverständnis des deutschen Soldaten oder nach der Bewertung der Aufbaugeneration der Bundeswehr werden auftauchen und neue Kontroversen auslösen. Zwar steht das Konzept der „Vernetzten Sicherheit" im Mittelpunkt der letzten beiden Weißbücher, und auch in den Einsatzgebieten der Bundeswehr dienen Soldaten Schulter an Schulter mit Diplomaten, Polizisten und Entwicklungshelfern. Ansätze zur Erarbeitung einer gemeinsamen Tradition sind bisher jedoch nicht zu erkennen. Und sicherlich wird es auch Streitigkeiten über Sachfragen geben, die gleich einem „schwarzen Schwan" und daher für alle unerwartet auftauchen.

Wir wollen hier allerdings nicht über eine künftige Revision des neuen Traditionserlasses nachdenken. Vielmehr möchten wir unser Hauptaugenmerk auf dessen praktische Umsetzung richten. Zuständig dafür sind vor allem die Soldaten und zivilen Mitarbeiter[2] der Bundeswehr. Aber auch Politik und Zivilgesellschaft sollen Akzente setzen und Ideen einbringen. Denn, wie wir später ausführlich begründen werden, nicht nur die Angehörigen der Bundeswehr, sondern auch die gewählten Politiker sowie die Bürger unseres

---

trag zu dieser unverzichtbaren öffentlichen Debatte". Siehe Wolfgang Ischinger, Welt in Gefahr. Deutschland und Europa in unsicheren Zeiten, Berlin ³2018, S. 10.
[2] Aus Gründen der besseren Lesbarkeit verwenden wir das Maskulinum.

Landes tragen eine Mitverantwortung für die Ausgestaltung der Tradition in der Bundeswehr.

Bleiben wir zunächst bei der Bundeswehr. Die Praxis der Traditionspflege unterscheidet sich deutlich in ihren Organisationsbereichen.[3] Das liegt vor allem daran, dass beispielsweise die Soldaten der Kampftruppen des Heeres andere Ansprüche an Tradition stellen als das zivile und militärische Personal in dem neu aufgestellten Kommando Cyber- und Informationsraum. Allerdings sind die grundsätzlichen Fragen und Funktionen von Tradition in allen Organisationsbereichen durchaus vergleichbar. Deshalb zielt diese Einführung auf die *gemeinsame* Mitte des Traditionsverständnisses der *gesamten* Bundeswehr.

Das Traditionsverständnis der Bundeswehr entwickelt sich genauso wenig wie die Praxis der Traditionspflege in einer abgeschlossenen militärischen Sonderwelt oder Informationsblase. Wir werden immer wieder darauf hinweisen, dass die Politiker genauso wie die Bürger unseres Landes wissen wollen, „wie der Landser tickt"[4]. Dafür gibt es gute Gründe, auf die wir noch eingehen müssen. Es entspricht zudem dem Selbstverständnis der Bundeswehr, die deutsche Bevölkerung aktiv in ihre Maßnahmen zur Pflege von Tradition und Brauchtum einzubeziehen. Die Veranstaltungen zum Jahrestag des Attentats auf Adolf Hitler am 20. Juli 1944 stehen dafür genauso wie die öffentlichen Gelöbnisse und neuerdings die jährlich stattfindenden Tage der Bundeswehr. Die Soldaten selbst wünschen sich, dass daran möglichst viele Menschen teilnehmen; denn sie sehen darin zu Recht eine Wertschätzung ihres Dienstes.

Die Autoren dieser Einführung wollen die Angehörigen der Bundeswehr genauso wie die Politiker und Bürger, die sich für die Bundeswehr engagieren, dabei unterstützen, ihren Beitrag zur Umsetzung des neuen Traditionserlasses zu leisten. Wir haben uns vorgenommen, die sicherheitspolitischen genauso wie die gesellschaftlichen Hintergründe der drei Traditionserlasse aufzuzeigen, grundlegende Funktionen von Tradition zu erläutern, wichtige Begriffe zu erklären, Zusammenhänge aufzuzeigen, kritisch auf Brüche und Zäsuren hinzuweisen und Vorschläge für eine verbesserte Praxis zu unterbreiten. Unsere zentrale Botschaft lautet: Die Zeit ist reif für einen Perspektivenwechsel. Soldatische Traditionen sollten weniger vor dem historischen

---

[3] Der neue Traditionserlass nimmt die Inspekteure und Leiter der Organisationsbereiche der Bundeswehr in die Verantwortung für Traditionspflege und historische Bildung. Siehe Traditionserlass 2018, Nr. 4.3. Diese sollen auch „… die truppengattungs- und verbandsspezifischen Alleinstellungsmerkmale im Grundbetrieb und Einsatz betonen…".
[4] In Anlehnung an den Titel des Beitrags „Keiner weiß, wie der Landser tickt" von Gerald Wagner in der Frankfurter Allgemeinen Zeitung vom 26. Februar 2015.

Hintergrund eines „schwierigen Vaterlandes", sondern im Bewusstsein, dass dieses Deutschland, in dem wir leben, das beste ist, das es je gab[5], gestiftet und gepflegt werden. Unsere Verantwortung für die Zukunft begründet sich damit nicht nur aus einer negativen Abgrenzung von der Geschichte vor 1945, sondern vor allem aus dem Stolz auf das, was die Deutschen danach erreicht haben: ein Vaterland, das „… den Vergleich mit älteren Demokratien nicht scheuen muss" und das sich eigene „… Traditionen mit kräftigen Wurzeln…" und damit sein „eigenes Vorbild" geschaffen hat.[6] Dennoch dürfen wir uns über eins nicht hinwegtäuschen: Tradition ist harte Arbeit. Auch an sich selbst. Sie fordert ein engagiertes Interesse an der Sache. Dafür ist es sinnvoll und überaus wichtig, sich ganz persönlich auf die theoretische und praktische Beschäftigung mit Tradition einzulassen.

Die Auseinandersetzung mit den geistigen Grundlagen des Soldatenberufs bereitet der Bundeswehr allerdings schon seit längerer Zeit einige Probleme. Dies muss bei der Implementierung des Traditionserlasses unbedingt berücksichtigt werden. Die täglichen Herausforderungen in einer unterfinanzierten, von Mangelwirtschaft und bürokratischer Gängelung geplagten Armee lassen offensichtlich kaum Freiräume für Gedanken und Gespräche über grundsätzliche Fragen.[7] Erschwerend kommt hinzu: Hinter dem Traditionsverständnis der Bundeswehr lauern die eigentlichen Fragen nach dem Sinn soldatischen Dienens. Damit gerät unweigerlich die Führungsphilosophie der Inneren Führung wieder stärker in den Blickpunkt. Denn von ihr wird schließlich erwartet, dass sie die Maßstäbe für die Auswahl der gültigen Traditionen der Bundeswehr begründet und erklärt, was das Leitbild des ‚Staatsbürgers in Uniform' heute eigentlich bedeutet.

Zum Aufbau der Einführung

Diese Einführung beschäftigt sich mit Sinn und Zweck von soldatischen Traditionen. Darin wollen die Autoren Interesse an der Thematik wecken und Hintergrundwissen vermitteln. Dabei mussten wir eine Auswahl treffen, um den Umfang dieser Einführung zu begrenzen. Wir haben allerdings den Anmerkungsapparat recht umfangreich gestaltet, um dem Leser Hinweise

---

[5] Siehe Josef Joffe, Der gute Deutsche. Die Karriere einer moralischen Supermacht, München 2018, S. 220.
[6] Josef Joffe, Der gute Deutsche, a.a.O., S. 236-237.
[7] Auf diesen Zusammenhang weist u.a. der Wehrbeauftragte des Deutschen Bundestages, Dr. Hans-Peter Bartels, hin. Siehe dazu Deutscher Bundestag (19. Wahlperiode), Unterrichtung durch den Wehrbeauftragten, Jahresbericht 2017 (59. Bericht), Drucksache 19/700 vom 20.2.2018, S. 6.

für das weitere Studium zu geben. Dazu dient auch der Anhang dieses Buches mit den drei Traditionserlassen.

Der Aufbau dieses Buches orientiert sich an dem Bedarf der gegenwärtigen und künftigen Chefs und Kommandeure in den Streitkräften sowie der zivilen Dienststellenleiter. Sie sind unsere primäre Zielgruppe; denn Tradition, so heißt es, ist „Chefsache". Ihnen obliegt es, in ihren Einheiten, Verbänden und Dienststellen das aktive Engagement ihrer Soldaten und zivilen Mitarbeiter für die Traditionspflege zu wecken und gemeinsam mit ihnen neue Traditionen zu stiften. Darüber hinaus gehört zu ihrem Aufgabenkatalog der Dialog mit Politik und Gesellschaft. Dabei geht es nicht selten um ganz handfeste Fragestellungen. Wäre es nicht paradox, wenn eine Stadt eine Straße nach einem Soldaten benennte oder diese Benennung beibehielte, dessen Name aus dem Traditionsgut der Bundeswehr gestrichen wurde? Gereichte es nicht auch der Bundeswehr zum Schaden, wenn öffentlich sicherheitspolitische und militärische Fragen diskutiert würden, ohne eine soldatische Perspektive und Expertise einzubeziehen?[8] Damit ist die umfassende Verantwortung der Vorgesetzten in der Bundeswehr, vor allem der Chefs und Kommandeure sowie, wie der neue Erlass ergänzt, der Inspekteure klar hervorgehoben.[9]

Bei der Erstellung dieses Buches hatten wir allerdings noch zwei weitere Zielgruppen im Visier. Dies sind zum einen die Angehörigen der Bundeswehr in ihrer Gesamtheit. Denn den Chefs und Kommandeuren fielen ihre Aufgaben wesentlich leichter, wenn ihre Initiativen zur Weiterentwicklung des Traditionsverständnisses und dessen Pflege auf mehr Interesse und noch dazu gutes Vorwissen bei ihren Soldaten und zivilen Mitarbeitern stießen. Zum anderen blicken wir immer auch auf die Bürger Deutschlands. Soldatische Traditionen und deren Pflege sind nicht die exklusive Aufgabe der Bundeswehr. Wie bereits gesagt: Auch der Staatsbürger außerhalb der Bundeswehr ist aufgefordert, sich an der Ausgestaltung des soldatischen Erbes im 21. Jahrhundert zu beteiligen.

Wir wollen also vor allem das militärische Führungspersonal, letztlich aber alle Bürger in und ohne Uniform dabei unterstützen, ein möglichst reflektiertes Verständnis über soldatische Traditionen zu gewinnen. Dabei sind wir nicht blauäugig. Wir sehen die Schwierigkeiten, und wir wollen nicht unrealistische Erwartungen wecken. Wir glauben allerdings, dass es sich

---

[8] Ein aktuelles Beispiel ist das im Sommer 2018 erschienene Zeit-Magazin "Unsere Soldaten", in dem zahlreiche Autoren das schwierige Verhältnis zu den Soldaten analysieren, die soldatische Perspektive jedoch weithin fehlt.
[9] Siehe dazu den Traditionserlass 2018, Nr. 4.3.

wirklich lohnt, in das Verständnis und in die Pflege von Traditionen zu investieren.

Angesichts dieser Zielsetzung haben wir diese Einführung in die Tradition der Bundeswehr wie folgt gegliedert: Im ersten Kapitel gehen wir der grundsätzlichen Frage nach, wieso es überhaupt sinnvoll ist, sich mit Traditionen und deren Pflege zu beschäftigen. Lohnt sich wirklich der ganze, oftmals als lästig empfundene Aufwand, der dafür betrieben werden muss? Dies ist, aus Sicht der Chefs und Kommandeure, sicherlich die Gretchenfrage. Andererseits werden wir praktische Beispiele geben, die belegen, dass Traditionen zuweilen „erfunden" und nicht nur von oben vorgegeben werden, sondern auch von unten „wachsen".[10] Sie beruhen nicht selten auf Initiativen aus dem politischen, gesellschaftlichen oder auch militärischen Raum. Diese Erkenntnis macht Mut, mit eigenen Ideen und Initiativen voranzugehen.

Im zweiten Kapitel geht es um die Traditionsstreite in der Geschichte der Bundeswehr. Dabei werden wir herausarbeiten, wie sich der jeweilige historische Kontext auf die Inhalte der drei Traditionserlasse von 1965, 1982 und 2018 auswirkte. Dieses Hintergrundwissen ist unerlässlich, um zu verstehen, welche Problemlagen die Traditionserlasse jeweils beheben wollten und – so der jüngste – noch beheben wollen. Worum ging und geht es dabei eigentlich, und wie ist das Zustandekommen eines Erlasses jenseits bestimmter äußerer Anlässe wie der nicht genehmigten Übernahme von Patenschaften mit ehemaligen Wehrmachtsverbänden in den 1960-er Jahren oder dem Auffinden von Wehrmachtsdevotionalien im Jahre 2017 zu erklären? Wir zeigen dabei auf, dass Entscheidungen über das gültige Traditionsverständnis und eine daran ausgerichtete Traditionspflege mehrere Bezugspunkte berücksichtigen müssen. Drei haben wir bereits angesprochen: das Militär selbst, die Politik als dessen Auftraggeber und Kontrolleur sowie die Gesellschaft. Die beiden anderen sind Alliierte und Partner[11] sowie – natürlich! – mögliche Gegner. Diese fünf Bezugspunkte wirken wie Magnete, die das Traditionsverständnis ausbalancieren und in der Schwebe halten. Ihre An-

---

[10] Siehe Aleida Assmann, Der lange Schatten der Vergangenheit. Erinnerungskultur und Geschichtspolitik, München ³2018, S. 15; Heiko Biehl, Nina Leonhard, Bis zum nächsten Mal? Eine funktionalistische Interpretation der Debatte um die Tradition der Bundeswehr. In: Donald Abenheim, Uwe Hartmann (Hrsg.), Tradition in der Bundeswehr. Zum Erbe des deutschen Soldaten und zur Umsetzung des neuen Traditionserlasses, Berlin 2018, S. 38.
[11] Als Beleg für die Relevanz von Traditionen für die Alliierten und Partner Deutschlands sei hier die Ablehnung der deutschen Wiedervereinigung 1989/90 durch die damalige britische Premierministerin Margaret Thatcher angeführt. Sie befürchtete, dass „… die Deutschen ihre neue Macht ausnutzen (würden), um die Europäische Gemeinschaft zu dominieren und ihre Mission in Osteuropa wieder aufzunehmen". Denn die „… Deutschen seien gefährlich aufgrund von Tradition und Charakter." Dies gab der teilnehmende Historiker Fritz Stern so wieder. Siehe Josef Joffe, Der gute Deutsche, a.a.O., S. 228.

ziehungskräfte sind nicht immer gleich stark. Mal überwiegen die einen, mal die anderen. Wenn der ein oder andere Bezugspunkt jedoch leichtfertig ausgeblendet oder gar mit voller Absicht unberücksichtigt bliebe, dann ist unser Verständnis unvollständig. Dies kann durchaus gefährlich sein. Wenn dies der Fall ist, sollten wir selbstkritisch nach Ursachen dafür suchen und schnell nachsteuern.

Die Kenntnis der jeweiligen (gesellschafts-)politischen Kontexte ist besonders für diejenigen wichtig, die sich an den öffentlichen Debatten über Fragen der soldatischen Tradition beteiligen wollen. Bei den Workshops, die das BMVg zur Erarbeitung des neuen Traditionserlasses durchführte, konnte man zuweilen den Eindruck gewinnen, dass dieses Wissen nicht bei allen Teilnehmern vorausgesetzt werden konnte. Das wäre aber wichtig. Denn Traditionen entstehen eben nicht in einem luftleeren Raum. Sicherheitspolitische Herausforderungen genauso wie gesellschaftspolitische Entwicklungen und innenpolitische Machtverhältnisse, aber auch neue historische Forschungsergebnisse und das mehr oder weniger bewusste Kriegs- und Konfliktbild bilden ein komplexes und nicht einfach zu durchdringendes Gewebe. Gleichwohl beeinflusst es unser Denken und Handeln, auch über Fragen der Tradition. Um diese komplexen Zusammenhänge zu verdeutlichen, stellen wir die Entstehungsgeschichte der bisherigen Traditionserlasse der Bundeswehr in großer Linienführung dar, ohne den Leser durch Detailwissen zu verwirren. Dies, so hoffen wir, wird den Angehörigen der Bundeswehr das Gespräch untereinander und auch die aktive Teilnahme an öffentlichen Debatten über Fragen des soldatischen Erbes erleichtern.

Im dritten Kapitel geht es um begriffliche Klarheit. Goethes geflügeltes Wort *„Wer klare Begriffe hat, kann befehlen"* wird in der Bundeswehr gerne zitiert. Viele Stellungnahmen zum neuen Traditionserlass zeigen allerdings, dass die Begrifflichkeiten immer wieder krude durcheinander geraten. Dies führt nicht selten dazu, dass Gesprächspartner aneinander vorbei reden. Es geht also um Klärungen von Begriffen wie Geschichte und Geschichtswissenschaft sowie Brauchtum und Symbole. Die Kärrnerarbeit der Begriffsanalyse ist nicht immer prickelnd, aber dennoch wichtig, um das Gespräch über Traditionsfragen zu erleichtern und Übereinstimmung in inhaltlichen Fragen zu erzielen.

An dieser Stelle müssen wir noch auf weitverbreitete Missverständnisse hinweisen, die das Verstehen der Inhalte dieses Buches erschweren könnten. Mancher Leser mag Fragen des soldatischen Erbes im 21. Jahrhundert auf Kasernennamen, Abzeichen an Uniformen oder symbolische Handlungen beschränken. Dies wäre allerdings eine unangemessene Verkürzung. Zwar sind Namensgebungen, Zeremonien und Rituale unerlässlich für die Pflege von Traditionen. Und in der Bundeswehr als Einsatzarmee ist das Verlangen der Soldaten danach stark gestiegen.[12] Sie sind jedoch selbst noch keine Tradition. Sie transportieren das soldatische Erbe, sie sind Ausdruck für Traditionen, veranschaulichen diese und wecken Emotionen, sie ersetzen sie aber nicht. Bei Traditionen handelt es sich vielmehr um Werte und Vorbilder des soldatischen Berufsstandes; sie sind damit Grundlage für die Führungskultur in der Bundeswehr und das Selbstverständnis des einzelnen Soldaten. Im Mittelpunkt steht dabei seine Rolle als Staatsbürger in einer Demokratie. Als solcher gibt er seine Wertmaßstäbe nicht auf, wenn er in der Uniform des Soldaten seinem Land dient. Auch nicht in den Auslandseinsätzen, auch nicht in den Grenzsituationen eines Gefechts.

Ebenso darf Tradition nicht mit Geschichte verwechselt werden. Geschichte ist aufgeschriebene Vergangenheit. Tradition wählt daraus das aus, was für Gegenwart und Zukunft wichtig ist. Damit wird zweierlei deutlich: Tradition braucht Geschichte, ist aber nicht Geschichte.[13] Und Tradition ist ein „wählerisches Konzept"; sie sortiert aus. Grundlage dafür sind wiederum die Wertmaßstäbe unserer freiheitlichen demokratischen Grundordnung.

In unserem Vorhaben wollen wir uns nicht dadurch entmutigen lassen, dass Unsicherheit in der Traditionspflege seit jeher ein Charakteristikum der Bundeswehr ist. Dies sei, so betonte zuletzt der Berliner Politikwissenschaftler Herfried Münkler, darauf zurückzuführen, „... dass es kaum ein schwierigeres Terrain als die deutsche Militärgeschichte..."[14] gebe. Viele Deutsche bewerten ihr Land insgesamt als ein „schwierigen Vaterland". Holocaust, Militarismus und militärische Niederlagen stehen dabei im Vordergrund. Mit diesen Themen werden wir uns im Kapitel vier auseinandersetzen.[15] Damit begeben wir uns auf ein vermintes Feld. Hier gab es scharfe Auseinandersetzungen wie beispielsweise den sogenannten ‚Historikerstreit' in den 1980-er Jahren, in dem die Einzigartigkeit der NS-Verbrechen sehr kontrovers diskutiert wurde. In jüngster Zeit haben Debatten vor allem über die Wehrmacht wieder Fahrt aufgenommen. Sie erhielten dabei eine populistische Stoßrichtung. Es scheint also durchaus hilfreich zu sein, die früheren

---

[12] Siehe Anja Seiffert, Auslandseinsätze als identitätsstiftende Erfahrungen. In: if Spezial Zeitschrift für Innere Führung, Nr. 2/2018, S. 78.

[13] Klaus Naumann, Der Wald und die Bäume. Spannungsfelder in der Traditionsdiskussion der Bundeswehr. In: Donald Abenheim, Uwe Hartmann (Hrsg.), Tradition in der Bundeswehr. Zum Erbe des deutschen Soldaten und zur Umsetzung des neuen Traditionserlasses, Berlin 2018, S. 67.

[14] Herfried Münkler, Traditionspflege ermöglicht Modernität. In: Frankfurter Allgemeine Zeitung vom 21. Februar 2018, S. 8.

[15] So in Anlehnung an ein Diktum Gustav Heinemanns, des dritten Bundespräsidenten der Bundesrepublik Deutschland. Siehe Martin und Sylvia Greiffenhagen, Ein schwieriges Vaterland. Zur politischen Kultur im vereinigten Deutschland, München 1993.

Diskussionsfronten wieder freizulegen und auf unsere heutige Zeit zu beziehen. Mit diesem Kapitel versuchen wir nicht, ein festes Geschichtsbild zu kreieren oder bestehende Kontroversen ein für alle Mal zu lösen. Es wäre wohl auch ein vergebliches Unterfangen. Wir wollen vielmehr aufzeigen, wie der Umgang mit der Geschichte im Zentrum von Identität und Erinnerungskultur steht. Die daraus resultierenden Debatten haben Einfluss auch auf das Traditionsverständnis der Bundeswehr. Traditionserlasse sind daher politische Dokumente. Sie bringen das Selbstverständnis des deutschen Staates und der Bundeswehr als eine seiner wichtigsten Institutionen zum Ausdruck. Damit beziehen sie Position in gesellschaftlichen und wissenschaftlichen Debatten, die für unser Gemeinwesen wichtig sind. Sie gehen also deutlich über die Bundeswehr und die Belange ihrer Angehörigen hinaus.

Mit diesem Kapitel zeigen wir auch den deutlich erkennbaren und sachlich notwendigen Perspektivenwechsel auf. Die unser Denken und Handeln leitende Sichtweise ist nicht allein das „schwierige Vaterland", sondern mehr und mehr der Stolz auf das nach 1945 Erreichte. Das Bewusstsein, dass wir in dem besten Deutschland leben, das es je ab[16], bestätigt doch, dass wir das Richtige aus der deutschen Geschichte ausgewählt und für uns genutzt haben. Wir haben uns damit unser eigenes Vorbild geschaffen. Besonders deutlich wird dies an der Erfolgsgeschichte der Bundeswehr und ihrer Führungsphilosophie, der Inneren Führung. Dass diese heute unter Akzeptanzproblemen leidet, weist darauf hin, dass der Stolz auf dieses Deutschland kein Selbstläufer ist. Es kommt vielmehr darauf an, auch in der Traditionspflege die Berechtigung für diesen Stolz herauszuarbeiten und symbolisch zu hinterlegen.

Diese Ausführungen mögen reichen, um Ihnen, dem Leser, einen ersten Überblick über die Inhalte dieser Einführung zu geben. Nun lassen Sie uns als erstes die so wichtige Gretchenfrage angehen: Warum benötigt der Soldat überhaupt Traditionen?

---

[16] Josef Joffe, Der gute Deutsche, a.a.O., S. 234-239.

1 Wofür sind soldatische Traditionen gut?

Zu den Aufgaben der Chefs und Kommandeure in den Streitkräften sowie der Dienststellenleiter im zivilen Bereich der Bundeswehr gehört es, Soldaten und zivile Mitarbeiter mit der Tradition und der Traditionspflege in der Bundeswehr vertraut zu machen. Sie sollen also deren Verständnis wecken, ihre Bereitschaft zur Weitergabe von Traditionen fördern, Vertrauen in das von der Bundeswehr vorgegebene Traditionsgut stärken und selbst die Herausbildung neuer Traditionen anregen. Das ist keine ganz einfache Aufgabe. Sie verlangt von Vorgesetzten, sich selbst intensiv mit Fragen der Tradition zu beschäftigen, eine begründete eigene Meinung zu erarbeiten und anderen Meinungen genauso wie neuen Ideen aufgeschlossen gegenüberzustehen. Sie müssen sich also trotz enormer Auftragsdichte die Zeit nehmen, um Bücher und Artikel zu lesen, Gespräche mit ihren Soldaten und zivilen Mitarbeitern zu führen, konkrete Projekte zur Traditionspflege durchzuführen und das ein oder andere Mal auch an öffentlichen Debatten über Traditionsfragen teilzunehmen. Äußerst hilfreich wäre es für sie, wenn ihre Soldaten und zivilen Mitarbeiter bereits Vorkenntnisse über das Traditionsgut der Bundeswehr mitbrächten und vor allem Interesse an kontrovers diskutierten Traditionsfragen zeigten.

Wir sind uns darüber im Klaren, dass, bevor der Leser sich die Mühe macht, diese Einführung weiter zu lesen, er sich die kritische Frage stellt, ob sich denn der ganze Aufwand überhaupt lohne. Ist Tradition nicht etwas, was den Soldaten von seinen gegenwärtigen und künftigen Herausforderungen ablenkt? Hat er angesichts der hohen Einsatzbelastung nicht Besseres zu tun? Und wenn Tradition mit Streit und Pathos daherkommt: Ist der Soldat der Bundeswehr, harmonisch in sich selbst ruhend, bisher nicht ganz gut ohne diese so beschwerlichen geistigen Dinge ausgekommen?[17] Aus Sicht vieler Soldaten gibt es zudem dringendere Probleme, die ihre Emotionen anheizen. Dazu gehören beispielsweise die von ihnen so wahrgenommene fehlende Anerkennung ihres Dienstes in Politik und Gesellschaft sowie das „System der Mangelbewirtschaftung"[18], das nicht nur ihre tägliche Arbeit

---

[17] Schon früh wurde die Bundeswehr als „Armee ohne Pathos" bezeichnet. Diese Zurückhaltung ist ihr gewissermaßen in die Wiege gelegt worden. Siehe dazu Adelbert Weinstein, Armee ohne Pathos. Die deutsche Wiederbewaffnung im Urteile ehemaliger Soldaten, Bonn 1951. Siehe dazu auch Donald Abenheim, Bundeswehr und Tradition: Die Suche nach dem gültigen Erbe des deutschen Soldaten, München 1989, S. 56ff.

[18] Diesen Begriff wählte der Wehrbeauftragte des deutschen Bundestages, Hans-Peter Bartels, bei der Vorstellung seines Jahresberichts 2018. Siehe dazu die Frankfurter Allgemeine Zeitung vom 29.01.2019.

erschwert, sondern auch zynische Kommentare in den Medien über die Bundeswehr heute auslöst. Zudem scheint Tradition ein heikles Thema zu sein. Karriereorientierte Offiziere haben hierfür eine hohe Sensibilität. Dass Deutschland zu den wenigen Ländern gehört, die einen von einem Minister unterschriebenen Erlass benötigen, um den Umgang ihrer Armee mit der Vergangenheit zu regeln[19], deutet schon darauf hin, dass Tradition nicht nur eine harte, sondern auch eine heikle, ja sogar gefährliche Arbeit sein kann. Offiziere wissen: Trotz bester Absichten und in der festen Überzeugung, alles richtig getan zu haben, können sie plötzlich im gleißenden Rampenlicht der Öffentlichkeit stehen und dadurch die politische Leitung sowie die militärische Führung zum Krisenmanagement zwingen.[20] Karrierenachteile sind dann eine wahrscheinliche Folge.

Vorgesetzte müssen also abwägen. Hoher Zeitaufwand und persönliches Risiko sprechen gegen ein beherztes Engagement in der Traditionspflege in der Bundeswehr. Und was spricht dafür? Welchen Vorteil bringt es für die Soldaten und insbesondere für die Chefs und Kommandeure, wenn sie Traditionen kennen, pflegen, weiterentwickeln und darüber diskutieren?

1.1 Warum benötigen Soldaten Traditionen?

Bei der Suche nach einer Antwort auf diese Frage mögen dem einen oder anderen Zitate aus Sonntagsreden sowie schöngeistige Bonmots in den Sinn kommen. Häufig werden darin Vergangenheit und Zukunft in eine positive Beziehung zueinander gesetzt. Der Theologe Dietrich Bonhoeffer, der noch kurz vor Ende des Zweiten Weltkrieges im Konzentrationslager Flossenbürg (Oberpfalz) ermordet wurde, schrieb dazu: „Die Ehrfurcht vor der Vergangenheit und die Verantwortung vor der Zukunft geben fürs Leben die richtige Haltung."[21] Gern zitiert wird auch der Satz, dass „Tradition

---

https://www.faz.et/aktuell/politik/wehrbeauftragter-beklagt-zustand-und-ausstattung-der-truppe-16014227.html

[19] Einen Traditionserlass gibt es auch in Österreich. Siehe dazu Manuela R. Krueger, Traditionsverständnis im Lichte der Traditionserlasse von Bundeswehr und Bundesheer. In: Österreichische Militärische Zeitschrift, Nr. 5/2018. Dieser Artikel ist auch in der Zeitschrift Der Panzergrenadier. Zeitschrift des Freundeskreises der Panzergrenadiertruppe e.V., H. 44 (22. Jg., Ausgabe 2/2018), S. 32-39 abgedruckt.

[20] Siehe dazu beispielsweise die Antwort der Bundesregierung auf die Kleine Anfrage der Abgeordneten Ulla Jelpke, Tobias Pflüger, Dr. André Hahn, weiterer Abgeordneter der Fraktion DIE LINKE, Drucksache 19/7551, Umsetzung des neuen Traditionserlasses der Bundeswehr. Anlass der Anfrage war eine Veröffentlichung von Oberst Reinhold Janke über das Thema Tradition und Ethik in dem von Donald Abenheim und Uwe Hartmann herausgegebenen Sammelband „Tradition in der Bundeswehr". Darin hatte der Autor Aussagen des ehemaligen Generals Schultze-Rhonhoff diskutiert.

[21] Dietrich Bonhoeffer, protestantischer Widerstandskämpfer gegen das NS-Regime, liefert noch heute wesentliche Impulse für das ethische Denken und Handeln. Zur Ethik Bonhoef-

bedeutet, an der Spitze des Fortschritts zu marschieren." Diese schneidige Definition des preußischen Generals Gerhard von Scharnhorst (1755-1813) kennen viele Angehörige der Bundeswehr. Sie verfügt über eine hohe Autorität, denn Scharnhorsts 200. Geburtstag am 12. November 1955 war schließlich der Gründungstag der Bundeswehr.[22]

Allerdings können Vergangenheit und Zukunft in einem durchaus konfliktträchtigen Verhältnis zueinander stehen. So manche Aussage mit Autoritätscharakter spielt Zukunft und Vergangenheit gegeneinander aus. Gesellschaftskritische Slogans wie „Unter den Talaren der Muff von tausend Jahren" aus der Zeit der Studentenbewegung („68er") wirken in ihrer Plattheit als der Weisheit letzter Schluss; andere Gedankenblitze wie beispielsweise Albert Einsteins Bonmot „Mehr als die Vergangenheit interessiert mich die Zukunft, denn ich gedenke in ihr zu leben" harmonieren mit dem Glauben an eine bessere Zukunft ohne die lästigen Fesseln der Vergangenheit. Sie passen durchaus zu der Realität, in der Chefs und Kommandeure ihre Führungsaufgaben wahrzunehmen haben. Denn diese sind auf Grund der Rahmenbedingungen ihres Dienstes gezwungen, ihr Denken und Handeln so stark an ihren eng getakteten Aufträgen auszurichten, dass für Bonhoeffers Ehrfurcht vor der Vergangenheit höchstens das schale Gefühl eines „Schön wär's ja" übrig bleibt.

Schauen wir der Realität des militärischen Dienstes ins Auge: Der Arbeitstag eines Chefs oder Kommandeurs wird sehr stark von bürokratischen Tätigkeiten dominiert. Sie sind viel zu häufig an ihren Schreibtisch gebunden. Selbst für Gespräche mit ihren Soldaten und Mitarbeitern bleibt ihnen wenig Zeit.[23] Die Beschäftigung mit der Vergangenheit überlassen sie notge-

---

fers siehe dessen Schrift „Ethik. Zusammengestellt und herausgegeben von Eberhard Bethge, München 1985". Zur Anwendung auf den Dienst in der Bundeswehr siehe vor allem Christian Walther, Im Auftrag für Freiheit und Frieden. Versuch einer Ethik für Soldaten der Bundeswehr, Berlin 2006.

[22] Zur Person Gerhard von Scharnhorsts und seiner Rolle für die Bundeswehr siehe „Scharnhorst. Ausgewählte Briefe und Schriften. Schriftenreihe Innere Führung, Beiheft 3/85 zur Information für die Truppe, herausgegeben vom BMVg Fü S I 3, Bonn 1985. Siehe auch neuerdings Gerd Fesser, Der stille Revolutionär. Gerhard von Scharnhorst reformiert Preußens Militär. In: Zeitgeschichte: Die Deutschen und ihre Soldaten. Geschichte einer schwierigen Beziehung, herausgegeben von Benedict Erenz, Christian Staas und Volker Ullrich, Hamburg 2018, S. 26-31. Am Ende seines Beitrags kommt Gerd Fesser zu dem Urteil: „Nur wenige Persönlichkeiten der deutschen Geschichte sind von der Nachwelt unabhängig vom politischen Standpunkt des Betrachters so einhellig positiv beurteilt worden wie Scharnhorst."

[23] Dass dies kein neues Problem der Bundeswehr ist, sondern ein altbekanntes, zeigen die Untersuchungen des damaligen Sozialwissenschaftlichen Instituts der Bundeswehr aus den 1970-er und 1980-er Jahren. Siehe dazu Jürgen Kuhlmann, Einheitsführer-Studie. Eine empirische Analyse der Tätigkeiten von Kompaniechefs des Feldheeres in der Deutschen Bun-

drungen und vielleicht auch nur der Einfachheit halber den Militärhistorikern und Geschichtslehrern in der Bundeswehr. Dabei gibt es nicht wenige Chefs und Kommandeure, die sich dafür durchaus interessieren. Und unter den Offizieren im Truppen- und General-/Admiralstabsdienst wird die Gruppe von studierten Historikern von Jahr zu Jahr größer. Viele Vorgesetzte ahnen wohl, dass Traditionen ihnen wirklich helfen könnten, ihren Auftrag und die damit verbundenen Aufgaben zu erfüllen. Ihnen dürfte zudem bewusst sein, dass Traditionspflege auch etwas mit der Erziehung von Soldaten zu tun hat. Helfen Traditionen nicht sogar bei der Führung der Truppe und auch dabei, selbst ein guter militärischer Führer zu sein? Offensichtlich ist Traditionspflege auch für die Außenwirkung der Bundeswehr wichtig. Sie zeigt, welch Geistes Kind die Streitkräfte sind. ‚Sage mir, welche Traditionen die Truppe pflegt, und ich sage Dir, wie sie ihr Verhältnis zu Politik und Gesellschaft sieht.' Dies ist ja auch der Grund, weshalb nicht wenige Menschen in unserem Land sich für das Traditionsverständnis der Bundeswehr interessieren – manche vielleicht sogar mehr als für die mangelhafte materielle Einsatzbereitschaft der Truppe.

Es gibt also innerhalb und außerhalb der Bundeswehr ein gewisses Bewusstsein für die Bedeutung von soldatischen Traditionen und für die Notwendigkeit ihrer Pflege. In der Praxis ist bisher allerdings nicht viel passiert. Aktiv werden Chefs und Kommandeure oftmals erst dann, wenn sie durch Politik und Öffentlichkeit gezwungen werden, sich dafür Zeit zu nehmen. Dies ist häufig nicht angenehm – weder für die betroffenen Soldaten noch für die Bundeswehr insgesamt. Die Vorfälle, welche die Bundesministerin der Verteidigung und den damaligen Generalinspekteur, General Volker Wieker, im Frühjahr 2017 veranlassten, einen neuen Traditionserlass in Auftrag zu geben und Kasernen nach „Wehrmachtsdevotionalien" zu durchsuchen, sind dafür ein anschauliches Beispiel. Sie schadeten dem öffentlichen Ansehen der Bundeswehr und belasten weiterhin das so wichtige Vertrauensverhältnis der Soldaten zur politischen Leitung und militärischen Führung.[24]

Ein Blick in die Geschichte der Bundeswehr zeigt, dass der Umgang ihrer Angehörigen mit der Wehrmacht und mit rechtem Gedankengut oftmals Auslöser für kritische Debatten über das Traditionsverständnis der Bundes-

---

deswehr, München 1979 (=SOWI-Berichte Nr. 16) sowie ders, Zeithaushalte und Tätigkeitenprofile von Bootskommandanten der Bundesmarine, München 1986 (=SOWI-Berichte Nr. 42).

[24] Ein Stimmungsbild dafür liefert Nariman Hammouti-Reinke, Ich Diene Deutschland. Ein Plädoyer für die Bundeswehr – und warum sie sich ändern muss, Reinbek bei Hamburg 2019, S. 200-203.

wehr war.[25] Damit drängt sich folgende Frage auf: Wie kann es sein, dass die Bundeswehr dafür irgendwie anfällig ist, obwohl sie schon über sechzig Jahre besteht und damit deutlich älter ist als Reichswehr und Wehrmacht zusammen? Mancher Kritiker der Bundeswehr sieht eine Ursache darin, dass die zehn Jahre nach dem Ende des Zweiten Weltkrieges gegründeten neuen deutschen Streitkräfte trotz ihrer festen Verankerung in den bereits bestehenden demokratischen Staat nicht wirklich aus dem Schatten der Wehrmacht heraustreten konnten.[26] Vielleicht hat es aber auch mit dem frühen Scheitern der Inneren Führung als verbindlicher Führungsphilosophie zu tun. Dies hatte ihr wesentlicher Mitbegründer, Wolf Graf von Baudissin, wenige Jahre nach seinem Ausscheiden aus dem aktiven militärischen Dienst beklagt. Oder sind wir zu wenig politisch und historisch gebildet, um den Erfolg Deutschlands nach 1949 zu sehen und darauf stolz zu sein? Oder liegt es ganz einfach nur an Ignoranz und Desinteresse seitens der Soldaten selbst, was Populisten nun für ihre Zwecke ausnutzen?[27]

Doch ist die Frage „Wie hältst Du es mit der Wehrmacht?" wirklich *die* „Gretchenfrage" für die Angehörigen der Bundeswehr?[28] Neuerdings weisen Kenner der Debatte darauf hin, dass der Umgang mit der Wehrmacht nur ein Symptom ist für fehlende Antworten auf die eigentliche Fragestellung. Diese lautet: „Wofür soll der Soldat dienen?" Hinter dem Traditionsverständnis lauert also die Frage nach dem Sinn des soldatischen Dienens.[29] Und da diese Frage seit jeher kontrovers in Politik und Öffentlichkeit disku-

---

[25] Siehe dazu Reiner Pommerin, Weder Geschichte noch Brauchtum: Tradition. In: Donald Abenheim, Uwe Hartmann (Hrsg.), Tradition in der Bundeswehr. Zum Erbe des deutschen Soldaten und zur Umsetzung des neuen Traditionserlasses, Berlin 2018, S. 72.

[26] Prominente Vertreter dieser Kritik sind die Historiker Detlef Bald und Wolfram Wette. Siehe dazu Detlef Bald, Die Bundeswehr. Eine kritische Geschichte, München 2005; Wolfram Wette, Wehrmachtstraditionen und Bundeswehr. Deutsche Machtphantasien im Zeichen der Neuen Militärpolitik und des Rechtsradikalismus. In: Johannes Klotz (Hrsg.), Vorbild Wehrmacht? Wehrmachtsverbrechen, Rechtsextremismus und Bundeswehr, Köln 1998, S. 126-154. Der Militärhistoriker Frank Nägler beschreibt anhand zahlreicher Primärquellen aus dem BMVg sowie aus dem Bundestag, wie Gegner der Inneren Führung mit dem Ziel der „Kriegstüchtigkeit" versuchten, die neuen deutschen Streitkräfte in eine ungebrochene, auf das Kriegshandwerk ausgerichtete Tradition der Wehrmacht zu stellen. Siehe dazu Frank Nägler, Der gewollte Soldat und sein Wandel. Personelle Rüstung und Innere Führung in den Aufbaujahren der Bundeswehr 1956 bis 1964/65, München 2010, S. 442-484.

[27] Zur Kenntnis und Akzeptanz der Inneren Führung bei den Soldaten der Bundeswehr siehe Angelika Dörfler-Dierken, Robert Kramer, Innere Führung in Zahlen. Streitkräftebefragung 2013, Berlin 2014.

[28] So lautete die Überschrift zu zwei Artikeln in der Zeitschrift Truppenpraxis (Ausgabe 3/1990), die eine heftige bundeswehrinterne Diskussion auslösten.

[29] Klaus Naumann, Der Wald und die Bäume. Spannungsfelder in der Traditionsdiskussion der Bundeswehr, a.a.O., S. 60-67.

tiert wird, ist es auch nicht verwunderlich, dass es keinen Konsens über das Erbe des deutschen Soldaten gibt. Ohne ein klares Verständnis, wofür wir Soldaten auch in Zukunft brauchen, ist die Arbeit beispielsweise an einer Ahnengalerie mit ausgewählten Vorbildern schwierig, da ihr Zweck nicht klar ist. Erschwerend kommt hinzu, dass manche öffentliche Personen die Kritik am Traditionsverständnis der Bundeswehr als Hebel benutzen, um die Verteidigungspolitik der jeweiligen Bundesregierungen in Frage zu stellen. Sicherheitspolitische Kontroversen werden so auf dem Rücken der Soldaten ausgetragen.[30] Wesentliche Funktionen von Tradition wie beispielsweise die Vermittlung von Verhaltens- und Orientierungssicherheit, die Stabilisierung von Organisationskulturen sowie die Stiftung von Identität[31] sind damit ausgeblendet, ja sogar untergraben. Was dies für die Innere Führung als Führungsphilosophie der Bundeswehr sowie für die politische und strategische Kultur in Deutschland bedeutet, darauf werden wir in unseren Ausführungen immer wieder hinweisen müssen.

Vielleicht sollten wir bei der Beantwortung der Frage, wofür Soldaten Traditionen benötigen, nicht gleich auf die aktuellen Probleme der Bundeswehr blicken, sondern ganz fundamental deren Bedeutung für die menschliche Existenz im Allgemeinen betrachten. Denn die kritische und oftmals kontroverse Debatte über soldatische Traditionen verkennt die Tatsache, dass Menschen schon immer in Traditionen stehen, ob sie dies nun wollen oder nicht. Dies liegt daran, dass Menschen historische Wesen mit einem Gedächtnis sind. Ihr Denken und Handeln ist maßgeblich von dem bestimmt, was sie selbst erlebt, aber auch davon, was sie von anderen gehört, gelesen oder gesehen haben. Das, was Menschen überliefern, besitzt sogar eine gewisse Autorität; denn wir können einfach nicht alles, was wir lernen, einer kritischen Reflexion unterziehen. Unser Leben ist dafür zu kurz.[32]

Nehmen wir unseren Umgang mit der Wehrmacht als ein Beispiel dafür. Jeder Erwachsene weiß irgendetwas über die Wehrmacht – aus der Schule, aus den Erzählungen von Familienangehörigen, aus Büchern und Zeitschriften sowie aus Filmen. Großen meinungsbildenden Einfluss haben heute Dokumentarsendungen, die in den öffentlichen und privaten Fernsehkanä-

---

30 Siehe Reiner Pommerin, Weder Geschichte noch Brauchtum: Tradition, a.a.O., S. 72.

31 Zu den Funktionen von Tradition siehe Heiko Biehl, Nina Leonhard, Bis zum nächsten Mal? Eine funktionalistische Interpretation der Debatte um die Tradition der Bundeswehr, a.a.O., S. 39-40.

32 Siehe dazu vor allem Hans-Georg Gadamer, Wahrheit und Methode, Tübingen 1975. Zur Anwendung der Grundgedanken der philosophischen Hermeneutik auf das Traditionsverständnis der Bundeswehr siehe Uwe Hartmann, Tradition und Legitimation – Eine kritische Reflexion über aktuelle Probleme des Traditionsverständnisses der Bundeswehr. In: Uwe Hartmann, Hans Herz, Tradition und Tapferkeit, Frankfurt/M. 1991, S. 34-41.

len laufen, sowie die vielfach wertenden Kommentare in den sozialen Netzwerken. Man muss also nicht Geschichte studiert haben, um ein mehr oder weniger fundiertes Vorverständnis von der Wehrmacht zu besitzen. Es ist zumindest unterschwellig immer da.

Kenntnisse und Urteile über die Wehrmacht werden also auf vielen Wegen überliefert. Die Menschen stehen in diesen Überlieferungen, sie können sich nicht gänzlich dagegen abschotten. Bereits die jungen Frauen und Männer, die in die Bundeswehr eintreten, verfügen trotz der oftmals beklagten geringen historischen Kenntnisse über Wissen und Meinungen über die Wehrmacht. Während ihrer Dienstzeit werden sie darin bisweilen ganz unbewusst neue Erkenntnisse und Beurteilungen einfügen. Als aufgeklärte Menschen werden sie dieses sich von selbst einstellende Verstehen von Zeit zu Zeit überprüfen. Denn sie sollen und wollen hoffentlich doch nicht Mythen, Legenden oder bewusst gefälschten Tatsachen (*fake news*) auf den Leim gehen.

Dafür bietet die Bundeswehr ihren Angehörigen vielfältige Informations- und Weiterbildungsmöglichkeiten. In Veranstaltungen zur Politischen Bildung, mittels der Forschungsleistung des Zentrums für Militärgeschichte und Sozialwissenschaften der Bundeswehr (ZMSBw) oder in kostenfrei verteilten Zeitschriften wie beispielsweise der „Militärgeschichte"[33] konfrontiert sie diese u.a. mit der Verstrickung der Wehrmacht in die nationalsozialistischen Kriegsverbrechen. In ihrem neuen Traditionserlass regelt sie zum wiederholten Mal sehr eindeutig, dass die Wehrmacht *als Institution* keine Tradition für die Bundeswehr begründet.[34]

Der Bildungsanspruch, den die Bundeswehr sich selbst gesetzt hat, ist überaus ambitioniert. Ihre Angehörigen sollen nicht nur durch die politisch-historische Bildung, sondern durch den Dienst insgesamt erleben, dass dieser Staat es wirklich ernst meint mit dem Grundgesetz, d.h. mit dem Friedensgebot und der Vorrangstellung der Menschenwürde. Sie sollen erkennen, dass eine Armee, die einen verbrecherischen Eroberungs- und Vernichtungskrieg führte, die gegnerische Kriegsgefangene und Zivilbevölkerungen geringschätzte und in der die Würde der eigenen Soldaten oftmals wenig zählte, für sie kein Vorbild sein kann und darf. An sich wäre dafür gar kein Erlass nötig. Die Angehörigen der Bundeswehr würden selbst diese Schlussfolgerung ziehen können, wenn sie sich intensiv mit der Führungsphilosophie der Inneren Führung, die ja gerade aus der bewussten Abgrenzung zur

---

[33] Die neuesten Ausgaben dieser Zeitschrift sind im Internet abrufbar. http://www.zmsbw.de/html/aktuelles/dokumentdm_entry/militaergeschichte.zeitschriftfuerhistorischebildung.?teaser=2

[34] Traditionserlass 2018, Nr. 3.4.1.

Wehrmacht entstanden ist, beschäftigten. Dies ist aber leider zu wenig der Fall.

Unsere Ausführungen zum Umgang mit der Wehrmacht unterstreichen, dass die Bundeswehr über einen *spezifischen* Traditionsbegriff verfügt. Sie definiert Tradition als eine *wertende* Auswahl aus dem Gesamtbestand der Geschichte. Tradition ist also nicht das unbefragt von Generation zu Generation Überlieferte und damit Selbstverständliche, sondern eine *kritische Auswahl*. Im Jahre 2005 bemerkte Bundespräsident Horst Köhler vor den Generalen der Bundeswehr hierzu: „Die Bundeswehr ... pflegt die Tradition ihrer Vorgängerarmeen getreu dem Apostelwort ‚Prüfet alles. Das Gute behaltet!'"[35] Auch wenn der damalige Bundespräsident ein Bibelzitat anführen konnte, so darf dies nicht darüber hinwegtäuschen, dass viele Menschen in ihrer Alltagssprache Tradition eben nicht als eine kritische Auswahl, sondern als etwas Selbstverständliches und Vorgegebenes verstehen. Das muss nicht immer gut sein, worauf ja die differenzierende Rede von den „guten Traditionen" hindeutet. Im Sprachgebrauch der Bundeswehr wäre diese Redewendung allerdings ein Pleonasmus, also ein „weißer Schimmel". Tradition ist per definitionem „gut". Warum dies so ist, das werden wir im Verlaufe dieser Einführung immer wieder deutlich herausstellen.

Heißt das nun, dass die Wehrmacht überhaupt keine Rolle mehr im Denken und Handeln der Soldaten spielen darf? Wohl kaum. Die Wehrmacht bleibt unterschwellig immer anwesend. Wissen und Wertungen darüber werden weiterhin überliefert. Sie tauchen reflektiert oder unreflektiert in den Hinterköpfen der Menschen auf. Wer als Soldat Filme wie beispielsweise „Die Brücke", „Der Untergang" oder „Der Soldat James Ryan" sieht, fragt sich doch wie selbstverständlich, was die darin enthaltenen Botschaften für ihn und seinen Dienst bedeuten. Diesbezüglich gibt es wirklich keine „Stunde Null" im Jahre 1945. Wenn die Bundesministerin der Verteidigung, Ursula von der Leyen, von einer „Nulllinie" spricht, dann meint sie damit etwas anderes: Sie will nicht, dass sich Soldaten mit der Wehrmacht in einer Art und Weise beschäftigen, die dazu beiträgt, diese positiv zu werten – auch wenn ihr in wissenschaftlichen Veröffentlichungen eine hohe „Kampfkraft" bescheinigt wird[36] und vor allem im angelsächsischen Raum die Glorifizierung ihrer Generale kaum Grenzen kennt. Selbst „harmlose Devotionalien" wie Helme und Panzerbausätze führen dann ggf. zu politischen Interventio-

---

[35] Bundespräsident Horst Köhler, Rede auf der Kommandeurtagung der Bundeswehr am 10. Oktober 2005 in Bonn. www.bundespraesident.de/SharedDocs/Reden/DE/Horst-Koehler/Reden/2005/10/20051010_Rede.html. Das Bibelzitat entstammt 1. Thessalonicher 5, 21.

[36] Martin von Creveld, Kampfkraft. Militärische Organisation und Leistung der deutschen und amerikanischen Armee 1939-1945, Wien ³2007.

nen in den Dienstbetrieb der Bundeswehr, weil dahinter der wohlfeile Verdacht steht, dass die Faszination an Ausrüstungsgegenständen der Wehrmacht positive Gedanken über diese Armee nach sich zöge. Den meisten Soldaten mag dieser Verdacht weit hergeholt erscheinen. Sie bewerten die Durchsuchung von Kasernen nach Wehrmachtsdevotionalien, wie sie von der Bundesministerin der Verteidigung und ihrer Generalität angeordnet wurde, daher als Vertrauensverlust. Zumal doch viele empirische Untersuchungen zeigen, wie stark demokratische Einstellungen bei den Angehörigen der Bundeswehr ausgeprägt sind[37]. Erst kürzlich konnte die Historikerin Sarah Katharina Kayß empirisch belegen, dass junge Offiziere der Bundeswehr ganz wichtige Lehren aus der deutschen Geschichte von 1933 bis 1945 für ihr Selbstverständnis ziehen: Sie sind Offizier geworden, weil sie einen Beitrag dafür leisten wollen, dass Angriffskriege und Völkermord sich nicht wiederholen.[38] Die Ministerin bewertete das Auffinden einiger Wehrmachtsdevotionalien anders, und nicht wenige Stimmen aus der interessierten Öffentlichkeit bescheinigten ihr richtiges Handeln.

Doch Vorsicht! Wir laufen jetzt Gefahr, Tradition vornehmlich als eine Last zu sehen. Fragen wir uns also, warum Traditionen gerade für den Soldaten sehr wichtig und hilfreich sind. Und zwar so wichtig und hilfreich, dass die vielen Probleme, die durch hohe Einsatzbelastungen auf der einen und akute Mangelwirtschaft auf der anderen Seite entstehen und die schon seit vielen Jahren die Männer und Frauen in der gesamten Bundeswehr quälen, für einen Moment in den Hintergrund treten und Chefs und Kommandeure sich die Zeit nehmen, nicht nur dieses Buch zu lesen, sondern auch für sich selbst ein authentisches Traditionsverständnis zu entwickeln und dies den unterstellten Soldaten und zivilen Mitarbeitern vorzuleben.

---

[37] Sozialwissenschaftliches Institut der Bundeswehr, Ergebnisse der Studentenbefragung an den Universitäten der Bundeswehr Hamburg und München 2007, Forschungsbericht 89, März 2010.

[38] Siehe dazu Sarah Katharina Kayß, Tradition und Identität: Die Vergangenheit als Motivationsimpuls für die Gegenwart des zukünftigen Offizierskorps der Bundeswehr. In: Donald Abenheim, Uwe Hartmann (Hrsg.), Tradition in der Bundeswehr. Zum Erbe des deutschen Soldaten und zur Umsetzung des neuen Traditionserlasses, Berlin 2018, S. 232-244. Diese Einstellungen stehen in Einklang mit den Erkenntnissen einer Untersuchung des Instituts für Demoskopie Allensbach. Darin schreibt Thomas Petersen, dass die deutsche Schuld für Holocaust und Kriegsverbrechen langsam „… in die Sphäre des Historischen (rücke), was jedoch nicht mit einem Rückgang des Verantwortungsbewusstseins zu verwechseln ist. Von einer ‚Schlussstrichmentalität' ist nichts erkennbar. Es gibt auch keine Anzeichen für eine Rückkehr zum offensiven Nationalstolz." Siehe Thomas Petersen, Ein Volk kommt zur Ruhe, Frankfurter Allgemeine Zeitung vom 28. Januar 2015. https://www.faz.net/aktuell/politik/inland/deutsche-fragen-und-antworten-ein-volk-kommt-zur-ruhe-13393752.html?printPagedArticle=true#pageIndex_0

Der Soldat im Krieg und Einsatz

Hilfreich ist zunächst einmal der Hinweis, dass alle Armeen der Welt Traditionen pflegen. Das scheint etwas mit dem Auftrag von Soldaten und ihren spezifischen Aufgaben zu tun zu haben. Wir wollen an dieser Stelle nicht zu tief in die Frage, was Krieg und Einsatz bedeuten, einsteigen. Halten wir uns an die weltweit akzeptierten Beschreibungen des Krieges aus der Feder von Carl von Clausewitz (1780-1831), eines preußischen Generals und Kriegstheoretikers, der auch für die Tradition der Bundeswehr eine herausragende Rolle spielt und nach dem eine Kaserne der Führungsakademie der Bundeswehr in Hamburg benannt ist. Krieg, so Clausewitz, ist ein Akt der Gewalt. Jeder versucht, seinen Gegner niederzuringen. Er ist gekennzeichnet durch Ungewissheit und Friktion. Damit verbunden sind Gefahren für das eigene Leben sowie hohe körperliche und psychische Anstrengungen. Krieg stellt also enorm hohe Anforderungen an die Soldaten – körperliche, handwerkliche und auch geistig-intellektuelle sowie moralische.[39]

Weil Handeln im Krieg so schwierig ist und daher, wie Clausewitz es anschaulich beschreibt, einer „Bewegung in einem erschwerenden Mittel"[40] gleicht, legen Armeen viel Wert auf die Ausbildung und Bildung ihrer Angehörigen. Durch eine möglichst gute sowie künftigen Kriegen bzw. Einsätzen angemessene Ausbildung soll der Soldat darauf vorbereitet werden. So sieht das auch die Bundeswehr. Auch in ihr darf der Soldat darauf vertrauen, dass das, was er lernt, ihn dazu befähigt, den Erwartungen seiner Vorgesetzten zu genügen und seinen Auftrag zu erfüllen.

Eine ähnliche *vertrauensbildende Funktion* haben auch soldatische Traditionen. Allerdings geht es ihnen nicht um handwerkliches Können, sondern darum, dem Soldaten Werte und Vorbilder zu vermitteln, nach denen er sein Handeln in den unübersichtlichen Lagen in Kriegen und Einsätzen orientieren kann. Er darf sich darauf verlassen, dass sein Handeln gemäß den tradierten Werten und den dafür ausgesuchten Vorbildern richtig ist; dass diese ihm helfen, seine Aufgaben gut zu erfüllen und dass ihm dafür auch später noch Wertschätzung entgegengebracht wird. Traditionen haben damit gleichsam die Funktion von Faustregeln. Sie erlauben ihm ein „schnelles Denken"[41]. Das heißt: Der Soldat darf sie anwenden, ohne länger darüber nachzudenken, ob sie richtig oder falsch sind. Sie sind also ein ‚Helfer-in-der-Not'.[42]

---

[39] Carl von Clausewitz, Vom Kriege, Bonn 1991, S. 191ff., 237, 256ff.
[40] Carl von Clausewitz, Vom Kriege, a.a.O., S. 263.
[41] Zur Unterscheidung von schnellem und langsamem Denken siehe Daniel Kahneman, Schnelles Denken, langsames Denken, München 2014.
[42] Selbst höchste Generale suchen in schwierigen Situationen nach einem Vorbild, das als Helfer-in-der-Not dienen könnte. Siehe dazu General McChrystals Beschreibung seiner

Mit diesem Begriff wollen wir auch zum Ausdruck bringen, dass es nicht so sehr um den Ansporn geht, historischen Vorbildern nachzueifern und diese sogar zu übertreffen. Angesichts der Komplexität von Kriegen und Einsätzen mit ihren Gefahren für Leib und Leben bleiben wir sehr nüchtern: Es geht um Auftragserfüllung, nicht um die heroische Einzeltat. Zudem halten Traditionen den Soldaten „im Zaun". Sie sagen ihm: „Bleib anständig. So etwas macht ein Soldat nicht!"[43] Damit sind Traditionen eine Art physische und psychische „Überlebenshilfe"; denn vor allem auf den unteren Führungsebenen sind Entscheidungen über Leben und Tod oftmals in Sekundenschnelle zu treffen. Dabei ist eine funktionierende „ethische Bremse" wichtig, um nicht in unmenschliche Handlungsweisen abzudriften. Soldatische Traditionen bieten also Sicherungen und Stabilisierungen, damit Verhalten nicht affektbestimmt, triebhaft und unberechenbar wird und schließlich in unkontrollierter Gewaltanwendung und sogar in Kriegsverbrechen entgleitet.[44] Ihre Pflege ist eine besondere Form des Umgangs mit den geistigen, psychischen und moralischen Herausforderungen vor allem in Krieg und Einsatz. Traditionspflege ist also eine „Reduktion von Komplexität" mittels Vertrauen in Traditionsinhalte, die mit den heutigen Werten unserer freiheitlichen demokratischen Grundordnung im Einklang sind.

Damit wird zweierlei deutlich: Soldaten benötigen, wie viele andere Berufstätige auch, Traditionen, die es ihnen erleichtern, mit komplexen Herausforderungen und der damit einhergehenden Ungewissheit umzugehen. Und zweitens, diese Traditionen und die in ihnen zum Ausdruck gebrachten Werte und Vorbilder müssen auf den Soldatenberuf mit seinen spezifischen Eigenschaften, Gefährdungen und Versuchungen zugeschnitten sein. Das bedeutet nicht, dass sie völlig anders sind als Traditionen, die in anderen Berufen und überhaupt in Staat und Gesellschaft gepflegt werden. Ganz im Gegenteil: Traditionen, die Akzeptanz in Politik und Öffentlichkeit finden und an deren Ausgestaltung sich auch die Bürger beteiligen, dürfen nicht gegen die demokratische Verfasstheit unseres Staates und auch nicht gegen

---

Situation nach Veröffentlichung eines Artikels im Rolling Stone, der zu seiner Entlassung führte. General Stanley McChrystal, My share of the Task. A Memoir, New York 2013, S. 388 und 393.

[43] Zum Verständnis des Begriffs ‚Anstand' siehe Axel Hacke, Über den Anstand in schwierigen Zeiten und die Frage, wie wir miteinander umgehen, München 2018.

[44] Siehe dazu vor allem Sönke Neitzel, Harald Welzer, Soldaten. Protokolle vom Kämpfen, Töten und Sterben, Frankfurt/M. [5]2011, insbesondere die Einleitung von S. 16-82. Dass Kriegsverbrechen auf taktischer Führungsebene auch in anderen Armeen vorkommen und diese enorme strategische Auswirkungen haben, zeigen Vorfälle beispielsweise des US-amerikanischen Heeres in Vietnam. Zum My Lai Massaker siehe Thomas E. Ricks, The Generals, a.a.O., S. 293-314.

den Kern unserer freiheitlichen Gesellschaftsordnung gerichtet sein. Aber dennoch gibt es spezifische Elemente, die für die Soldaten wichtig sind, weil sie nun einmal besondere Aufgaben erfüllen sollen, die Politik und Gesellschaft ihnen bewusst übertragen haben. Traditionen sollen also den Soldaten dabei helfen, ihren politisch-rechtlich legitimierten, aber durchaus spezifischen und überaus schwierig umzusetzenden Auftrag zu erfüllen. Und dafür, so glauben wir als Autoren, lohnt sich selbst ein hoher Zeitaufwand.

Ganz so einfach, wie sich dies anhört, ist es freilich nicht. Der Historiker Klaus Naumann weist darauf hin, dass es modernen Gesellschaften heute schwerfällt, so etwas wie eine gemeinsame Identität oder zumindest konsensfähige Bezugsgrößen zu entwickeln. Das Allgemeine verschwindet und wird durch Gruppeninteressen ersetzt, die bisweilen mit einem Absolutheitsanspruch lautstark vertreten werden.[45] Der politische Gebrauch der Parole „Wir sind das Volk" liefert ein anschauliches Beispiel dafür, wie Gruppeninteressen gerne im Namen des Ganzen bzw. der Allgemeinheit auftreten. Diese Diagnose trifft auch auf moderne Armeen zu. Sie zeichnen sich nicht zuletzt aufgrund der technologischen Entwicklungen und permanenten Reformen durch eine Rollenvielfalt ihrer Soldaten und zivilen Mitarbeiter aus. Angesichts dieser Vielfalt mag der Einzelne sich in Anlehnung an einen bekannten Buchtitel fragen: „Wer bin ich, und wenn ja, wie viele?"[46] Zwar stellen insbesondere die Generale des Heeres den Kampf als das zentrale und verbindende Element der soldatischen Identität und damit als „gemeinsame Klammer" heraus. Allerdings reibt sich das soldatische Selbstverständnis, das sich an dem Wesenskern von Streitkräften als einer für die Gewaltanwendung zuständigen staatlichen Organisation orientiert, an der nur geringen Zahl von Soldaten, die tatsächlich Gewalt ausüben (sollen).[47] Reibung entsteht auch dadurch, dass der Einsatz militärischer Gewalt in Politik und Gesellschaft weithin abgelehnt und allerhöchstens noch als *ultima ratio* toleriert wird.[48] Gibt es überhaupt noch eine gemeinsame Bezugsgröße für die Soldaten, ja sogar für alle Angehörigen der Bundeswehr?

---

[45] Klaus Naumann, Der Wald und die Bäume. Spannungsfelder in der Traditionsdiskussion der Bundeswehr. In: Donald Abenheim, Uwe Hartmann (Hrsg.), Tradition in der Bundeswehr. Zum Erbe des deutschen Soldaten und zur Umsetzung des neuen Traditionserlasses, Berlin 2018, S. 61. Klaus Naumann greift dazu auf die Studie des Soziologen Andreas Reckwitz, Die Gesellschaft der Singularitäten, Frankfurt/M. 2017 zurück.

[46] Richard David Precht, Wer bin ich und wenn ja, wie viele? Eine philosophische Reise, München 242007. Zur Kritik an postmodernen oder linksliberalen Vorstellungen von Identitätsdiffusion, Patchwork-Identitäten und Bastel-Biographien siehe auch Thea Dorn, deutsch, nicht dumpf. Ein Leitfaden für aufgeklärte Patrioten, München 32018, S. 109.

[47] Naumann, Der Wald und die Bäume, a.a.O., S. 64-67.

[48] Zur im internationalen Vergleich geringen Akzeptanz eines Einsatzes militärischer Gewalt in der deutschen Bevölkerung siehe die regelmäßigen Bevölkerungsumfragen, die das ehema-

In der jüngsten Debatte über das Traditionsverständnis der Bundeswehr werden zwei Begriffe diskutiert, die diese gemeinsame Mitte bilden könnten. Das ist zum einen der Begriff des Dienens[49], der gerade auch in dem Slogan „Wir.Dienen.Deutschland." auf hohe Akzeptanz unter den Soldaten und auch in der Bevölkerung insgesamt stößt. Und das ist zum anderen die Ergänzung des bewaffneten Kampfes als Wesenskern des Soldatenberufs um den „Kampf für die Demokratie"[50]. Es geht also immer auch um das Engagement für die freiheitliche demokratische Grundordnung, deren Bestand grundsätzlich schutzbedürftig ist und heute besonders gefährdet erscheint.[51] Beide Positionierungen gehen davon aus, dass zum Soldatsein mehr gehört als „militärisch-handwerkliche" Professionalität im Umgang mit Waffen und sonstigen Ausrüstungsgegenständen.

Die Funktion von Tradition, Vertrauen und Selbstvertrauen zu stärken, stößt sich also an der Rollenvielfalt des Soldaten. Es ist daher ganz entscheidend, dass es uns gelingt, eine gemeinsame Mitte zu definieren. Darauf müssen wir immer wieder zurückkommen. Sollte uns dies über die Begriffe ‚Dienen für Deutschland' und ‚Kampf für die Demokratie' gelingen, dann sind soldatische Traditionen so etwas wie eine maßgeschneiderte Lebenshilfe – für Krieg und Einsatz jenseits der deutschen Staatsgrenzen genauso wie für den Grundbetrieb der Streitkräfte unter Friedensbedingungen in unserem Land.

Die vertrauensbildende Funktion von Traditionen geht über die Lebenshilfe für den Einzelnen hinaus. Sie fördert auch Vertrauen im Umgang miteinan-

---

lige Sozialwissenschaftliche Institut der Bundeswehr und neuerdings das ZMSBw durchführen. Zuletzt Markus Steinbrecher, Heiko Biehl, Timo Graf, Sicherheits- und verteidigungspolitisches Meinungsbild in der Bundesrepublik Deutschland. Erste Ergebnisse der Bevölkerungsumfrage 2018, Potsdam 2018. Zum Vergleich mit anderen Ländern siehe Heiko Biehl u.a., Strategische Kulturen in Europa. Die Bürger Europas und ihre Streitkräfte. Ergebnisse der Bevölkerungsumfragen in acht europäischen Ländern 2010 des Sozialwissenschaftlichen Instituts der Bundeswehr, Forschungsbericht 96, September 2011. Alle Berichte sind erhältlich unter www.zmsbw.de/html/publikationen/sozialwissenschaften/forschungsberichte.

[49] Siehe dazu etwa Reiner Pommerin, Weder Geschichte noch Brauchtum: Tradition, a.a.O., S. 72-91.

[50] Marc-Andrè Walther, Tradition und Kampf. In: Donald Abenheim, Uwe Hartmann (Hrsg.), Tradition in der Bundeswehr. Zum Erbe des deutschen Soldaten und zur Umsetzung des neuen Traditionserlasses, Berlin 2018, S. 197. Dieser Gedanke wurde bereits in den Grundsätzen des Traditionserlasses von 1965 verankert (13 und 4).

[51] Der Traditionserlass von 1965 verfügte dazu in der Nr. I.3: „Recht und Freiheit werden nicht nur durch Gewaltanwendung, sondern auch in der Gesellschaft und im persönlichen Bereich bedroht. Unerschrockenheit und Standhaftigkeit gegenüber dieser Gefährdung gehören daher ebenso in die gültige Tradition der Bundeswehr wie Entschlussfreude, Mut und Tapferkeit vor dem Feinde. Entscheidend ist die Bereitschaft zum Opfer für Freiheit und Recht."

der. Der Soldat darf sich auf die Orientierung seines Handelns an Werten und Vorbildern verlassen, weil diese auch von seinen Vorgesetzten anerkannt sind; und er darf zu Recht erwarten, dass auch diese sich daran orientieren. Dadurch entstehen Vertrauen und Zusammenhalt in den Einheiten, Verbänden und schließlich in der gesamten Bundeswehr. Der Soldat muss sich auch keine größeren Gedanken über die öffentliche Bewertung seines Handelns machen, da er weiß, dass die soldatischen Traditionen auch in Politik und Gesellschaft akzeptiert sind. Dies ist eine große psychologische Entlastung, die vor allem in Gefechtssituationen, aber gerade auch für das Leben danach unverzichtbar ist.[52]

Andererseits darf sich der Soldat keiner Illusion hingeben. Traditionen bieten keine Absolution. Sie sind auch kein „Autopilot".[53] Es kann Situationen geben, in denen das Abweichen von tradierten Werten und Vorbildern ganz einfach erforderlich ist. In denen muss sich der Soldat unbedingt die Zeit nehmen, nachzudenken, d.h. tradierte Verhaltensweisen in Frage zu stellen. Ein Beispiel für dieses „langsame Denken" ist der Koblenzer Entscheidungs-Check. Dieses ethische Denkmodell bietet dem Soldaten Prüfkriterien an, an denen er sein beabsichtigtes Handeln orientieren soll.[54] Dieses prüfende und damit langsame Denken dürfte jedoch nicht der Regelfall sein, zumindest nicht auf den unteren taktischen Führungsebenen, auf denen Mannschaften, Unteroffiziere und junge Offiziere entscheiden und handeln. Je höher die Führungsebene, desto häufiger muss allerdings das systematische, an Prüfkriterien orientierte Denken zur Anwendung kommen.

---

[52] Ein anschauliches Beispiel dafür sind die unterschiedlichen Berufswege, die die ehemaligen Kriegsteilnehmer Rudolf Petersen und Johann Adolf Graf von Kielmansegg nach 1945 einschlugen. Während Kommodore Petersen als Führer der Schnellboote noch kurz vor Kriegsende Todesstrafen für Deserteure unterschrieb und nicht zuletzt aus diesem Grund das Angebot einer Übernahme in die Bundeswehr ablehnte, konnte Kielmansegg als Regimentskommandeur viele Soldaten dadurch retten, dass er mehr Verluste nach oben gemeldet hatte. Kielmansegg stieg in der Bundeswehr bis zum Viersternegeneral auf. Siehe dazu Hans Frank, Norbert Rath, Kommodore Rudolf Petersen. Führer der Schnellboote 1942-1945. Ein Leben in Licht und Schatten unteilbarer Verantwortung, Berlin 2016; Karl Feldmeyer, Georg Meyer, Johann Adolf Graf von Kielmansegg, a.a.O., S. 35.

[53] Der Begriff stammt aus einer Rede von Verteidigungsminister Dr. Thomas de Maizière anlässlich der Neueröffnung des militärhistorischen Museums der Bundeswehr in Dresden am 14. Oktober 2011 (wiederzitiert nach Reiner Pommerin, Weder Geschichte noch Brauchtum: Tradition, a.a.O., S. 82).

[54] Thomas R. Elssner, Praxisorientierte Ethikausbildung in den deutschen Streitkräften. In: Hans-Christian Beck, Christian Singer (Hrsg.), Entscheiden – Führen – Verantworten. Soldatsein im 21. Jahrhundert, Berlin 2011, S. 84-94. Die fünf Prüfkriterien sind: (1) Legalitätsprüfung, (2) Feuer der Öffentlichkeit, (3) Wahrhaftigkeitstest, (4) Goldene Regel, (5) Kategorischer Imperativ.

Damit stellt sich die Frage nach dem Zusammenhang von Tradition und Ethik. In der jüngsten Traditionsdebatte setzte sich Michael Wolffsohn intensiv für eine stärkere Betonung der Ethik und ihrer Ausbildung in der Bundeswehr ein.[55] Tatsächlich bemüht sich die Bundeswehr schon seit längerer Zeit, die ethische Bildung in den Streitkräften zu intensivieren. Dass Ethik für den Soldaten und dabei vor allem für Führungskräfte wichtig ist, haben so unterschiedliche Denker wie beispielsweise Carl von Clausewitz, Hans von Seeckt oder Wolf Graf von Baudissin und Heinz Karst in ihren Schriften betont. Auch in heutigen Führungsvorschriften ist die Ethik verankert, vor allem in Form von Tugenden, die Soldaten benötigen, um ihre Aufgaben zu erfüllen.[56] Anmerken möchten wir auch, dass unter dem jüngeren Führungsnachwuchs Ethik auf vergleichsweise hohe Akzeptanz stößt.

Betrachten wir kurz den Zusammenhang von Tugenden und Tradition. Im Mittelpunkt soldatischer Tugenden für Krieg und Einsatz steht die Bereitschaft, Verantwortung zu übernehmen, Initiative zu ergreifen und ins Ungewisse zu handeln. Dazu gehört ggf. auch, von Befehlen abzuweichen sowie Widerspruch einzulegen und Widerstand zu leisten. Wie wichtig dafür „Mut zur Verantwortung" und „Charakterstärke" sind, lässt sich sehr eindrucksvoll in Clausewitz' „Vom Kriege" nachlesen.[57] In der Konzeption der Inneren Führung sind Begriffe wie „Freiheit im Gehorsam" oder „mitdenkender und gewissensgeleiteter Gehorsam" bewusst gesetzte Stolpersteine[58], auf dass Soldaten sich nicht allzu leicht in der Komfortzone von Befehl und Gehorsam einrichten. Gewissensgeleiteter statt unbedingter Gehorsam, Verantwortung statt Befehlsnotstand, das markiert die Scheidegrenze von der Wehrmacht zur Bundeswehr. Tradition hat also die Aufgabe, diese Tugenden bewusst zu machen. Sie ist damit eine Form der ethischen Bildung, genauso wie ethische Bildung Tradition in deutschen Streitkräften ist und damit zum Erbe des deutschen Soldaten im 21. Jahrhundert gehört. Auch hier zeigt sich die Funktion von Tradition als Lebenshilfe. Sie hält den Einzelnen dazu an, innezuhalten, nachzudenken, in sich selbst die richtigen Maßstäbe zu finden und danach zu handeln. Sie ist vertrauensbildende

---

[55] Michael Wolffsohn, Du sollst nicht morden, a.a.O..

[56] Siehe dazu beispielsweise die Vorschrift zur Truppenführung (Inspekteur des Heeres, Truppenführung (TF), Strausberg 2017). Der Traditionserlass ist zudem Bestandteil der Zentralen Dienstvorschrift zur Inneren Führung „ZDv 10/1" (Neu A-2600/1).

[57] Clausewitz, Vom Kriege, a.a.O., S. 207-208, 286-287.

[58] Die „Freiheit im Gehorsam" ist auch im Traditionserlass 1965, Nr. 14, verankert. Auf die Bedeutung von Tradition als Stolperstein wies der Politologe Herfried Münkler in einem der Workshops zur Erarbeitung des neuen Traditionserlasses hin. Für wie wichtig Stolpersteine gehalten werden, veranschaulicht eine Initiative des US-amerikanischen Unternehmens Amazon. Amazon baut eine Uhr, die nur einmal im Jahr tickt, um die Menschen zu mahnen, Zeit für wertvoll zu erachten.

Maßnahme, indem sie das Vertrauen des einzelnen wie ganzer Einheiten und Verbände fördert, aus sich heraus zweckmäßige Entscheidungen zu treffen und richtig zu handeln.[59] Deutlich zeigt sich hier auch eine grundsätzliche Dialektik unseres Verständnisses von Tradition: Sie überliefert einerseits Faustregeln für das schnelle Handeln, andererseits setzt sie Stolpersteine für das langsamere Nachdenken. Sie schafft Vertrauen in die Vorgesetzten genauso wie in die Führungsgrundsätze, gleichzeitig fördert sie das Vertrauen des Einzelnen in seine Selbstführungsfähigkeit.

Dass Traditionen Werte überliefern, die nicht nur in Krieg und Einsatz, sondern auch im Friedensbetrieb eine klare Orientierung für das soldatische Handeln geben, veranschaulicht das Beispiel des Feldwebels Erich Boldt (1933-1961). Er führte mit zwei Soldaten ein Gewöhnungssprengen durch. Als eine bereits gezündete Ladung in den Deckungsgraben zurückrollte, warf er sich auf die detonierende Ladung. Sein Tod rettete seinen Soldaten das Leben. Der damalige Verteidigungsminister Franz Josef Strauß schrieb seiner Witwe: „Ihr Mann gab sein Leben in vorbildlicher Pflichterfüllung als Soldat und Vorgesetzter, um das Leben seiner Kameraden zu schützen. Aufgrund dieses Verhaltens wird er für die Soldaten der Bundeswehr als Vorbild weiterleben und in steter Erinnerung bleiben."[60] Die Bundeswehr überliefert die Tat dieses Feldwebels, indem sie eine Kaserne nach ihm benannte. Es ist die Unteroffizierschule des Heeres, die seit 2004 in Delitzsch beheimatet ist. Die politische Leitung und militärische Führung würdigt damit ein Vorbild und drückt die Erwartung aus, dass Vorgesetzte in ähnlichen Situationen vergleichbar handeln. Konkret bedeutet dies für den Einzelnen: Bereite die Ausbildung gewissenhaft vor, und wenn trotzdem etwas schiefgeht (was immer passieren kann), dann kann Fürsorge für die Dir anvertrauten Soldaten auch den Einsatz Deines eigenen Lebens erforderlich machen. Dies ist nicht nur eine klare Veranschaulichung von im Soldatengesetz kurz und knapp verankerten Dienstpflichten, sondern auch eine mithil-

---

[59] An dieser Stelle sei bereits darauf hingewiesen, dass aus dieser Funktion heraus der Begriff und der Kern der Inneren Führung als einer Anleitung zur Persönlichkeitsentwicklung (bzw. Erziehung und Selbsterziehung) abgeleitet werden. Es geht der Inneren Führung um *innere* moralische Überzeugungen für den Alltag genauso wie für das Handeln im Gefecht. Sie sollen so tief verankert sein, dass der Soldat sich selbst führen kann; und sie sollen verhindern, dass der Soldat einen optischen Schein nach außen wahrt, in Wirklichkeit aber unerwünschte moralische Überzeugungen hat.

[60] Wiederzitiert nach Helmut R. Hammerich, Mit Stolz Tradition stiften. Die Geschichte der Bundeswehr als Füllhorn für die Umsetzung der neuen Richtlinien zum Traditionsverständnis und zur Traditionspflege. In: Donald Abenheim, Uwe Hartmann (Hrsg.), Tradition in der Bundeswehr. Zum Erbe des deutschen Soldaten und zur Umsetzung des neuen Traditionserlasses, Berlin 2018, S. 256.

fe eines tradierten historischen Beispiels unmissverständlich zum Ausdruck gebrachte konkrete Erwartung.

Tradition ist indessen nicht nur Orientierungshilfe für den Einzelnen, sondern auch Ausdruck für das Lebensgefühl von Gruppen oder, in unserem Fall, von Einheiten und Verbänden. Sie trägt also zum inneren Zusammenhalt der Einheit bzw. des Verbandes bei. Dies ist ganz wichtig für das, was Clausewitz einmal die „kriegerische Tugend des (ganzen) Heeres" nannte. Aus dem „Innungsgeist" oder dem „veredelten Bandengeist" von Streitkräften mit den darin verankerten Werten und Tugenden zieht der Soldat Kraft und Zutrauen für sein Handeln selbst in den gefährlichsten Situationen. Vor allem die Vorstellung der „Ehre seiner Waffen" gäbe dem Einzelnen Halt und dem Ganzen Verlässlichkeit.[61] Und diese Verlässlichkeit strahlt nicht nur nach innen, sondern auch nach außen in Richtung Politik und Gesellschaft.

Das Beispiel des Feldwebels Boldt veranschaulicht zudem, dass soldatische Traditionen das Denken und Handeln von Personen und Gruppen in der sogenannten Zivilgesellschaft beeinflussen. Auch für Familien von Soldaten sind sie Lebenshilfe, vor allem, wenn Soldaten fallen oder im Dienst verunglücken. Dass soldatische Traditionen auch politische Überzeugungen festigen, zeigt Erich Boldts Sohn Thomas. Dieser sagte 50 Jahre nach dem Tod seines Vaters: „Mein Vater hat damals die Existenzberechtigung der jungen Bundeswehr untermauert. Er hat der jungen Republik gezeigt, dass auch junge Demokraten ihr Leben opfern können und nicht nur fanatische Nazis. Das ist für mich das eigentlich Beeindruckende."[62] Heute, in einer Zeit, in der die Demokratie vielfältigen Gefährdungen ausgesetzt ist und sich zu wenige für sie einsetzen, ist diese Funktion von soldatischen Traditionen besonders wertvoll.

Wenn Tradition sowohl (Über-)Lebenshilfe als auch Stolperstein für einen schwierigen Beruf ist, dann stellt sich die Frage, ob alle Soldaten das gleiche Angebot benötigen. Als Staatsbürger in Uniform sind sie gleichermaßen auf die in Grund- und Soldatengesetz verankerten Werte und Normen verpflichtet. Als *praktische Lebenshilfe* benötigen Mannschaften allerdings einen anderen Orientierungsrahmen als beispielsweise Generale und Admirale und deren Führungsgehilfen. Gemeint ist damit folgendes: Jene handeln auf den untersten taktischen Ebenen. Sie müssen oftmals in Sekundenschnelle Ent-

---

[61] Carl von Clausewitz, Vom Kriege, a.a.O., S. 361-365. Clausewitz kannte den Begriff der ‚Tradition' nicht. Er entstand erst im Zuge des Untergangs des Heiligen Römischen Reichs deutscher Nation im Jahre 1806. Siehe dazu Wolfgang Burghof, Eine große deutsche Sozietät. In: Süddeutsche Zeitung, Nr. 25 vom 30. Januar 2019.
[62] Wiederzitiert nach Helmut R. Hammerich, Mit Stolz Tradition stiften, a.a.O., S. 256.

scheidungen über Leben und Tod treffen, obwohl diese Auswirkungen bis auf die höchste politische Ebene haben können. Generale und Admirale hingegen treffen Entscheidungen, die oftmals eine unmittelbare Relevanz für die zu erreichenden politischen Ziele und größte Auswirkungen auf eine Vielzahl von Menschen haben. Sie verfügen dafür in der Regel jedoch über deutlich mehr Zeit.[63] Wir haben bereits darauf hingewiesen, dass hier das langsame Denken zum Zuge kommen muss; und auch die kritische Analyse, ob das, was die Soldaten an Ausbildung und Tradition mitbringen, für den Krieg in seinen historisch wandelbaren und von Einsatzort zu Einsatzort unterschiedlichen Erscheinungsformen angemessen ist.

Diese Differenzierung bedeutet keinesfalls, dass für die Traditionspflege Mannschaften vernachlässigt werden dürften. In den modernen ‚politischen Gefechtsfeldern' ist deren Bedeutung enorm gewachsen. Das Schlagwort vom ‚strategischen Gefreiten' bringt dies anschaulich zum Ausdruck.[64] Tradition ist also für alle Soldaten unabhängig vom Dienstgrad unerlässlich. Deren einzelne Inhalte und Darstellungsformen sind jedoch nicht für alle Dienstgradgruppen gleichermaßen relevant. Eine Ausdifferenzierung ist unbedingt erforderlich.[65] Daher ist es sinnvoll, Tradition(en) auch von unten zu entwickeln, d.h. die unteren Dienstgrade in den jeweiligen Dienstgradgruppen zu beteiligen. So entsteht ein optimaler Zuschnitt entsprechend den jeweiligen Bedürfnissen. Gemeinsam ist allen die Funktion von soldatischer Tradition als (Über-)Lebenshilfe / Hilfestellung für die Bewältigung konkreter Aufgaben / Helfer in der Not. Dazu gehört nun einmal auch der bewaffnete Kampf. Das ist auch der Grund, warum der Wunsch nach einer „Ahnengalerie" bei Soldaten damals genauso wie heute stark ausgeprägt

---

[63] Hierbei handelt es sich allerdings nur um eine grobe Differenzierung. Clausewitz weist uns darauf hin, dass auch Feldherrn in der Lage sein müssen, schnell Entscheidungen zu treffen. In seinen Ausführungen zum ‚militärische Genius' begründet er die Notwendigkeit von coup d'oeil („Augenschlag" bzw. „Feldherrnblick") und Entschlossenheit bzw. Charakterstärke. Siehe Clausewitz, Vom Kriege, a.a.O., S. 231-245.

[64] Siehe dazu Klaus Naumann, Das politische Gefechtsfeld. Probleme militärischer Professionalisierung. In: Mittelweg 36. Zeitschrift des Hamburger Instituts für Sozialforschung, H. 6, Dezember 2014/Januar 2015 sowie Angelika Dörfler-Dierken/Philipp Heinrich, Der „strategische Gefreite" – Mannschaften und die Herausforderungen der Inneren Führung. In: Jahrbuch Innere Führung 2015. Neue Denkwege angesichts der Gleichzeitigkeit unterschiedlicher Krisen, Konflikte und Kriege, herausgegeben von Uwe Hartmann und Claus von Rosen, Berlin 2015, S. 149-190.

[65] Meike Wanner weist darauf hin, dass die Innere Führung bisher die Mannschaften vernachlässigt habe, weil sie zu stark als Vorschrift für Menschenführung und kaum als Hilfe für die Persönlichkeitsentwicklung verstanden wurde. Siehe Meike Wanner, Einstellungen der Angehörigen der Bundeswehr zur Inneren Führung. Empirische Befunde und deren Bedeutung für die Zukunft der Inneren Führung. In: Jahrbuch Innere Führung 2018, Berlin 2018, S. 79-93.

ist.[66] Die Sehnsucht danach sollte nicht als dumm oder rückständig abqualifiziert werden. Es sind normale Wünsche, die Vorgesetzte in ihrer Führungspraxis genauso beachten müssen wie Journalisten in ihrer Berichterstattung über die Bundeswehr. Dass dieses Verlangen nach Sicherheit vor allem in den Kampftruppen des Heeres stark ausgeprägt ist, betont der Historiker Sönke Neitzel zu Recht.[67]

Wenn Tradition als Anwendung von Werten und Vorbildern auf aktuelle oder künftige Problemstellungen verstanden wird, ist eine zweckmäßige und dabei sehr sorgfältige Auswahl von historischen Beispielen und Persönlichkeiten unbedingt erforderlich. Diese Auswahl soll die Zweckhaftigkeit bestimmter militärischer Einstellungen und Haltungen in Gegenwart und Zukunft verdeutlichen.[68] Tradition ist also eine Sammlung des ‚guten Soldaten' aus der Geschichte für Gegenwart und Zukunft. Sie bietet Werte und Vorbilder, an denen sich alle Soldaten orientieren können, aber auch solche, die für bestimmte Soldatengruppen bestimmt sind, weil sie besondere Aufgaben und damit Anwendungen haben.

Mithin liegt hier eine zweifache Ausdifferenzierung vor: nach der Höhe der Führungsebene und der damit einhergehenden Verantwortung sowie nach den soldatischen Aufgaben in den verschiedenen Organisationsbereichen und Truppengattungen. Dabei gilt: Je niedriger die Führungsebene, desto stärker darf sich das Handeln an tradierten Grundsätzen und Vorbildern orientieren. Je höher die Führungsebene, desto stärker ist das Mitdenken erforderlich, das ggf. zum bewussten Abweichen von tradierten Verhaltensweisen führt. Tradition ist ein ‚Helfer-in-der-Not'[69], der jedoch niemals das eigenständige Denken ausschalten darf.

Unser Denkapparat hat allerdings so seine Schwierigkeiten mit dem (selbst-)kritischen Reflektieren.[70] Wir wissen heute, dass unser Gehirn für komplexe,

---

[66] Der Wunsch nach konkreten Vorbildern bzw. einer Ahnengalerie zieht sich wie ein roter Faden durch die Traditionsdebatten in der Bundeswehr. Siehe dazu Carl-Gero von Ilsemann, Die Bundeswehr in der Demokratie. Zeit der Inneren Führung, Hamburg 1972, S. 69; neuerdings Julia Egleder, Vorbilder gesucht. In: .loyal. Das Magazin für Sicherheitspolitik, Nr. 11/2017, S. 8-16.

[67] Von der Wehrmacht lernen? Die Historiker Hannes Heer und Sönke Neitzel im Streitgespräch über die richtige Tradition der Bundeswehr. In: Die Deutschen und ihre Soldaten. Geschichte einer schwierigen Beziehung, Zeitgeschichte, Hamburg 2018, S. 105-109.

[68] Kommando Heer, Tradition im Heer, Strausberg, S. 16.

[69] Herfried Münkler verwendet hierfür den Begriff der „Krücke".

[70] Zwei wichtige Merkmale menschlichen Denkens sind in unserem Zusammenhang besonders wichtig. Zum einen der Herdentrieb, der dazu führt, dem Handeln anderer Menschen zu folgen (*Groupthink*) und zum anderen die Nutzung jüngster Erfahrungen und erlebter Beispiele (*availability bias*). Zu diesen Fehlern siehe Rolf Dobelli, Die Kunst des klaren Denkens. 52 Denkfehler, die Sie besser anderen überlassen, München [6]2014, S. 45-48, 101-104.

ungewisse Situationen nicht optimal ausgerüstet ist. Dies hat mit der Evolution des Menschen zu tun. Wir sind gut darin, automatisch zu reagieren. Grundlage dafür sind Intuition und Faustregeln. Unsere Urahnen konnten nur dann überleben, wenn sie die Schatten eines wilden Tieres zum Anlass nahmen, schnell zu flüchten. Das Nachdenken, ob diese Schatten vielleicht optische Täuschungen sein könnten, hat sie schnell aus dem Genpool entfernt. Dies führt zu Konsequenzen für den Soldaten, vor allem für das Handeln in gefährlichen Kriegs- oder Konfliktlagen. Nehmen wir als Beispiel ein Gegensatzpaar aus der Geschichte des militärischen Denkens, aus Operation und Strategie. Wegen der historischen Wandelbarkeit des Krieges vertrat Clausewitz die Auffassung, dass allgemeingültige Regeln mit praktischer Relevanz, also eine Art „Checkliste" für die Kriegführung, nicht möglich seien. Sein großer Widersacher, der Schweizer General Antoine-Henri Jomini (1779-1869), war darin ganz anderer Meinung. Er behauptete, aus Napoleons Genie die Rezeptur für Erfolge im Krieg abgeleitet zu haben. Wer diese 1:1 anwende, könne sich mit wissenschaftlicher Genauigkeit des militärischen Sieges sicher sein.[71]

Um Denken in Krieg und Einsatz besser zu verstehen, lohnt es sich, auf Clausewitz etwas näher einzugehen. Der preußische General stellte die seit den Zeiten des chinesischen Strategieberaters Sun Tzu existierende Sehnsucht nach allgemeingültigen, für alle Kriege geltenden Regeln in Frage. Zahlreiche historische Studien und praktische Erfahrungen in vielen Feldzügen festigten seine Überzeugung, dass man die Wahrheit in den *immer anderen* Kriegen nur „herausfühlen" könne.[72] Diese Intuition nennt Clausewitz „Takt des Urteils". Sie ist allerdings kein bloßes Bauchgefühl. Der „Takt des Urteils" speist sich aus einer Mischung aus Erfahrung, wissenschaftlicher Bildung und Selbstreflexion und ist letztlich eine unendliche harte Arbeit an sich selbst.[73] Die kritische Überprüfung beispielsweise von Führungsgrundsätzen an der empirischen oder historischen Realität spielt dabei eine ganz wichtige Rolle. Den Wunsch des Menschen nach einfachen Regeln stellt Clausewitz also als Ausgeburt eines einfachen, nicht kritisch gebildeten Verstandes bloß. Er unterstreicht stattdessen die enormen intellektuellen Anforderungen eines Krieges an die menschliche Vernunft.

[71] Zu Jomini siehe John Shy, Jomini. In: Peter Paret (ed.), Makers of Modern Strategy, New Jersey 1986, S. 143-185.
[72] Clausewitz, Vom Kriege, a.a.O., S. 245.
[73] Clausewitz, Vom Kriege, a.a.O., S. 182, 263f.

Bis heute zeigen Offiziere in Europa genauso wie in den USA eine gewisse Vorliebe für die regelgeleiteten Grundsätze Jominis.[74] Ein solches Denken ist leicht erklärbar. Unser Gehirn geht nun einmal den leichtesten Weg. Jominis Regeln genügen jedoch nicht den Anforderungen, welche die Natur des Krieges an unser Denken und Handeln stellt. Wir sollten also Clausewitz ernst nehmen, wenn er uns darauf hinweist, dass allgemeingültige Regeln, die uns im Chaos des Krieges Handlungssicherheit versprechen, nur bloßer Schein sind. Gleichwohl sieht er die Notwendigkeit, dass auf den unteren Führungsebenen automatisierte Entscheidungen unverzichtbar sind. Hier ist das Gebiet von Faustregeln, Denkabkürzungen und sogar eines „Methodismus"[75], nicht aber auf den höheren Ebenen von Operationsführung und Strategie.

Clausewitz' Theorie vom Kriege ist also ein Stolperstein, der zum kritischen Nachdenken auch über Tradition anregen soll. Vor allem auf höheren Führungsebenen muss es Tradition sein, über Tradition nachzudenken und kritisch das überlieferte Traditionsgut auf seine Relevanz für die künftigen Aufgaben von Streitkräften und deren Soldaten zu hinterfragen. Hohe militärische Führungskräfte tragen also eine Mitverantwortung dafür, dass sich ihre Soldaten darauf verlassen dürfen, den ausgewählten Werten und Vorbildern zu folgen. Sie müssen sich auch der kritischen Frage stellen, welche Art von Entscheidungen den Soldaten künftig abverlangt werden und ob die Geschichte dafür überhaupt angemessene Denk- und Handlungswege bereithält. Hier liegen Grenzen von Tradition als Helfer-in-der-Not und als vertrauensbildende Maßnahme. Zu Recht trägt die Führungsakademie der Bundeswehr daher Clausewitz' Namen. Hier ist ein wichtiger Ort für das Nachdenken über Fragen der Tradition, insbesondere über die richtige Auswahl von Werten und Vorbildern, damit diese als Helfer-in-der-Not und vertrauensbildende Maßnahme wirken können. Und wer Clausewitz' Person und Werk in das soldatische Traditionsverständnis aufnimmt und in der General-/Admiralstabsausbildung dafür sorgt, dass er wirklich gelesen und nicht nur als Steinbruch für Zitate genutzt wird, der setzt einen überaus wichtigen Stolperstein.

---

[74] Zu den negativen Auswirkungen einer Fokussierung auf taktisch-operative Aufgaben für die Strategiefähigkeit siehe Abenheim und Halladay, Soldiers, War, Knowledge and Citizenship, a.a.O., S. 212; Hew Strachan, Strategy and the operational level of war. In: ders., The Direction of War. Contemporary Strategy in Historical Perspective, Cambridge 2013, S. 210-234. Zu Clausewitz und Jomini siehe auch grundsätzlich Peter Paret, Clausewitz in seiner Zeit. Zur Kriegs- und Kulturgeschichte der Jahre von 1780 bis 1831, übersetzt aus dem Englischen von Reinhold Janke, Würzburg 2017.
[75] Carl von Clausewitz, Vom Kriege, a.a.O., S. 305-311.

Bleiben wir noch kurz bei Clausewitz. Der Titel seines Buches „Vom Kriege" ist heute für viele Menschen in unserem Land ein ärgerlicher Stolperstein. Denn das Nachdenken über Krieg fällt ihnen schwer. Dabei sind die Nachrichten voll mit Informationen über Kriege in anderen Ländern. Und selbst in den öffentlichen Fernsehkanälen finden sich nahezu täglich Dokumentationssendungen über die Weltkriege im zwanzigsten Jahrhundert. Dennoch findet eine Debatte über einen künftigen Krieg, von dem auch Deutschland direkt oder indirekt betroffen sein könnte, derzeit überhaupt nicht statt.[76] Dabei wäre eine breite Debatte über Kriegs- und Konfliktbilder eine wichtige Voraussetzung für die Arbeit an einem reflektierten und zukunftsweisenden Traditionsverständnis in der Bundeswehr. Ein klares Verständnis für die sicherheitspolitische Lage Deutschlands und Europas sowie die analytische Auseinandersetzung mit Kriegen und Konflikten sind notwendige Orientierungspunkte für das Nachdenken über das Erbe des deutschen Soldaten im 21. Jahrhundert. Dies gilt so auch für die Auswahl von Werten und Vorbildern, die Lebenshilfe, vertrauensbildende Maßnahme und Stolperstein zugleich sein sollen. Im Traditionserlass von 1982 genauso wie in den öffentlichen Veranstaltungen zur Traditionspflege der letzten Jahrzehnte dominierte allerdings die politische Absicht, die Demokratieverträglichkeit der Bundeswehr nach außen hin zu unterstreichen. Sie dienten also mehr der Repräsentanz der Bundeswehr[77] und nicht so sehr dem Vermitteln von Verhaltenssicherheit für die kontrollierte Gewaltausübung, die viele Angehörige der Kampftruppen als Kern ihres Berufs definieren. Dieser eine Magnet unter den fünf für die Tradition wichtigen Bezugspunkten, die eigentlich in der Schwebe gehalten werden sollten, ist zu stark ausgeprägt. Die Gefahr dieser Entwicklung besteht darin, dass demokratische Werte und bewaffneter Kampf in einen Gegensatz gestellt und so entkoppelt werden. Damit wäre die Innere Führung in ihrem Kern beschädigt. Die Auswirkungen auf das soldatische Selbstverständnis sowie auf die demokratischen zivil-militärischen Beziehungen wären äußerst schädlich. Warum dies so gekommen ist und wie dem entgegengesteuert werden müsste, wird in den nächsten Kapiteln deutlich werden.

Fassen wir zusammen: Traditionen sind immer auch eine allgemeine sowie eine auf die jeweilige Verantwortung und Funktion zugeschnittene Hilfestellung für Soldaten, damit diese ihren von der Politik bestimmten Auftrag

---

[76] Dies ist in angelsächsischen Ländern durchaus anders. Hier schaffen es Bücher über künftige Kriege auf die Bestsellerlisten. Siehe beispielsweise Peter W. Singer und August Cole, Ghost Fleet. A Novel of the Next World War, New York 2016.
[77] Marc-Andrè Walther, Tradition und Kampf. In: Donald Abenheim und Uwe Hartmann (Hrsg.), Tradition in der Bundeswehr, Berlin 2018, S. 190.

erfüllen können. Vor allem für das scharfe Ende ihres Berufs sind Traditionen ‚Helfer-in-der-Not' sowie (Über-)Lebenshilfe, gerade auch für die Zeit danach. Praktische Hilfe leisten sie, indem sie Werte und Vorbilder und damit Faustregeln und Denkabkürzungen anbieten, aber auch, indem sie Stolpersteine setzen und kritisches Denken fördern. Traditionen sind eine Quelle des Vertrauens: des Soldaten in sich selbst, der Soldaten untereinander sowie zwischen Politik, Gesellschaft und Militär. Sie geben dem Ganzen Verlässlichkeit.

Wir bleiben weiterhin bei der Frage, warum Traditionen wichtig sind für die Bundeswehr und deren Angehörige, und warum Chefs und Kommandeure sich künftig mehr Zeit dafür nehmen sollten. In einem ersten Schritt sind wir auf die besondere Lebenssituation des Soldaten in Krieg und Einsatz eingegangen. In einem zweiten Schritt wollen wir nun ein weiteres Feld erschließen, nämlich das der Integration der Bundeswehr in die Gesellschaft.

1.2   Welche Rolle spielen Politik und Gesellschaft?

Die Bundeswehr ist ein Instrument politischer Herrschaft. Das Handeln des Soldaten ist daher ohne Bezüge zu Politik und Gesellschaft nicht denkbar. Der Einsatz der Bundeswehr in Afghanistan seit Februar 2002 veranschaulicht diese Abhängigkeit überaus anschaulich. Die deutschen Soldaten sind zwar weit entfernt von ihrer Heimat. Dennoch sind Politik und Gesellschaft zumindest gedanklich immer ganz in ihrer Nähe. Dies liegt nicht nur daran, dass die Soldaten und ihre Angehörigen zuhause sich über moderne Mittel der Kommunikation intensiv austauschen und deutsche Medien auch in den Feldlagern verfügbar sind. Viel wichtiger ist: Soldaten führen einen *politisch* begründeten Auftrag durch. Das bedeutet: Die Mandate ihrer Einsätze werden von der Bundesregierung erstellt und vom Parlament verabschiedet. Politik und Gesellschaft haben daher Verantwortung für die Soldaten und die dem politischen Zweck genügende Durchführung militärischer Einsätze. Die Soldaten erkennen diese politische Zweckbindung u.a. an den Inhalten der Befehle, die sie im Einsatz auszuführen haben. Und nicht zuletzt sind die häufigen Besuche von Politikern und Journalisten in den Einsatzgebieten dafür ein anschaulicher Beleg.

Es ist keine deutsche Eigentümlichkeit, dass Politik und Gesellschaft sich dafür interessieren, was ihre Soldaten in den Einsätzen tun. Das ist in allen Staaten der Fall. In manchen ist dieses Interesse stärker, in anderen weniger stark ausgeprägt. Dies hat auch damit zu tun, ob Regierungen die Parlamente bei ihren Entscheidungen über den Einsatz von Streitkräften beteiligen. Deutschland zählt zu den Demokratien, in denen *alle* Bundestagsabgeordneten über Mandate mitentscheiden. In anderen Demokratien liegt die Entscheidung ausschließlich bei der Regierung. In autoritären Staaten ist die Berichterstattung über militärische Einsätze von oben gelenkt. In Demokratien dagegen sind die Medien weitgehend frei; in Deutschland beispielsweise ist deren Berichterstattung oftmals sehr militärkritisch. Dies führt nicht selten dazu, dass die politische Kontrolle über das Geschehen in den Einsatzgebieten sehr strikt und die militärische Entscheidungsautonomie stark eingeschränkt ist. Zumindest empfinden viele Soldaten dies so. Andererseits äußern sich auch die Soldaten der Bundeswehr kritisch gegenüber Politik und Gesellschaft. Offiziere stellen, wenn auch oftmals nur hinter vorgehaltener Hand, strategische Entscheidungen in Frage, insbesondere hinsichtlich der Kontingentgrößen und ihrer Ausstattung; Unteroffiziere und Mannschaften wünschen sich vor allem eine größere Wertschätzung ihres Tuns in der Gesellschaft.[78] Dies belegt erneut, dass der Soldat nicht ohne Bezug zu Politik und Gesellschaft denken und handeln kann. Welche Rolle spielt dabei die soldatische Tradition?

Im Kern ist das Traditionsverständnis und eine daran ausgerichtete Traditionspflege ein Vertrauensbeweis der Soldaten gegenüber Politik und Gesellschaft. Das gilt erst recht für Armeen wie die Bundeswehr, die den Kontakt zu Politik und Gesellschaft, ja sogar die Integration darin, suchen. Der Umgang der Soldaten mit ihrer Tradition ist daher eine Form von strategischer Kommunikation – nicht nur nach innen, sondern eben auch in Richtung Politik und Gesellschaft. Nicht vernachlässigen sollten wir zudem, dass wir gleichzeitig Signale zu unseren Alliierten und multinationalen Partnern senden. Diese Signale werden mit Sicherheit aufgenommen; denn unsere Verbündeten in NATO und EU wollen auch wissen, wie wir beispielsweise die multinationale Zusammenarbeit durch unser Traditionsverständnis voranbringen wollen. Sie wissen auch, dass die Bereitschaft Deutschlands, interna-

---

[78] Für die Kritik an der politischen Leitung und militärischen Führung steht das Buch Rainer Buske, Kunduz. Ein Erlebnisbericht über einen militärischen Einsatz der Bundeswehr in Afghanistan im Jahre 2008, Berlin 2014. Der Wunsch der Soldaten nach größerer Wertschätzung ihres Dienstes vor allem in den Einsatzgebieten ist empirisch mehrfach bestätigt. Siehe dazu insbesondere Anja Seiffert, „Generation Einsatz" – Einsatzrealitäten, Selbstverständnis und Organisation. In: Anja Seiffert, Phil Langer, Carsten Pietsch (Hrsg.), Der Einsatz der Bundeswehr in Afghanistan, Wiesbaden 2012, S. 79-99. Siehe auch den Forschungsbericht des ZMSBw vom September 2017: Anja Seiffert, Julius Heß, Leben nach Afghanistan – Die Soldaten und Veteranen der Generation Einsatz der Bundeswehr, Potsdam 2019. Ein Beispiel dafür ist auch die Veröffentlichung von Nariman Hammouti-Reinke, Ich Diene Deutschland, a.a.O., S. 15-66, 241-242. Andererseits zeigt Heiko Biehl, dass die unter den Soldaten weit verbreitete Wahrnehmung, die Gesellschaft sei nicht an ihnen interessiert und würde sich nicht für sie engagieren, empirisch nicht haltbar ist. Siehe dazu Heiko Biehl, Kampfmoral und Einsatzmotivation. In: Militärsoziologie. Eine Einführung, herausgegeben von Nina Leonhard und Ines-Jacqueline Werkner, Wiesbaden ²2012, S. 447-474.

tional mehr Verantwortung zu übernehmen, auch etwas mit der Art und Weise, wie und welche Traditionen wir pflegen, zu tun hat.

Durch unser Traditionsverständnis und deren praktische Umsetzung kommunizieren wir auch mit (potentiellen) Gegnern. Wir dürfen uns darauf verlassen, dass Staaten wie beispielsweise Russland oder nicht-staatliche Akteure wie beispielsweise islamistische Terrorgruppierungen die Traditionsdebatte in Deutschland aufmerksam mitverfolgen. Denn in ihren Strategien der hybriden Kriegführung suchen sie nach Schwachstellen vor allem an den Nahtstellen von Politik, Gesellschaft und Militär, um die strategische Handlungsfähigkeit Deutschlands und damit auch seine außen- und sicherheitspolitische Gestaltungskraft in EU und NATO zu vermindern. Die zivil-militärischen Beziehungen, wie sie auch im Traditionsverständnis von Armeen zum Ausdruck kommen, sind als Angriffsfläche hybrider Kriegführung und Einflussnahme besonders geeignet.[79]

Die heutigen internationalen Beziehungen sind durch einen globalen Systemwettbewerb zwischen demokratischen und autoritären Staaten gekennzeichnet. Schlagwörter wie ,global competition' oder auch ,great power competition' prägen die sicherheitspolitische Debatte. Deutschland spielt dabei eine zentrale Rolle. Unser Land erscheint vielen als die letzte verlässliche Bastion des liberalen, auf internationale Zusammenarbeit setzenden Westens. Seine Rolle in NATO und EU wird nicht zuletzt aufgrund der verstärkten Anstrengungen für die Verteidigung Europas immer wichtiger. Gleichzeitig scheint Deutschland nicht zuletzt aufgrund seiner Geschichte besonders gefährdet zu sein. Ist Deutschland ein schwieriges Vaterland und daher ein leichtes Opfer für aggressive Staaten im globalen Systemwettbewerb? Oder ist es eher umgekehrt: Sind die deutsche Politik und Gesellschaft und damit auch die deutschen Streitkräfte widerstandsfähiger (d.h. resilienter) als andere Demokratien, weil sie sich kritisch mit ihrer Vergangenheit auseinandergesetzt und daraus feste politische Grundsätze wie beispielsweise die Förderung von Frieden und Wohlstand in Europa oder die multinationale Zusammenarbeit auch in militärischen Angelegenheiten abgeleitet haben? Diese Fragen werden wir im Folgenden thematisieren. Sie zeigen, dass Fragen der Tradition und unser Umgang mit ihr eine nicht zu unterschätzende sicherheitspolitische Relevanz haben.

Beginnen wir zunächst mit den zivil-militärischen Beziehungen in unserem Land. Politik und Gesellschaft verfolgen die bundeswehrinterne Traditionsdebatte durchaus mit ernstem Interesse. Natürlich geschieht dies nicht immer auf einem hohen Niveau. Aber über den neuesten Traditionserlass be-

---

[79] Siehe dazu Uwe Hartmann, Hybrider Krieg als neue Bedrohung von Freiheit und Frieden, Zur Relevanz der inneren Führung in Politik, Gesellschaft und Streitkräften, Berlin 2015.

richteten Nachrichten und Zeitungen über einen längeren Zeitraum durchaus intensiv. An den vom BMVg organisierten Workshops zur Überarbeitung der Richtlinien für die Tradition und die Traditionspflege in der Bundeswehr nahmen rund 800 Personen aus Politik, Medien und Wissenschaft teil. Deren unaufgeregt engagiertes Interesse hat zunächst einmal einen ganz einfachen Grund. Die Bürger Deutschlands wollen, wie bereits erwähnt, ganz einfach wissen, ,wie der Landser tickt'. Sie haben ein existentielles Interesse daran, auch wenn dieses vielleicht nicht immer so deutlich artikuliert wird. Auch dies hängt mit unserer Geschichte zusammen. Die Deutschen haben tief in ihr kollektives Gedächtnis ein Kriegsbild verankert, das bis auf den 30-jährigen Krieg zurückgeht. Erst durch die Schrecken des Zweiten Weltkrieges ist diese Erinnerung überlagert worden. In dessen Mittelpunkt steht die Erkenntnis, dass Kriege immer auch und zunehmend auf Kosten der Zivilbevölkerung ausgetragen werden.[80] Man ahnt daher, dass, wenn Soldaten in Kriege und Einsätze geschickt werden, dies irgendwann auf die eigentlich am direkten Kriegsgeschehen nicht beteiligten Menschen zurückfällt. Zur Erinnerung an die Bombennächte und die Vertreibung im Zuge des Zweiten Weltkriegs, die erst in den letzten zehn Jahren durch Veröffentlichungen und Filme stärker wachgerufen wurde[81], kommt die neue Erfahrung mit Anschlägen islamistischer Terroristen hinzu. Nicht zuletzt aus diesem historisch bedingten Verständnis und dessen neuester Bestätigung durch Terroranschläge im eigenen Land erwächst die Skepsis, die viele Deutsche dem Einsatz bewaffneter Gewalt für die Lösung politischer Fragen entgegenbringen.

Dass die Bürger unseres Landes unterschiedliche Auffassungen über sicherheitspolitische Herausforderungen haben und diese auch zum Ausdruck bringen, ist für demokratische Länder völlig normal. Es sollte uns nicht schrecken. Dass sich Traditionsverständnisse mit der Zeit ändern und das, was vor 20 oder 30 Jahren akzeptiert wurde, heute vielleicht sogar abgelehnt wird, ist ebenfalls völlig normal. Verständlich ist auch der Wunsch von Soldaten nach einem hundertprozentigen Rückhalt in Politik und Gesellschaft. Dieser Wunsch verkennt jedoch mitunter das Wesen von Demokratien. Selbst in Staaten wie den USA oder Großbritannien, in denen der Einsatz

---

[80] Siehe Cora Stephan, Bundeswehr und Öffentlichkeit: Militärische Tradition als gesellschaftliche Frage. In: Eberhard Birk, Winfried Heinemann, Sven Lange (Hrsg.), Traditionsdebatte für die Bundeswehr, Berlin 2012, S. 40. Siehe auch Herfried Münkler, Der Dreissigjährige Krieg. Europäische Katastrophe, deutsches Trauma 1618-1648, Berlin 2018, S. 17-18.
[81] Exemplarisch dafür stehen das Buch von Jörg Friedrich, Der Brand. Deutschland im Bombenkrieg 1940-1945, Berlin 2002 oder der zweiteilige Fernsehfilm „Die Flucht" aus dem Jahre 2007. Siehe auch Aleida Assmann, Der lange Schatten der Vergangenheit, a.a.O., S. 184-204.

bewaffneter Gewalt auf weitaus größere Akzeptanz stößt, ist eine gesellschaftliche Unterstützung für die Soldaten nicht immer gegeben. Bisweilen ist sie einfach auch nur vorgetäuscht und speist sich aus einem schlechten Gewissen gegenüber den Freiwilligen, welche die Last des soldatischen Dienstes tragen. Und ist Kritik nicht eine Stärke der Demokratie? Wäre es nicht gefährlich, wenn in den so wichtigen Fragen von Krieg und Frieden ein stillschweigender politischer und gesellschaftlicher Konsens herrschte, keine Kritik an Sicherheitspolitik, Strategie und dem Einsatz von Streitkräften zu üben und die Soldaten über den Klee zu loben?[82]

Wenn wir in diesem Buch über Tradition schreiben und ebenso, wenn Chefs und Kommandeure mit ihren Soldaten und Mitarbeitern über Tradition sprechen und Traditionspflege betreiben, dann sollten wir nicht nur unsere jeweiligen Verantwortungs- und Aufgabenbereiche in Krieg, Einsatz und Frieden beachten, sondern auch die zivil-militärischen Beziehungen im Blick haben. Daher werden wir in den einzelnen Kapiteln dieses Buches diese Beziehungen und deren Einfluss auf das Traditionsverständnis genauer untersuchen. Dabei wird sich zeigen, dass der Dialog zwischen Politik, Gesellschaft und Militär über Kriegsbilder und strategische Fragen, über die daraus abzuleitenden Aufgaben der Bundeswehr und diese widerspiegelnde Traditionen unverzichtbar ist für belastbare zivil-militärische Beziehungen. Dies ist nicht zuletzt deshalb so wichtig, weil veraltete und unreflektierte Kriegsbilder Einstellungen zu sicherheitspolitischen Fragestellungen beeinflussen und damit auch die Integration des Militärs in die Gesellschaft beeinträchtigen. Und die Soldaten können auf diese Weise ihre Rolle in Staat und Gesellschaft besser verstehen und ihre politische Mitverantwortung verinnerlichen.

Lassen Sie uns folglich die Frage diskutieren, welche grundsätzlichen Erwartungen Politik und Gesellschaft mit soldatischen Traditionen verbinden. Für die Bundesregierungen steht seit jeher im Vordergrund, dass die Bundeswehr ein verlässliches Instrument ihrer werte- und interessengeleiteten Außen- und Sicherheitspolitik ist. Soldaten sollen also ihren politisch begründeten Auftrag loyal umsetzen. Sie dürfen weder eigene politische Interessen verfolgen noch antiquierten Vorstellungen einer soldatischen Sonderwelt oder operativ-taktischer Kriegführung ohne Politik als ‚leitende Intelligenz'[83] anhängen. Ihre Angehörigen sollen aus demokratischen Einstellungen heraus ihre Kraft für ihren nicht einfachen Dienst ziehen – anders als es damals in der Weimarer Republik der Fall war. Die Politik erwartet also beispiels-

---

[82] Siehe dazu Donald Abenheim, Carolyn Halladay, Soldiers, War, Knowledge and Citizenship, a.a.O., S. 231-232.
[83] Carl von Clausewitz, Vom Kriege, a.a.O., S. 210.

weise, dass ihre Soldaten sich nicht von links- oder rechtsgerichteten populistischen Parolen beeinflussen und zum Spielball innenpolitischer Auseinandersetzungen machen lassen. Die ministeriellen Traditionserlasse transportieren diese Erwartungen in die Bundeswehr hinein. Die praktische Stiftung und Pflege soldatischer Traditionen bilden also immer auch eine Antwort auf die Erwartungen der Politik. Aufgrund des Primats der Politik müssen diese nicht nur im Traditionserlass, sondern auch in dessen Umsetzung im Vordergrund stehen. Wir werden folglich vor allem in der Darstellung der Traditionsstreite und der Kontinuitäten und Diskontinuitäten in den Traditionserlassen aufzeigen, wie innenpolitische Entwicklungen – von den Wahlen zum deutschen Bundestag bis zu Affären und Skandalen – Einfluss auf deren inhaltliche und praktische Ausgestaltung hatten.[84]

Für gesellschaftliche Gruppen genauso wie für den einzelnen Bürger ist es entscheidend, dass Soldaten die ihnen anvertrauten Gewaltmittel nicht gegen den nicht-militärischen Teil der Gesellschaft einsetzen. Die Überzeugung, dass gegen Demokraten nur Soldaten hülfen[85], ist in keiner Weise mit dem verfassungsrechtlichen Auftrag sowie dem Selbstverständnis der Bundeswehr vereinbar. Gleichwohl ist in unserem Vorverständnis tief verankert, dass in der Menschheitsgeschichte nicht selten militärische Gewaltmittel auch gegen die eigene Bevölkerung eingesetzt wurden. Bereits ein flüchtiger Blick in die heutige Welt bestätigt, dass autoritäre Herrscher in so manchen Staaten ihre Armeen vor allem für diesen Zweck unterhalten. Auch die deutsche Geschichte bietet leider einige Beispiele dafür. Daraus resultiert die große Zurückhaltung der deutschen Politik, wenn es um den Einsatz von Streitkräften im Innern geht. Und hier liegen auch Ursachen für die noch heute nicht ganz spannungsfreien Beziehungen zwischen den Gewerkschaften und der Bundeswehr.[86] In der Öffentlichkeit gelebte Traditionen wie beispielsweise die Feierlichen Gelöbnisse der Bundeswehr sind daher so wichtig. Sie sind in ihrem Kern eine vertrauensbildende Maßnahme gegen-

---

[84] Siehe hier Kapitel 2.

[85] Friedrich Wilhelm IV., König von Preußen, an seinen Londoner Gesandten Christian Karl Josias von Bunsen, wenige Tage nach Ablehnung der ihm von der Nationalversammlung angetragenen Kaiserkrone am 3. April 1849; zitiert bei: Wolfram Siemann, Die deutsche Revolution von 1848/49, Frankfurt/M. 1985, S. 203. Erstmals als Schlussvers des „Demokratenliedes" anonym veröffentlicht im Herbst 1848 in Berlin als „fliegendes Blatt" (Wiederabdruck u.d.T. „Die fünfte Zunft" in: Wilhelm von Merckel, Zwanzig Gedichte, Berlin 1850, S. 58ff.).

[86] Kürzlich gab es Initiativen, die Beziehungen zwischen Bundeswehr und dem Deutschen Gewerkschaftsbund zu verbessern. Siehe dazu Klaus Beck, Uwe Hartmann, Gewerkschaften und Bundeswehr. In: Jahrbuch Innere Führung 2014. Drohnen, Roboter und Cyborgs – der Soldat im Angesicht neuer Militärtechnologien, herausgegeben von Uwe Hartmann und Claus von Rosen, Berlin 2014, S. 305-321.

über der Gesellschaft. Diese Tradition gilt es trotz Aussetzung der allgemeinen Wehrpflicht fortzusetzen – selbst dann, wenn sich Ereignisse wie beim Feierlichen Gelöbnis im Bremer Weserstadion 1982 oder vor dem Roten Rathaus 1998 wiederholten und die Soldaten durch ein enormes Polizeiaufgebot vor teilweise gewaltbereiten Demonstranten geschützt werden müssten.

Für multinationale Partner ist es überaus wichtig, dass die Deutschen nicht erneut Sonderwege beschreiten, die zu einer Schaukelpolitik oder sogar einer Neutralität zwischen Ost und West und damit einem Ende der seit 1949 bestehenden „Westbindung" führen.[87] Erst kürzlich warnte ein britischer Historiker davor, dass die deutsche Frage wieder auftauchen und politische Relevanz erfahren könnte.[88] Wir haben schon darauf hingewiesen, welche Rolle Deutschland in dem globalen Systemwettbewerb innehat, damit, wie der Historiker Heinrich August Winkler es nannte, „der Westen nicht scheitert". Demokratie, individuelle Freiheit, Herrschaft des Rechts, das sind die Werte, denen sich alle Mitgliedsstaaten von NATO und EU verpflichtet fühlen.[89] Unsere Alliierten und Partner erwarten, dass nicht nur die deutsche Politik, sondern auch die deutschen Streitkräfte sich in Krieg, Einsatz und Friedensbetrieb daran halten. Deutsche Soldaten jedenfalls fördern Vertrauen, indem sie in der Traditionspflege im In- und Ausland diese Werte zum Ausdruck bringen. Fehlverhalten werden Alliierte und Partner dann als individuelles Versagen, nicht aber als systemisches Führungs- und Haltungsproblem der Bundeswehr oder sogar als Abkehr der deutschen Politik von der Integration in den Westen bewerten.

Mit unserem Traditionsverständnis sowie seinen Inhalten und Formen der Pflege zeigen wir auch Wettbewerbern und Gegnern, dass die Bundeswehr einsatzbereit und kampfkräftig ist, dass sie ihr militärisches Geschäft versteht und von einem gemeinsamen demokratischen Geist beseelt ist. Tradition ist also auch ein Beitrag zur Abschreckung; sie warnt die Regierungen anderer Länder vor Fehlkalkulationen sowie der Versuchung, opportunistisch Vorteile aus innen- und außenpolitischen Krisen zu ziehen. Sie steht also für Widerstandskraft (Resilienz) und signalisiert damit, dass Staat, Ge-

---

[87] Zum Konzept des Westens und Deutschland Rolle siehe Heinrich August Winkler, Zerbricht der Westen? Über die gegenwärtige Krise in Europa und Amerika, München ²2017.
[88] Ein Plädoyer für die Westbindung und Deutschlands konstruktive Rolle in Europa hält der britische Historiker James Hawes in seinem Buch „Die kürzeste Geschichte Deutschlands" (Berlin 2018). Das Original erschien unter dem Titel "The Shortest History of Germany", London 2017. Siehe auch grundlegend Heinrich August Winkler, Der lange Weg nach Westen, 2 Bde., München 2000; Guido Thiemeyer, Die Geschichte der Bundesrepublik Deutschland. Zwischen Westbindung und europäischer Hegemonie, Stuttgart 2016.
[89] Heinrich August Winkler, Zerbricht der Westen?, a.a.O., S. 13-22.

sellschaft und Militär nicht vor Einschüchterung, Erpressung oder sonstigen hybriden Bedrohungen einknicken werden.

Das Verständnis und die Pflege von Traditionen müssen wir also inmitten eines Beziehungsgeflechts von Politik, Gesellschaft, der Bundeswehr selbst, ihren Alliierten und Partnern sowie möglichen Gegnern oder Konkurrenten verorten. Diese Akteure wirken, wie bereits zuvor beschrieben, wie Magnete. Sie halten die Traditionen in einem Schwebegleichgewicht. Manchmal dominiert die magnetische Kraft eines Bezugspunktes. Es ist wahrscheinlich berechtigt zu sagen, dass in den letzten Jahrzehnten Politik und Gesellschaft das Traditionsverständnis der Bundeswehr dominierten. Vor dem Hintergrund aktueller kriegsähnlicher Einsätze, hybrider Bedrohungen und der Rückkehr der kollektiven Verteidigung Europas gewinnen die Besonderheiten des Militärs und der Blick auf mögliche Gegner wieder an Bedeutung. Grundsätzlich müssen bei der Ausgestaltung von Tradition alle Bezugspunkte in einer Balance gehalten werden. Die Besonderheiten des soldatischen Dienstes sollten in den Streitkräften verinnerlicht sowie in Politik und Gesellschaft erkannt und akzeptiert werden. Weder Vernachlässigung noch Hochstilisierung werden dem Auftrag der Politik an die Streitkräfte gerecht. Das macht Tradition zu einer intellektuellen Herausforderung und harten Arbeit, die nicht immer ohne Widersprüche und Konflikte möglich sein wird.

1.3.   Welche Verantwortung tragen Chefs und Kommandeure?

In den beiden vorherigen Abschnitten haben wir Argumente angeführt, warum Vorgesetzte Traditionen als ein wichtiges Mittel nutzen sollten, um ihre Soldaten auf deren schwierige Aufgaben vorzubereiten und ihnen dabei zu helfen, eine aktive Rolle in Politik und Gesellschaft wahrzunehmen. Dennoch, so mögen manche Leser denken, auch wenn Traditionen wichtig und hilfreich sind, es bleibt einfach keine Zeit dafür.

Wir wollen und können das Zeitargument nicht entkräften. Wir möchten jedoch zumindest darauf hinweisen, dass das Wesen von Tradition den Vorgesetzten in ihrem Zeitmanagement durchaus entgegenkommt. Denn Traditionen werden oftmals auch ohne zusätzlichen Zeitaufwand weitergegeben, und sie verfügen über eine gewisse Autorität, die Vorgesetzte für ihre Zwecke nutzen können. Wie funktioniert das in der Praxis?

Nehmen wir als ein Beispiel eine soldatische Tradition, die bis in das 19. Jahrhundert zurückreicht und auf welche die Bundeswehr zu Recht besonders stolz ist: Gemeint ist das ,Führen mit Auftrag' oder, wie sie häufig auch im Soldatenjargon genannt wird und auch im Ausland unter diesem Begriff bekannt ist, die Auftragstaktik.[90] Vorgesetzte, die nach den Prinzipien der Auftragstaktik führen, stellen sich selbst in eine lange, spezifisch deutsche Soldatentradition. Sie wirken sinnstiftend, indem sie Werte wie Verantwortungsbewusstsein, Eigeninitiative sowie mitdenkenden Gehorsam vorleben und erwarten. Ihre Soldaten und zivilen Mitarbeiter sind dafür aufgeschlossen; denn sie verfügen von Anfang an über ein gewisses Vorverständnis dafür, was gutes Führen ist. Vom ersten Tag der Grundausbildung an bewerten sie das Führungsverhalten von Vorgesetzten, die sie erleben, als gut oder weniger gut.[91] Und sie sprechen auch darüber, was dazu führt, dass Geschichten und Anekdoten über besonders gute oder schlechte militärische Führer immer wieder erzählt werden. Eine Unterrichtung über die Innere Führung und damit über die Selbstverpflichtung von Vorgesetzten zum richtigen Führen wäre dafür zunächst einmal gar nicht erforderlich. Wenn die Soldaten im Rahmen der Ausbildung oder im Zuge eigener Weiterbildung etwas über Auftragstaktik lesen, verfestigt sich deren Vorverständnis über das gute Führen oder es wird in Gänze oder Teilen revidiert. Indem sie später als Vorgesetzte selbst handeln oder mit anderen über ihr Führungsverständnis sprechen, tragen sie selbst dazu bei, dass andere in dieses Überlieferungsgeschehen einrücken. Deutlich wird aus diesem kleinen Beispiel, dass es oftmals nur darauf ankommt, das, was sowieso traditionsbildend im Alltag der Bundeswehr wirkt, selbst anzuwenden und, wenn möglich, näher zu erklären oder gezielt zu verstärken. In der militärischen Sprache wird dafür der Begriff des „Vorlebens" genutzt.

Kommen wir nun zur Frage, wer den Vorgesetzten hilft, Traditionen zu stiften und zu pflegen. Diese setzen sich während ihres gesamten Berufslebens mit Führungsfragen und das heißt auch mit ihrem eigenen Führungsverständnis und -verhalten auseinander. Anregungen dafür erhalten sie nicht nur durch unterstellte Soldaten und zivile Mitarbeiter oder durch Vorgesetzte im Rahmen des Beurteilungsprozesses, sondern auch durch Führungsbegleitungen und Weiterbildungen, wie sie von Dozenten in und ohne Uniform, wie beispielsweise den Militärpfarrern, durchgeführt werden. Vorgesetzte erhalten also vielfältige Hilfestellungen für gute Führung. Entscheidend ist, dass sie selbstkritisch über sich nachdenken und sich ihrer Werte und Vorbilder vergewissern, um ihre Führungsleistung zu verbessern. Wenn

---

[90] Zum Führen mit Auftrag siehe grundlegend Stephan Leistenschneider, Auftragstaktik im preußisch-deutschen Heer 1871-1914, Bonn 2002. Siehe auch Jochen Wittmann, Auftragstaktik – just a command technique or the core pillar of mastering the military operational art?, Berlin 2012 sowie Dirk Freudenberg, Auftragstaktik und Innere Führung, Berlin 2014.
[91] Wie klar und dezidiert sich auch Mannschaften Urteile über Vorgesetztenverhalten machen, zeigt die Studie von Angelika Dörfler-Dierken, Robert Kramer, Innere Führung in Zahlen. Streitkräftebefragung 2013, Berlin 2014, S. 43-58.

sie diese dann auch noch durch eine daran orientierte Traditionspflege untermauern, wirken sie erzieherisch auf ihre Soldaten und zivilen Mitarbeiter und auch auf sich selbst. Tradition ist damit für Vorgesetzte ein bewusst gesetzter Akt der soldatischen Erziehung und Selbsterziehung.[92] Für Vorgesetzte ist Traditionspflege in ihrem Kern daher eine Form der Selbstverpflichtung zum guten Führen.

Manchmal greifen auch Politik und Gesellschaft in das Führungsgeschehen der Bundeswehr ein. Dies kommt vor allem bei öffentlich gewordenem Fehlverhalten vor oder wenn Veränderungsprozesse in der Bundeswehr zu langsam verlaufen. Der vom BMVg in die Streitkräfte hinein gelenkte Druck ist dann oftmals so groß, dass Vorgesetzte kaum eine Chance haben, ihr Handeln argumentativ zu rechtfertigen. Dies war bei der öffentlichen Debatte über Rituale wie beispielsweise der Äquatortaufe auf der Gorch Fock im Jahre 2010 der Fall. Die allgemeine Entrüstung ließ damals kaum Platz für das Argument, dass traditionelle Rituale eine wichtige Funktion für den Zusammenhalt einer Truppe haben, sofern Vorgesetzte dabei auf die Einhaltung fundamentaler Werte wie die Menschenwürde achten.[93] Es gibt allerdings auch positive Beispiele für externe Interventionen. Der kritische Blick von Politik und Gesellschaft half der Bundeswehr dabei, neue Standards für den Umgang mit weiblichen Soldaten oder mit Soldaten mit Migrationshintergrund in der Führungspraxis zu verankern. Externe, erzieherisch gemeinte Eingriffe sind also Teil der demokratischen zivilmilitärischen Beziehungen, eben weil Politik und Gesellschaft eine Mitverantwortung tragen. Es wäre allerdings hilfreich, wenn die Stimme der Vorgesetzten deutlicher vernehmbar wäre, insbesondere dann, wenn wichtige soldatische Traditionen ungerechtfertigt in den Medien kritisiert werden. Zu leichtes Nachgeben bei Interventionen von außen untergraben bestehende eigene Traditionen und das Bestreben, diese weiterhin zu pflegen.

Die soeben angeführten Beispiele verdeutlichen zudem, dass Stiftung und Pflege soldatischer Traditionen etwas mit Erziehung und Bildung zu tun haben. Der militärische Erziehungsauftrag stand früher einmal im Mittelpunkt des beruflichen Selbstverständnisses von Vorgesetzten und dabei vor allem der Chefs und Kommandeure.[94] Dies ist eine Tradition, die weit in das

---

[92] Im Traditionserlass von 1965 taucht der Begriff der Erziehung noch wie selbstverständlich auf (I 1, III 30). Im 1982-er Erlass fehlt er genauso wie im neuesten Erlass. Letzterer spricht von „Selbstvergewisserung" (1.2.)

[93] Siehe Heiko Biehl, Gerhard Kümmel, Rituale und Bundeswehr. In: Michael Staack (Hrsg.), Im Ziel? Zur Aktualität der Inneren Führung. Baudissin Memorial Lecture, Opladen 2014, S. 43-75.

[94] So heißt es beispielsweise im letzten Satz des Traditionserlasses von 1965: „Alle Veranstaltungen zur Traditionspflege sollen der Erziehung dienen..." (Nr. 30).

19. Jahrhundert zurückreicht. Wir haben bereits darauf hingewiesen, dass der Erziehungsauftrag auch die Verpflichtung zur Selbsterziehung einschließt.[95] Heute ist das Verständnis dafür weithin verlorengegangen. Dabei darf der traditionelle Erziehungsauftrag noch heute Gültigkeit beanspruchen. Wir werden Beispiele dafür bringen, wie eine unreflektierte und geradezu leichtfertige Unterbrechung von Traditionen massive negative Auswirkungen auf die Führungskultur in Streitkräften haben kann. Auch wenn Traditionen oftmals unbewusst wirken und dies auch gut ist, so sollte man doch nicht nur kritisch hinterfragen, welche Traditionen noch für die Zukunft relevant sind, sondern auch, ob die Vernachlässigung bisher gültiger soldatischer Traditionen vielleicht negative Auswirkungen gehabt haben und noch weiterhin haben könnte. Überhaupt sollte für den Umgang mit Traditionen der Grundsatz „Die Beweislast hat der Veränderer" beachtet werden.[96] Vorgesetzte sollten Traditionen also nicht leichtfertig beenden, und sie sollten sich auch davor hüten, ihr Feuer unachtsam ausgehen und die Glut zu Asche werden zu lassen.[97]

Psychologen weisen darauf hin, dass Organisationen dann besonders leistungsstark sind, wenn Vorgesetzte deren Führungskultur kennen, danach handeln, sie pflegen und weiterentwickeln. Manchmal drängt sich uns der Eindruck auf, dass Politiker und Militärs in autoritären und diktatorischen Systemen diese Erkenntnis beherzigen, während in demokratisch verfassten Staaten viele hochrangige Führungskräfte die Kulturen ihrer Organisationen weder kennen oder reflektieren und schon gar nicht bewusst stärken. Wer als Minister oder General die Traditionen einer Armee oder ihrer Organisationsbereiche nicht kennt, der verliert seine Soldaten und zivilen Mitarbeiter genauso wie die zur Führung notwendige geistige Autorität. Dies wäre mehr als bloßer Kontrollverlust. Es führte über kurz oder lang zu einem Führungsdesaster. Dies gilt völlig unabhängig davon, ob ein Land ungebrochene oder durch Brüche und Zäsuren gekennzeichnete Traditionen besitzt. Die für Reformen und die Erarbeitung von Strategien wichtige Antwort auf die

---

[95] Siehe das Handbuch Innere Führung. Hilfen zur Klärung der Begriffe, herausgegeben vom Bundesministerium der Verteidigung, Bonn 1957 (⁵1970), S. 17, 91-95. Siehe dazu auch Uwe Hartmann, Erziehung von Erwachsenen, a.a.O., S. 66-69, 272-280.

[96] Odo Marquard, Neugier als Wissenschaftsantrieb oder die Entlastung von der Unfehlbarkeitspflicht. In: Elisabeth Ströker (Hrsg.), Ethik der Wissenschaften? Philosophische Fragen. Paderborn 1984, S. 24.

[97] Siehe dazu Loretana de Libero, Tradition in Zeiten der Transformation: Zum Traditionsverständnis der Bundeswehr im frühen 21. Jahrhundert, Paderborn 2006, S. 15: „Asche, Glut und Feuer: Sich mit ‚Tradition' zu beschäftigen, gleicht der Arbeit einer Vestalin, die im antiken Rom das heilige Feuer hütete: Die Asche des Überholten muss ausgekehrt, die Glut des Überlieferungswürdigen angefacht und die hellen Flammen gültiger Werte am Leben erhalten werden."

Frage, wer wir sind und wo wir hinwollen, kann eigentlich nur bei Kenntnis der Traditionen gegeben werden. Experten für strategische Führung und Veränderungsmanagement wie beispielsweise der Harvard-Professor John P. Kotter unterstreichen die Wichtigkeit einer klaren Formulierung von Visionen und Strategien, nach denen die Zukunft einer Organisation gestaltet werden soll.[98] Bestehende oder zu stiftende Traditionen können dabei eine wichtige Rolle spielen – um die Vision zu kommunizieren, die wichtigsten Manager für das Reformvorhaben zu gewinnen sowie um Mitarbeiter auch unter Inkaufnahme von persönlichen Opfern zur aktiven Mitarbeit zu motivieren. Bei den zahlreichen Reformen der Bundeswehr seit der Zeitenwende von 1989/90 ist darauf zu wenig geachtet worden. Wahrscheinlich folgten sie zu schnell aufeinander. Soldatische Traditionen sollten deshalb gestärkt werden, nicht zuletzt, um den Reformeifer auf den politischen und strategischen Führungsebenen einzuhegen.

Ausblick und Zwischenfazit

Im nächsten Abschnitt werden wir uns mit einigen praktischen Beispielen der Stiftung und Pflege von Traditionen beschäftigen. Sie veranschaulichen, dass Traditionen Menschenwerk sind, also letztendlich „erfunden" und „konstruiert" werden.[99] Dies soll Vorgesetzte ermutigen, mit Elan, persönlichem Engagement und einer gehörigen Portion Kreativität an die Umsetzung des neuen Traditionserlasses heranzugehen. Zuvor möchten wir allerdings unsere bisherigen Kernaussagen im Sinne eines Entschlusses mit Begründung formulieren:

Vorgesetzte, vor allem die Chefs und Kommandeure in den Streitkräften, kennen und pflegen Traditionen und gestalten diese aktiv mit; denn sie helfen ihnen und ihren Soldaten und zivilen Mitarbeitern dabei:

- ihre Verantwortung für die freiheitliche demokratische Grundordnung und deren Verteidigung gegenüber inneren antidemokratischen Kräften sowie äußeren hybriden Beeinflussungen und Bedrohungen wahrzunehmen (*Wertebekenntnis zur Demokratie*);
- die Notwendigkeit vertrauensvoller demokratischer zivil-militärischer Beziehungen zu erkennen und einen eigenen Beitrag für deren nachhaltige und belastbare Ausgestaltung zu leisten (*Vertrauensbeweis gegenüber Politik und Gesellschaft*);

---

[98] Zu den Schritten der Strategiebildung siehe John P. Kotter, Leading Change, Boston 2012, S. 22-23, 70-86.

[99] Auf das Erfinden von Traditionen wies u.a. der britische Historiker Hobsbawm hin. Siehe dazu Eric J. Hobsbawm, Terrence Ranger, The Invention of Tradition, Cambridge 1984.

- ihre persönliche Kampfkraft und ihren eigenen Einsatzwert zu steigern und einen Beitrag zu Kampfkraft und Einsatzwert ihrer Einheiten und Verbände zu leisten (*Einsatz- und Bündnisfähigkeit bzw. Abschreckung*);
- in ihren Denk- und Entscheidungsprozessen den Fünfklang von Politik, Gesellschaft, eigenen Streitkräften, Verbündeten und Partnern sowie (potentiellen) Gegnern zu berücksichtigen und in Balance zu halten (*Kriegstheorie und Strategie*); und
- zu großen Reformeifer nicht noch durch soldatischen Handlungsdrang (*can-do-mentality*) zu beschleunigen (*Veränderungsmanagement*).

Für die einzelnen Soldaten ist Tradition praktische Lebenshilfe und vertrauensbildende Maßnahme zugleich. Beides ist geeignet, ihnen das selbstbewusste Handeln in komplexen Lagen in Krieg, Einsatz, Grundbetrieb sowie bei der Gestaltung der zivil-militärischen Beziehungen zu erleichtern. Konkret bedeutet dies:

- Faustregeln zu vertrauen, aber auch auf Stolpersteine zu achten (*Ermächtigung bzw. Selbstermächtigung für das Handeln unter erschwerten Bedingungen*);
- die Bedeutung von Erziehung im Allgemeinen und politisch-historischer sowie ethischer Bildung im Besonderen als Führungs- und (Selbst-) Erziehungs- bzw. Bildungsaufgabe zu erkennen (*Selbstverpflichtung*).

Vorgesetzte – und dies gilt vor allem für die Chefs und die Kommandeure – intensivieren ihr Engagement im weiten Feld der Traditionspflege, weil Tradition

- ihnen dabei hilft, über ihr Verständnis von Demokratie, Recht, Freiheit und Menschenwürde nachzudenken und ein reflektiertes und damit verinnerlichtes Wertebekenntnis abzulegen;
- ihnen ermöglicht, einen persönlichen Beitrag zur Gestaltung vertrauensvoller demokratischer zivil-militärischer Beziehungen zu leisten und die eigene Widerstandskraft (Resilienz), aber auch die von Politik und Gesellschaft zu erhöhen und so auch deren Bereitschaft zu steigern, dem Soldatenberuf mehr Anerkennung entgegenzubringen;
- ein Weg ist, die Integration der Soldaten in die Gesellschaft und deren Interaktion mit gesellschaftlichen Gruppen zu intensivieren;
- die Kohäsion ihrer Einheit bzw. ihres Verbandes und damit deren Kampfkraft und Einsatzwert stärkt;

- ihrer gesetzlich gebotenen Fürsorgepflicht besonders genügt, indem Soldaten diese als Lebenshilfe und vertrauensbildende Maßnahme erkennen und anerkennen;
- als ein „heikles Thema" nicht nur ihre Führungsleistung und dabei insbesondere ihre kommunikativen Kompetenzen verbessert, sondern auch Mut und Charakterstärke fördert;
- sie anhält, bei aller Fortschrittsorientierung und Modernisierung sensibler mit Veränderungen umzugehen; und
- sie fortan reflektierter als Vorbild und Erzieher agieren lässt.

1.4 Praktische Beispiele für die Notwendigkeit und Wichtigkeit soldatischer Traditionen

Tradition und Tod

Die Bundeswehr ist heute eine Armee im Einsatz. Soldaten der Bundeswehr sind in den Auslandseinsätzen gefallen. Ihr Tod hat viele in den Streitkräften und darüber hinaus sensibilisiert, dass der richtige Umgang mit dieser Realität für die Entwicklung der politischen Kultur eines Landes sowie für das soldatische Selbstverständnis von höchster Bedeutung ist. Denn es geht hier auch um Antworten auf die Frage, was ein Staat von seinen Bürgern verlangen darf und wofür der Soldat treu dient.

Relativ schnell bildete sich in der deutschen Öffentlichkeit so etwas wie Einvernehmen darüber, dass das Andenken an gefallene Soldaten gewahrt werden muss: Sie dürfen nicht in Vergessenheit geraten – weder von ihren unmittelbaren Kameraden noch in der Bundeswehr insgesamt, aber auch nicht in Politik und Gesellschaft. Ein deutliches politisches Signal für dieses neue Bewusstsein ist das 2009 eröffnete Ehrenmal der Bundeswehr auf dem Gelände des Bendlerblocks des BMVg in Berlin. Der damalige Bundesminister der Verteidigung, Dr. Franz Josef Jung, hatte diese Initiative gut drei Jahre zuvor gestartet und damit eine breite öffentliche Debatte ausgelöst. Diese Debatte war wichtig, gerade weil darin Fragen des Totengedenkens mit sicherheitspolitischen Grundsatzfragen und insbesondere der Zweckmäßigkeit des Einsatzes in Afghanistan, der immer mehr in einen Kampfeinsatz umkippte, vermengt waren. Der Vorschlag, ein derartiges Denkmal vor dem Bundestag im Reichstagsgebäude zu errichten, um den Status der Bundeswehr als einer ‚Parlamentsarmee' zu symbolisieren, wurde allerdings nicht weiterverfolgt.

Wenig Beachtung fand die Tatsache, dass die Initiative zu einem Ehrenmal der Bundeswehr ‚von unten' ausgelöst wurde. Es waren Soldaten der Bundeswehr im ISAF-Einsatz in Afghanistan, die dem neuen Verteidigungsminister bei seinem ersten Truppenbesuch nach Übernahme seines Amtes im November 2005 ihr selbst gestaltetes Ehrenmal zur Erinnerung an gefallene Kameraden zeigten. Sie forderten ihren Minister damit indirekt auf, auch in Deutschland etwas zu tun, was deren Andenken wahrt und an ihren Einsatz, den sie mit dem Leben bezahlten, erinnert. Dieser Appell beeindruckte den Minister so sehr, dass er noch während des Rückfluges seinem Planungsstab in Berlin den Auftrag erteilte, über ein Ehrenmal für im Einsatz gefallene Soldaten nachzudenken. Hier löste also eine Initiative „von unten" das Stiften einer für die Bundesrepublik Deutschland neuen Erinnerungskultur aus, die sich von der deutschen Denkmalskultur bis 1945 deutlich unterscheidet.[100] Daraus sind weitere Impulse für die Ausgestaltung von Traditionsverständnis und Traditionspflege in der Bundeswehr erwachsen.[101]

Allerdings ist der dienstlich bedingte Tod von Angehörigen der Bundeswehr nichts Neues. Soldaten sind auch in der ‚alten' Bundeswehr des Kalten Krieges ums Leben gekommen.[102] Dass deren Tod sowohl in der Bundeswehr als auch in Politik und Gesellschaft weithin verdrängt wurde, verdeutlichten die Gespräche der ersten Arbeitssitzung des Planungsstabs im BMVg zum neuen Ehrenmal, die noch während des Rückflugs des Ministers nach Deutschland stattfand. Wie es der Minister beauftragt hatte, rankten sich die Vorschläge der Mitglieder des Planungsstabes um das würdige Gedenken an die im Auslandseinsatz ums Leben gekommenen Soldaten der Bundeswehr. Die Debatte war schon ziemlich weit vorangeschritten, als ein Kapitän zur See, der sich bis zu diesem Zeitpunkt kaum daran beteiligt hatte, mit einem emotionalen Ausbruch alle anderen aufrüttelte. Er sagte sinngemäß: „Sie wollen mir doch nicht weismachen, dass wir mit dem neuen Ehrenmal nur die im Auslandseinsatz getöteten Soldaten ehren. Was machen wir mit den vielen Soldaten, die seit 1955 in Ausübung ihres Dienstes gestorben sind?

---

[100] Zu Denkmalen und zur Denkmalskultur in Deutschland siehe Ulrich Schlie, Die Denkmäler der Deutschen. Eine Nation erinnert sich, München 2002.

[101] Siehe beispielsweise den „Wald der Erinnerung" in der Henning-von-Tresckow-Kaserne in Geltow. Darin sind die Ehrenhaine der Bundeswehr aus den Einsatzgebieten vereint. Der sehr sachliche Text im neuen Traditionserlass zu „Totengedenken, Mahn- und Ehrenmale" (Abschnitt 4.7) ist allerdings kaum geeignet, neue, unserer politischen Kultur angemessene Formen des Totengedenkens jenseits politischer Repräsentation anzuregen. Darin steht: „Zentraler Erinnerungsort, um aller militärischen und zivilen Angehörigen der Bundeswehr zu gedenken, die in Folge der Ausübung ihrer Dienstpflichten ihr Leben verloren haben, ist das Ehrenmal der Bundeswehr am Dienstsitz des Bundesministeriums der Verteidigung in Berlin. Es wird durch den Wald der Erinnerung in Geltow ergänzt. Heer, Marine und Luftwaffe gedenken ihrer Toten zusätzlich an eigenen Ehrenmalen und regionalen Gedenkorten."

[102] Bei den Großübungen der NATO zur Bündnisverteidigung kamen immer wieder Soldaten ums Leben. Auch heute ist dies wieder der Fall, wie zuletzt bei der NATO-Übung TRIDENT JUNCTURE 2018 oder bei dem Einsatz der Bundeswehr im Rahmen der enhanced Forward Presence (eFP) in Litauen.

Soll ich der Witwe eines jungen Tornado-Piloten, an dessen Grab ich noch vor kurzem stand, sagen, dass das neue Ehrenmal nicht für ihren Mann gedacht ist?" Alle Teilnehmer waren beschämt. Sie hatten bis zu diesem Zeitpunkt nicht bedacht, dass sie ihr Nachdenken unreflektiert auf das neue Phänomen des Soldatentodes im internationalen Auslandseinsatz begrenzt hatten. Sie hatten vergessen, sich zuvor selbstkritisch zu fragen, wie sie und die Bundeswehr insgesamt mit dem Tod von Angehörigen bisher umgegangen waren. Mehr noch: Hatten sie damit nicht die alte Bundeswehr und die Lebensleistung vieler ihrer Angehörigen insgeheim als nicht mehr relevant beurteilt? Allen in der Runde war jetzt klar geworden, dass der Kapitän zur See Recht hatte. Schnell wurden die Zahlen ermittelt, wie viele Soldaten im Dienst ums Leben gekommen sind. Alle waren überrascht, wie hoch sie waren. Über 3.000 Soldaten starben bei ihrem Einsatz für Recht und Freiheit des deutschen Volkes.

Das Verdrängen des Soldatentodes seit 1955 hatte in der Tat gewaltige Ausmaße angenommen. Sicherlich war dies auch eine Abwehrreaktion der jungen Bundesrepublik Deutschland auf die Zelebrierung des Heldentodes seit den Tagen der Gründung des deutschen Kaiserreichs, die schließlich unter der Nazi-Herrschaft mit dem „Heldengedenktag" absolut pervertiert worden war. Gleichwohl verwundert, dass die Bundeswehr zwar die Erinnerung an bedeutsame Unterstützungsleistungen im Inland wie beispielsweise bei der Jahrhundertflut 1962 in Hamburg wach hielt, dabei aber die damals zu Tode gekommenen Soldaten der Vergessenheit anheim gab.[103] Erst die neuen Einsätze der Bundeswehr förderten die Einsicht, dass Streitkräfte und auch Politik und Gesellschaft Formen und Inhalte einer Erinnerungskultur benötigen, welche die Werte des soldatischen Dienens zum Ausdruck bringen und an nachfolgende Generationen vermitteln. Die Kampfeinsätze der Bundeswehr konfrontierten also Politik, Gesellschaft und Bundeswehr mit der Herausforderung, Erinnerungsarbeit und Gedenkkultur jenseits des historisch glitschigen Bodens des „Heldengedenkens" zu praktizieren.

Im Jahr zuvor gab es eine Initiative, die weniger Aufmerksamkeit erfuhr, aber ebenfalls zu einer neuen Tradition geworden ist: Im November 2005 hatte der damals noch amtierende Bundesminister der Verteidigung, Dr. Peter Struck, die Gedenkrede anlässlich des Volkstrauertages im Deutschen Bundestag gehalten. Wie es dem Verständnis deutscher Gedenkkultur zum Volkstrauertag seit 1952 entsprach, stand die Erinnerung an die Opfer von Krieg und Gewaltherrschaft eindeutig im Vordergrund, mehr noch: es war

---

[103] Bei der Rettung von Menschen starben die Gefreiten Klaus Hinz, Wilhelm Hermanns und Manfred Bahstan. Siehe Loretana de Libero, Tradition in Zeiten der Transformation, a.a.O., S. 146 (FN 420).

ihr Kern. Der Minister setzte allerdings einen neuen Akzent. Denn in sein Gedenken nahm er erstmals den Tod von deutschen Soldaten, Polizisten und Entwicklungshelfern in den Auslandseinsätzen mit auf. Dies war mit dem damaligen Präsidenten des Volksbundes Deutsche Kriegsgräberfürsorge, Reinhard Führer, zuvor so abgestimmt worden. Am nächsten Tag kommentierten große Tageszeitungen diesen neuen Akzent sehr positiv. In vielen Reden, manchmal sogar in Predigten, wird seither auch der gefallenen Soldaten gedacht. Auch dies ist ein anschauliches Beispiel, dass Traditionen gestiftet werden können und auf Akzeptanz stoßen, wenn sie die Menschen überzeugen.

Auch in anderen Berufen werden Menschen getötet. Und sicherlich haben die dazugehörigen Institutionen und Organisationen ihre eigenen Wege gefunden, damit umzugehen.[104] Dazu möchten wir ein beeindruckendes Beispiel aus den Vereinigten Staaten geben. Wer beispielsweise das Denkmal zu dem Terroranschlag am 11. September 2001 in New York besucht[105], erlebt, wie die Macher des Museums die Feuerwehrleute und Polizisten genauso wie die getöteten Mitarbeiter in den beiden Bürotürmen würdigen und deren tapferes Handeln an die Besucher übermitteln wollen. Die Toten zu ehren und deren Taten zu würdigen, das wird in unsicheren Zeiten mit vielfältigen Gefährdungen immer bedeutsamer. Nicht nur für deren Kameraden und Kollegen sowie ihre unmittelbaren Angehörigen, sondern auch für Staat und Gesellschaft insgesamt. Unser Engagement in Erinnerungsarbeit und Gedenken bietet uns allen die Möglichkeit, Anteilnahme auszudrücken und die Wichtigkeit der Werte, denen wir verbunden sind und denen Soldaten, Feuerwehrleute und Polizisten freiwillig dienen, zu unterstreichen. Der durch den Dienst verursachte Tod wirft mit größter Wucht die Frage nach dessen Sinn auf. Das Kernproblem „Wofür dient der Soldat in unserer Zeit?" tritt nun deutlicher hervor. Totengedenken fordert uns auf, diese Frage immer neu zu stellen und angemessene Antworten darauf zu finden, wofür es sich in unserer heutigen Zeit noch lohnt, sein eigenes Leben oder das seiner Kameraden bzw. Kollegen einzusetzen. Das Gedenken an getötete Soldaten genauso wie die Fürsorge für physisch oder psychisch verletzte Soldaten ist nicht nur ein wichtiger Katalysator für sicherheitspolitische Diskussionen, sondern auch für die Selbstvergewisserung eines Staates und seiner Bürger. Das ist nicht immer angenehm, und die Einsatzveteranen, die Ende 2018 vor dem Kanzleramt in Berlin auf ihr Schicksal aufmerksam

---

[104] Besonders stark sind Tradition und Brauchtum im Kohlebergbau ausgeprägt. Gemeinsamkeiten zu Streitkräften ergeben sich insbesondere durch das Element der Gefahr und das daraus resultierende Aufeinanderangewiesensein.

[105] www.911memorial.org

machen wollten, wissen, wie viele Menschen sich wegducken, um bloß nicht damit konfrontiert zu werden. Es kommt aber darauf an, diese Debatten nicht nur innerhalb der Bundeswehr zu führen, sondern auch die Bürger ohne Uniform damit zu konfrontieren. Dann wird es auch möglich sein, herauszufinden, ob und inwieweit Bürger bereit sind, soldatische Traditionen, die stärker auf die Besonderheiten des soldatischen Dienens ausgerichtet sind, zu akzeptieren.

Ein beeindruckendes Beispiel für Solidarität mit Soldaten, die dem Tod knapp entronnen sind und nun mit schweren physischen oder psychischen Verletzungen leben, ist der seit 2011 stattfindende Solidaritätslauf an der Helmut-Schmidt-Universität/Universität der Bundeswehr Hamburg. Diese Veranstaltung geht ausschließlich auf eine Initiative junger studierender Offiziere und Offizieranwärter zurück. Sie stifteten eine Tradition, in der die Werte von Kameradschaft und Hilfsbereitschaft für Soldaten bzw. ehemalige Soldaten in Not in besonderer Weise zum Ausdruck kommt.[106] Die Aufgabe, diese Veranstaltung als Wertebekenntnis und zugleich als praktische Lebenshilfe zu organisieren, wird seither von Studentengeneration zu Studentengeneration weitergegeben.

Auf der Suche nach Vorbildern

Die oben angeführten Beispiele bestätigen eindrucksvoll, dass sich Engagement für die Weiterentwicklung des Traditionsverständnisses der Bundeswehr und ihrer Traditionspflege lohnt. Und dass Impulse, die von Soldaten ausgehen, nicht nur Akzeptanz, sondern auch Unterstützung in Politik und Gesellschaft finden können. Aus unserer Sicht sollten diese positiven Beispiele und die weiteren, die wir in diesem Buch noch vorstellen werden, Chefs und Kommandeure motivieren, mehr Zeit dafür zu investieren.

Mittlerweile liegen deutliche Hinweise auf eine Kehrtwende in der Truppe hin zu einem größeren Engagement bei der Pflege des soldatischen Erbes vor. Bereits im Zuge der Erarbeitung des neuen Traditionserlasses sagte der Kommandeur einer Brigade des Heeres, General Sollfrank, durchaus selbstkritisch: „Wer von Ihnen kennt die Operation Halmazag? Sie war für mich ein zarter Versuch, aus einer erfolgreichen Operation in Afghanistan möglicherweise etwas Bleibendes zu schaffen, dies war durch die Protagonisten des Geschehens selbst initiiert. Wer kennt die 2010 erfolgreich geführte Operation zum Freikämpfen des Raums Baghlan? Ist hieraus etwas Traditi-

---

[106] www.solidaritätslauf.de

onsstiftendes für die Truppe erwachsen? Ich glaube, nicht viel. Hier müssen wir etwas tun.“[107]

Das Kommando Heer in Strausberg führt seit 2017 ein Projekt mit dem Titel „Tradition und Identifikation im HEER" durch, das den tatsächlichen Bedarf der Truppe an Tradition und Traditionspflege ermittelt. Die umfassende Beteiligung von Soldaten des Heeres soll dazu beitragen, dass die Diskussion darüber auf Dauer gestellt und die Kohäsion im Heer gestärkt wird. Dabei zeigte sich früh, dass Tradition für die Truppe eine „Herzensangelegenheit" ist.[108] Die Luftwaffe beschäftigte sich auf einer Jahrestagung im März 2018 ausführlich mit Traditionsfragen. Zwei ihrer Historiker geben eine eigene Publikationsreihe zur Geschichte der deutschen Luftwaffe heraus und ziehen daraus auch Schlussfolgerungen für deren Traditionsverständnis.[109] Und bei der Deutschen Marine standen Fragen der Tradition immer mal wieder im Programm der traditionellen jährlichen historisch-taktischen Tagung (HiTaTa). Im Januar 2019 fand bereits die 59. Tagung statt.[110]

Diese Aktivitäten sind ermutigend und versprechen Einiges für die Zukunft. Gleichwohl möchten wir an dieser Stelle die selbstkritische Frage stellen, warum es so lange gedauert hat, bis die politische Leitung und die militärische Führung endlich den Startschuss für die Arbeit an der Neuerstellung des Traditionserlasses gaben.

Bereits 2009 wies der Historiker Klaus Naumann auf einen „blinden Fleck" im Traditionsverständnis der Bundeswehr hin, weil in diesem das Element der Gefahr fehle.[111]. Kurz davor gab es innerhalb des Planungsstabes im BMVg einen Versuch, eine Debatte über Tradition in der Bundeswehr auszulösen und diese zum Anlass für die Erarbeitung eines neuen Traditionserlasses zu nehmen.[112] Der damals gültige Erlass war zu diesem Zeitpunkt

---

[107] Diese Aussage ist wiedergegeben in Klaus Remme, Unterwegs in kontaminiertem Gelände. Die Bundeswehr auf der Suche nach Traditionen, S. 9.
https://www.deutschlandfunk.de/unterwegs-in-kontaminiertem-gelände-die-Bundeswehr-auf-der.724.dehtml?dram:article_id=407386.

[108] Kai Uwe Bormann, Bernd Lawall, Projekt „Tradition im Heer." Ein Arbeitsbericht. In: Jahrbuch Innere Führung 2018, herausgegeben von Uwe Hartmann und Claus von Rosen, Berlin 2018, S. 130-142.

[109] Siehe dazu die von Eberhard Birk und Heiner Möllers herausgebene Reihe „Schriften zur Geschichte der Deutschen Luftwaffe" im Miles-Verlag, Berlin.

[110] https://deutsches-marine-institut,de/59-historische-taktische-tagung-hitata-der-marine-see-krieg-fuehrung-operativ-strategisches-denken-in-deutschen-marinen/

[111] Klaus Naumann, Die Bundeswehr im Leitbilddilemma. Jenseits der Alternative „Staatsbürger in Uniform" oder „Kämpfer". In: Uwe Hartmann, Claus von Rosen, Christian Walther (Hrsg.), Jahrbuch Innere Führung 2009, Berlin 2009, S. 75-91.

[112] Hannes Wendroth, Einsatzrealität am Hindukusch oder: Brauchen wir einen neuen Umgang mit Tradition in der Bundeswehr? In: Uwe Hartmann, Claus von Rosen, Christian

bereits 27 Jahre alt. Das Kampfgeschehen in Afghanistan legte eine Anpassung nahe. Die Zeit war jedoch noch nicht reif, jedenfalls in der politischen Bewertung. Der Aufbau einer neuen Front in der öffentlichen und weithin kritischen Debatte über den Afghanistan-Einsatz sollte unbedingt vermieden werden. Auch der drei Jahre später von Militärhistorikern der Bundeswehr initiierte Versuch, mit einem Sammelband die ministerielle Arbeit an einem neuen Erlass anzuregen[113], stieß auf keine Resonanz. Und dies, obwohl sich auch in der Öffentlichkeit weithin bekannte Autoren wie der Politikwissenschaftler Herfried Münkler oder die Publizistin Cora Stephan daran beteiligten. Es half noch nicht einmal, dass die Herausgeber des Buches darin einen klugen Textvorschlag für einen neuen Erlass ausgearbeitet hatten.

Einige Jahre später verfassten jüngere Offiziere ein Buch, welches das bisherige Traditionsverständnis sowie den Umgang mit der deutschen Militärgeschichte radikal in Frage stellte. Gemeint ist der von Marcel Bohnert und Lukas J. Reitstetter herausgegebene Sammelband „Armee im Aufbruch. Zur Gedankenwelt junger Offiziere in den Kampftruppen der Bundeswehr". Dieses Buch löste ein nachhaltiges Echo in den überregionalen und auch in den bundeswehreigenen Medien aus. Wer erwartete, dass die teilweise heftig kritisierten Beiträge über vorbildliche militärische Leistungen der kaiserlichen Armee im Ersten Weltkrieg und über die Wichtigkeit preußischer Tugenden[114] endlich die Überarbeitung des Traditionserlasses und vielleicht sogar der Inneren Führung forcieren würden, sah sich erneut getäuscht. Selbst das neue Weißbuch aus dem Jahre 2016 brachte keine erkennbaren Fortschritte, obwohl darin die Bedeutung von Traditionen erkannt und die stärkere Betonung bundeswehreigener Traditionen gefordert wurde.[115] Erst

---

Walther (Hrsg.), Jahrbuch Innere Führung 2009. Die Rückkehr des Soldatischen, Eschede 2009, S. 165-175.

[113] Eberhard Birk, Winfried Heinemann, Sven Lange (Hrsg.), Traditionsdebatte für die Bundeswehr, a.a.O..

[114] Siehe darin die Beiträge von Florian Rotter, Wie dienen? Preußische Tugenden im 21. Jahrhundert, S. 53-62, und von Felix Schuck und Thorben Mayer, Das Deutsche Heer im Kampf 1914 bis 1918. Neue Perspektiven 100 Jahre nach Beginn des Ersten Weltkrieges, S. 171-211. Schuck und Mayer stellen fest, „... dass das Traditionsverständnis der Bundeswehr in einzelnen Bereichen ebenso der Überholung bedarf wie manche Thesen der Kriegsschulddebatte. (...) Der gegenwärtige Prozess der Transformation der Bundeswehr sollte diesem Umstand durch eine Überarbeitung des Traditionsverständnisses gerecht werden, in welchem die Leistung und Opferbereitschaft der deutschen Soldaten des Ersten Weltkrieges explizit gewürdigt wird." (S. 210).

[115] Weißbuch 2016, S. 114-116. Darin heißt es: „Jede Generation braucht den nötigen Bezug zur Gegenwart in ihrer Lebenswirklichkeit. (...) Dazu wird die Bundeswehr ihre über 60-jährige erfolgreiche eigene Geschichte noch stärker zu einem zentralen Bezugspunkt der Traditionsstiftung und -pflege machen." (S. 115)

die Vorfälle eines problematischen Umgangs mit der Wehrmacht sowie als rechtslastig interpretierte Umtriebe einzelner Soldaten im Jahr 2017 führten dazu, die Überarbeitung des Traditionserlasses tatsächlich in Angriff zu nehmen. Statt der Bekräftigung gültiger Werte und der Suche nach soldatischen Vorbildern war Fehlverhalten einzelner Soldaten dafür der entscheidende Anlass. Traditionsfindung scheint also ein *reaktives* Politikmuster zu sein, in dem die Belange der Soldaten genauso wenig eine Rolle spielen wie das Kriegs- oder Konfliktbild oder einfach nur intellektuelle Redlichkeit. Vielleicht ändert sich dieses Politikmuster in Zukunft. Hilfreich wäre es, wenn die Stimme der Soldaten sich dabei mehr Gehör verschaffte. Chefs und Kommandeure sollten dafür einen geeigneten Rahmen schaffen und mit Beispiel vorangehen. Parallel dazu muss es darum gehen, Vertrauen bei den verantwortlichen Politikern zu gewinnen, dass die bundeswehrinterne Debatte nicht in einem braunen Sumpf endet. Nicht zuletzt dafür wäre eine Beteiligung von externen Experten wie beispielsweise Professor Sönke Neitzel, von Vermittlern zwischen der politischen und der militärischen Welt wie dem ehemaligen Bundestagsabgeordneten Winfried Nachtwei oder auch von dezidierten Kritikern wie den Historikern Detlef Bald und Jakob Knab wichtig.

Die so späte Beauftragung eines neuen Traditionserlasses verwundert umso mehr, als die Suche nach neuen Vorbildern für die Soldaten der Bundeswehr als ‚Einsatzarmee' schon um das Jahr 2010 herum recht einfach gewesen wäre. Wer die erfreulicherweise zahlreichen veröffentlichten Berichte von Soldaten über ihre Erfahrungen in den Einsätzen liest, wird bei seiner Suche nach Vorbildern und beispielhaften Ereignissen schnell fündig. Erneut sei daran erinnert: Es geht dabei nicht um Totenkult und Heldenverehrung, sondern um die Veranschaulichung, wie unsere Werte das soldatische Handeln selbst in Gefechtssituationen leiten. So schildert der damalige Hauptfeldwebel Stefan Schultze folgendes Ereignis: „In einer Gefechtspause nach intensiven Kämpfen, in deren Verlauf wir dem Feind empfindliche Verluste zugefügt hatten, wurde durch die mit uns gemeinsam operierende afghanische Polizei (ANP) und dem Feind ein zeitlich begrenzter Waffenstillstand ausgehandelt. Dem Feind wurde Zeit gegeben, seine Toten und Verwundeten vom Gefechtsfeld zu bergen. Ich erinnere mich an die Empörung bei meinen Soldaten und auch zunächst bei mir. Unverständnis war die erste Reaktion. Nach einer kurzen Zeit der Besinnung wich dieses Unverständnis jedoch dem Gefühl der Menschlichkeit. Ich sprach mit meinen Gruppenführern, diese mit ihren Soldaten. Am Kopfnicken der Soldaten erkannte ich deren Verständnis. Doch die Toleranz meiner Soldaten und mir wurde an diesem Tag noch einmal auf die Probe gestellt. Ein Fahrzeug der feindlichen Kräfte passierte unsere eigenen Reihen. Es fuhr mitten durch unsere Stellungen. Das Fahrzeug war beladen mit schwer verwundeten Feindkräften. Sie mussten uns passieren, denn wir hatten den einzigen Weg Richtung KUNDUZ und somit den einzigen Weg Richtung ärztlicher Versorgung für den Feind unter Kontrolle. Misstrauisch, aber verständnisvoll ließen wir das Fahrzeug, nachdem es kontrolliert war, durch. Niemand zeigte Häme oder machte sich über den Feind lustig, gleichwohl wir alle in dem Moment uns ihm überlegen fühlten. Achtung vor menschlichem Leben ließ uns Mensch bleiben."[116] Diese Schilderung unterstreicht zum einen die Notwendigkeit eines schnellen Denkens und Handelns in Gefechtssituationen. Sie zeigt zudem sehr eindrucksvoll, wie die Werte des Grundgesetzes und damit das ethische Fundament der Inneren Führung das Denken von Soldaten in einer gefährlichen und unübersichtlichen Lage leiteten. Der hohe Wert der Menschlichkeit und die Achtung vor der Würde des Menschen[117] dienten ihnen als 'Helfer-in-der-Not'. Sie hatten ein sicheres intuitives Gespür dafür, was in dieser Situation anständiges Handeln ist. Der Begriff des Anstands ist leider aus der Mode gekommen. Nichtsdestotrotz ist es gerade für Soldaten wichtig, sich daran zu orientieren. Der Königsberger Philosoph Immanuel Kant (1724-1804) definierte Anstand einmal als „Teilnehmen an dem Schicksal anderer Menschen". Es geht um den Mitmenschen, dessen Belangen wir uns nicht verschließen dürfen – nicht zuletzt um unser Selbst willen. Darauf weist der Journalist Axel Hacke hin. Denn gutes Handeln ist wichtig, „weil wir uns bis zum Tode als anständige Menschen fühlen können" (Hans Fallada).[118]

Die Einsätze der Bundeswehr seit dem Ende des Kalten Krieges bieten für hohe militärische Leistungsfähigkeit im Allgemeinen und für Kampf und Gefecht im Besonderen bereits zahlreiche Beispiele. Es kommt nun darauf

---

[116] Stefan Schultze, Führen unter Feuer. In: Hans-Christian Beck, Christian Singer (Hrsg.)., Entscheiden Führen Verantworten. Soldatsein im 21. Jahrhundert, Berlin 2011, S. 228-229.

[117] Achtung vor der Würde des Menschen und Menschlichkeit fordern alle drei Traditionserlasse (1965: Nr. 18; 1982: Nr. 18). Im Traditionserlass von 2018 heißt es in der Nr. 3.1: „Die Angehörigen der Bundeswehr sind zudem der Menschlichkeit verpflichtet, auch unter Belastung und im Gefecht." Menschlichkeit verbindet auch Ereignisse wie den Widerstand gegen Hitler mit taktischen Gefechtssituationen, wie sie Hauptfeldwebel Schultze mit seinen Männern erlebt hat. Es geht um Menschlichkeit und Anstand als Motive für das Handeln.

[118] Axel Hacke, Über den Anstand in schwierigen Zeiten und die Frage, wie wir miteinander umgehen, a.a.O., S. 35. Zu Haltung und aktivem Anstand siehe auch Klaus Naumann, Auf die Haltung kommt es an. Militärische Vorbilder finden sich auch in finsteren Zeiten. In: if spezial Zeitschrift für Innere Führung, Nr. 2/2018, S. 20-26. Unanständige Handlungsweisen wie beispielsweise Misshandlungen, aber auch unterlassene Hilfeleistungen können zu einer „ethischen Verwundung" führen. Siehe dazu Stefan Siegel, Jörn Ungerer, Peter Zimmermann, Wenn Werte wanken. Ethische Verwundungen von Soldaten nach Auslandseinsatz. In: Uwe Hartmann, Claus von Rosen, Christian Walther (Hrsg.), Jahrbuch Innere Führung 2011. Ethik als geistige Rüstung für Soldaten, Berlin 2011, S. 211-221.

an, darüber zu berichten, damit Vergangenes Geschichte wird, aus der wir das Gute auswählen können. Wir können daraus also nicht nur Schlussfolgerungen (*lessons learned*) für taktisches Handeln und verbesserte Ausrüstung ziehen, sondern eben auch für soldatische Traditionen und deren Pflege. Wie General Sollfrank feststellte: Die Truppe selbst muss mehr tun!

Es lohnt indessen auch der Blick auf die Zeit davor. Erneut möchten wir darauf hinweisen, dass es ein reichhaltiges Reservoir an Vorbildern und guten Beispielen nicht erst gibt, seitdem die Bundeswehr bewaffnete Auslandseinsätze durchführt. Auch die Erinnerungen von Soldaten aus der Zeit des Kalten Krieges bilden eine wichtige Quelle – nicht unbedingt für Kampf und Gefecht, wohl aber für hohe militärische Einsatzbereitschaft, taktisches Können, operative Kunst und viele Tugenden, die auch künftig noch wichtig sind. Nehmen wir beispielsweise die Fähigkeit zur Selbstkritik, von der viele Soldaten heute meinen, sie sei bei Vorgesetzten zu gering ausgeprägt.[119] Flottillenadmiral a.D. Viktor Toyka schreibt dazu in seinen Erinnerungen: „Ende September 1981 übernahm ich von KptLt B. das Kommando über das Unterseeboot ‚U 21' und seine Besatzung. Dem Hinweis meines Vorgängers, dies sei das beste Boot des Geschwaders, dessen Besatzung alles gut könne, schenkte ich wenig Beachtung. Ich hatte sehr genaue Vorstellungen davon, wie die verschiedenen Handlungsabläufe an Bord zu passieren hatten – nämlich so, wie ich sie von U 17 her kannte. Auf die Idee, meine neue Besatzung mir erst einmal zeigen zu lassen, ob und wie sie wirklich alles ‚am Besten' konnte, kam ich ebenso wenig wie ich überlegte, ob ich mich als der ‚Neue' vielleicht irgendwie in das vorhandene Team integrieren könne oder solle. Ich entwickelte vielmehr ein Ausbildungsprogramm mit den entsprechenden Wiederholungen, wie es sicherlich nach einer langen Werftliegezeit für eine unerfahrene Besatzung begründet und erforderlich war – aber wohl doch nicht für erfahrene Profis. Die Stimmung an Bord, die zunächst abwartend, offen gewesen war, begann, kühler zu werden, ohne dass ich darüber besonders nachdachte.

Nach der See- und Tauchklarbesichtigung absolvierten wir den obligaten ersten Ausbildungsabschnitt am AWU-206. Wir ‚rutschten' nach einer Woche soeben durch – und allen Beteiligten war klar, dass das ganz überwiegend am neuen Kommandanten lag.

Dann kam die Tauchtechnische Gefechtsausbildung, der ich mit meiner Erfahrung und der beginnenden Kenntnis meiner jetzigen Besatzung mit völliger Gelassenheit entgegen sah – wir konnten alles aus dem Eff-Eff. So

---

[119] Angelika Dörfler-Dierken, Robert Kramer, Innere Führung in Zahlen. Streitkräftebefragung 2013, Berlin 2014, S. 43-52, siehe diess., „Totgesagte leben länger", IF Zeitschrift für Innere Führung, 1/2015, S. 52-59.

schien es auch zu gehen – bis zum letzten, dem Prüfungstag nach vier Ausbildungstagen auf dem Rückmarsch nach Eckernförde. Bei der großen, mehrstündigen, benoteten Abschlussübung wurden die Kommentare des Ausbildungsleiters und seiner PUO immer kritischer, bis die Übung endlich beendet war, wir auftauchten und den Rückmarsch fortsetzten. Dann nahm mich der mir persönlich gut bekannte und vertraute Ausbildungsleiter, FKpt. S., zur Seite und teilte mir mit, er verstehe die Welt nicht mehr, denn meine Besatzung könne alles sozusagen im Schlaf; aber heute seien so viele Fehler gemacht worden, dass das für eine Prüfungsübung beim besten Willen nicht zu akzeptieren sei; es täte ihm sehr leid, denn mit dieser Leistung müsse U 21 durchfallen, denn so gehe das nicht; ich müsse darüber gründlich nachdenken, denn irgendetwas liefe an Bord grundsätzlich falsch. Er habe das Gefühl, die Besatzung wolle einfach nicht. Woran das liegen könne?

Eine TTG nicht zu bestehen war der GAU für ein Boot und seine Besatzung und in diesem speziellen Fall für den neuen Kommandanten, dessentwegen die TTG ja nur durchgeführt wurde. Am liebsten wäre ich unsichtbar in Eckernförde eingelaufen und hätte mich um die Meldung des Misserfolgs an den Kommandeur herumgedrückt. Viel schlimmer aber war der eigentliche Sachverhalt.

Auf dem Rückmarsch hatte ich genug Zeit zum Nachdenken. Nach dem Anlegen ordnete ich für die ganze Besatzung noch am gleichen Abend ein Beisammensein mit Getränken in der Bootsunterkunft an. Zu Beginn schilderte ich allen ganz offen meine Situation bei Übernahme des Bootes und meine darauf folgenden Überlegungen. Ich legte offen dar, dass offenkundig nicht 21 Männer von U 21, sondern einer, nämlich ich, gravierende Fehler gemacht hatte – und fragte, welcher oder welche Fehler das gewesen seien. Die folgende, mehrstündige Aussprache verlief sehr offen, zunächst schonungslos, dann von wachsendem gegenseitigen Respekt getragen. Meine Männer machten klar, dass sie sich und ihre individuellen Fähigkeiten nicht persönlich erkannt und wahrgenommen gefühlt, sondern sich nur als unpersönliche Funktionsträger oder -maschinen behandelt gesehen hatten. Daher waren sie auch zunehmend nicht mehr bereit gewesen, den Wechsel von ihrem äußerst lockeren, genialistischem und damit sehr erfolgreichen Kommandanten, der das Boot vier Jahre lang geführt hatte, zu seinem strafferen, auch formaleren Nachfolger nachzuvollziehen und zu akzeptieren. Ihre Reaktion und die ‚Pannen' am Prüfungstag seien eine Art Hilfeschrei gewesen.

Mir wurde klar – und ich gab das auch offen zu –, dass ich in meinem schwierigen Einstieg fundamentale Wahrheiten außer Acht gelassen hatte, die ich ja aus meinen vergangenen Bordkommandos sehr genau kannte: Fachliche Qualifikation, Wissen und Erfahrung des militärischen Führers in der Bordgemeinschaft alleine genügen nicht. Er muss das Vertrauen der von ihm Geführten erwerben und erhalten. Dazu muss er sich als der Mensch hinter seiner Funktion zu erkennen geben und sich in gleicher Weise bemühen, den Menschen in jedem seiner Männer zu erkennen und zu respektieren. ,Wer Menschen führen will muss Menschen mögen' ist kein allgemeiner Satz, sondern muss seine Anwendung auf die Männer der Besatzung finden. Leistungswillen vorauszusetzen und sich präsentieren zu lassen ist wichtiger als von vornherein zu reglementieren und keine persönlichen Freiräume zu lassen.

Am Ende, nach etlichen seelischen Tränen bei allen Beteiligten, habe ich vorgeschlagen, einen gemeinsamen Neuanfang zu versuchen – sie mit mir, ich mit ihnen. Wir wurden uns darin einig. Die ungeschminkte Offenheit, mit der ich dabei mit meiner Rolle, meiner Person und meinem Verhalten umgegangen bin, hat dazu beigetragen.

Wir wiederholten die TTG. Ausbildungsteam und Besatzung waren am Prüfungstag begeistert, wie glänzend alles gemeistert wurde. Aber das hatten wir ja vorher gewusst.

Die gegensätzlichen Erfahrungen dieser ersten Wochen haben das Verhältnis zwischen mir und meiner Besatzung in meiner ganzen restlichen Kommandantenzeit geprägt. Wir sind zu einem engen, familiären Team zusammengewachsen, in dem jeder jeden gut kannte, respektierte, ,mochte' – ohne dass dabei die gegebenen Verantwortungen, Pflichten und Rechte des Einzelnen in Frage gestellt wurden. Der Zusammenhalt der ganzen Besatzung wurde letztlich enger, als ich das von meinen vier guten Jahren auf U 17 kannte."[120]

Ist dies nicht ein eindrucksvolles Beispiel für den Umgang mit eigenen Fehlern? Ist die hier gezeigte Bereitschaft zur Selbstkritik nicht nachahmenswert? Die Bundeswehrgeschichte hat viel zu bieten. Es kommt darauf an, sich mit ihr auseinanderzusetzen und das für uns heute Gültige auszuwählen.

Ist damit die Suche nach Vorbildern aus der Zeit vor 1945 noch erforderlich? Der Historiker Sönke Neitzel weist darauf hin, dass der Blick in die deutsche Militärgeschichte und besonders auf die Wehrmacht vor allem für die Soldaten der Kampftruppen des Heeres naheliegt.[121] Bereits Anfang der

---

[120] Viktor Toyka, Dienst in Zeiten des Wandels. Erinnerungen aus 40 Jahren Dienst als Marineoffizier 1966-2006, Berlin 2017, S. 96-98.
[121] Von der Wehrmacht lernen? Die Bundeswehr auf der Suche nach der richtigen Tradition: Ein Streitgespräch zwischen den Historikern Sönke Neitzel und Hannes Heer. In: Zeitge-

1990er-Jahre hatte der damalige Bundesminister der Verteidigung, Volker Rühe, angeregt, einzelne tapfer kämpfende Frontsoldaten der Wehrmacht in das Traditionsverständnis der Bundeswehr aufzunehmen.[122] Wir haben bereits ausgeführt, dass die Wehrmacht heute in den Medien sowie in öffentlichen Debatten eine große Rolle spielt. Es ist daher zu erwarten, dass aus der Truppe Vorschläge kommen für die Aufnahme einzelner Wehrmachtssoldaten in das Traditionsverständnis der Bundeswehr, auch wenn die Wehrmacht als Institution des NS-Staates nicht traditionswürdig ist und dies auch auf hohe Akzeptanz unter den Soldaten stößt. Derartige Vorschläge wären Ausweis für eine neu gewonnene Souveränität und Gelassenheit im Umgang mit der deutschen Militärgeschichte.[123]

Bei der Suche nach Vorbildern blicken alle Armeen der Welt naturgemäß erst einmal auf ihre eigene Geschichte, vor allem ihre Militärgeschichte. Es lohnt sich jedoch der Blick auf andere Nationen. Gerade für Armeen, die sich wie die Bundeswehr in NATO und EU weiter integrieren und sehr eng mit Verbündeten zusammenarbeiten, ist dies unerlässlich. Multinationalität benötigt das Erbe des Soldatentums in der westlichen Welt als geistigen Überbau.

In vielen Armeen von Verbündeten und Partnern gibt es bereits seit längerer Zeit die Tradition des „leeren Stuhls". Bei offiziellen Abendessen oder auch im familiären Rahmen halten die Gastgeber einen Platz frei und dekorieren diesen. Sie erklären ihren Gästen, dass dieser freie Platz die gewünschte, aber leider nicht mögliche Teilnahme eines gefallenen, verwundeten oder traumatisierten Kameraden symbolisiert. Er ist nicht vergessen. Seit kurzem gibt es auch unter (ehemaligen) Angehörigen der Bundeswehr eine Initiative, diese Tradition für Deutschland zu stiften.[124]

Die britische Armee bietet mit dem damaligen Oberstleutnant Tim Collins ein sehr anschauliches Beispiel für eine motivierende Rede, die klare Orien-

---

schichte. Epochen.Menschen.Ideen, Die Deutschen und ihre Soldaten. Geschichte einer schwierigen Beziehung, Hamburg 2018, S. 105-111.

[122] Bundesminister Volker Rühe, Aktuelle Stunde im Bundestag am 13. März 1997. In: Bundesdrucksache, 13. Wahlperiode, 163. Sitzung, S. 14721: „Nicht die Wehrmacht, aber einzelne Soldaten können traditionsbildend sein, wie die Offiziere des 20. Juli, aber auch wie viele Soldaten im Einsatz an der Front. Wir können diejenigen, die tapfer, aufopferungsvoll und persönlich ehrenhaft gehandelt haben, aus heutiger sicht nicht pauschal verurteilen." Siehe auch Uwe Hartmann, Innere Führung, a.a.O., S. 197-198. Im Traditionserlass 2018 heißt es dazu unter 3.4.1.: „Die Aufnahme einzelner Angehöriger der Wehrmacht in das Traditionsgut der Bundeswehr ist ... grundsätzlich möglich." Gleiches gilt auch für Angehörige der NVA (3.4.2.)

[123] Siehe dazu auch die vorgeschlagene Vorgehensweise in Uwe Hartmann, Der gute Soldat, a.a.O., S. 80-82.

[124] Siehe dazu https://www.facebook.com/derunsichtbareveteran/

tierungen für das Handeln in Gefechten gibt. Unmittelbar vor Angriffsbeginn im Irakkrieg 2003 sprach er folgende Worte zu den Soldaten seines Verbandes:

"We go to liberate, not to conquer.
We will not fly our flags in their country. We are entering Iraq to free a people and the only flag which will be flown in that ancient land is their own.
Show respect for them.
There are some who are alive at this moment who will not be alive shortly.
Those who do not wish to go on that journey, we will not send.
As for the others, I expect you to rock their world.
Wipe them out if that is what they choose.
But if you are ferocious in battle remember to be magnanimous in victory.
Iraq is steeped in history.
It is the site of the Garden of Eden, of the Great Flood and the birthplace of Abraham.
Tread lightly there.
You will see things that no man could pay to see
- and you will have to go a long way to find a more decent, generous and upright people than the Iraqis.
You will be embarrassed by their hospitality even though they have nothing.
Don't treat them as refugees for they are in their own country.
Their children will be poor, in years to come they will know that the light of liberation in their lives was brought by you.
If there are casualties of war then remember that when they woke up and got dressed in the morning they did not plan to die this day.
Allow them dignity in death.
Bury them properly and mark their graves.
It is my foremost intention to bring every single one of you out alive.
But there may be people among us who will not see the end of this campaign.
We will put them in their sleeping bags and send them back.
There will be no time for sorrow.
The enemy should be in no doubt that we are his nemesis and that we are bringing about his rightful destruction.
There are many regional commanders who have stains on their souls and they are stoking the fires of hell for Saddam.

He and his forces will be destroyed by this coalition for what they have done.

As they die they will know their deeds have brought them to this place. Show them no pity.

It is a big step to take another human life.

It is not to be done lightly.

I know of men who have taken life needlessly in other conflicts.

I can assure you they live with the mark of Cain upon them.

If someone surrenders to you then remember they have that right in international law and ensure that one day they go home to their family.

The ones who wish to fight, well, we aim to please.

If you harm the regiment or its history by over-enthusiasm in killing or in cowardice, know it is your family who will suffer.

You will be shunned unless your conduct is of the highest - for your deeds will follow you down through history.

We will bring shame on neither our uniform or our nation.

It is not a question of if, it's a question of when.

We know he has already devolved the decision to lower commanders, and that means he has already taken the decision himself.

If we survive the first strike we will survive the attack.

As for ourselves, let's bring everyone home and leave Iraq a better place for us having been there.

Our business now is North."[125]

Die Rede stieß auf äußerst positive Resonanz in den nationalen und internationalen Medien sowie schließlich auch bei Politikern. Die Szene wurde von keinem geringeren als dem Oskar-prämierten britischen Schauspieler Kenneth Branagh nachgestellt.[126] Sehr schön zeigt sich hier, wie die in soldatischen Traditionen zum Ausdruck kommenden Werte Aufmerksamkeit in Politik und Gesellschaft finden und durch diese bekräftigt werden.

Deutschland selbst hatte sich 2003 nicht am Irakkrieg beteiligt. Daher dürfte Tim Collins' Rede kaum Eingang in das deutsche Traditionsgut finden, selbst wenn die britischen Streitkräfte eng mit der Bundeswehr zusammenarbeiten, sei es im internationalen Kriseneinsatz in Afghanistan oder im Einsatz in den drei Baltischen Staaten zum Schutz des NATO-

---

[125] https://www.telegraph.co.uk/comment/3562917/Colonel-Tim-Collins-Iraq-war-speech-in-full.html.

[126] https://www.youtube.com/watch?v=pKklLSv54OU

Bündnisgebietes.[127] Denn die Legalität und Legitimität des Einsatzes bewaffneter Gewalt sind wesentliche Kriterien bei der Auswahl von Traditionen. Aus deutscher Sicht waren diese nicht gegeben. Zudem ist Tim Collins' Rede ein Beispiel dafür, wie Vorbilder und beispielhafte Ereignisse nach kurzer Zeit neu bewertet und sogar gänzlich in Frage gestellt werden können. Der britische Stabsoffizier selbst trug dazu bei, als er seinen persönlichen Beitrag zum Irakkrieg in der Rückschau überaus kritisch beurteilte. Überhaupt stellte die britische Bevölkerung die Beteiligung an diesem Krieg zunehmend in Frage. Schließlich warf eine Untersuchungskommission der damaligen britischen Regierung unter Premierminister Tony Blair schwere Fehler vor.[128] Doch damit nicht genug: Die Neubewertung des Irakkrieges von 2003 trug zu einem signifikanten Wandel in den demokratischen zivilmilitärischen Beziehungen in Großbritannien bei. Seitdem sind die britischen Regierungen bestrebt, das Parlament in ihre Entscheidungen über den Einsatz von Streitkräften einzubinden, auch wenn dies so nicht vorgesehen ist und die Anwendung militärischer Gewalt jenseits der eigenen Landesgrenzen eigentlich ausschließlich in den Händen der Exekutive liegt.[129]

Grundsätzlich können Vorbilder und historische Ereignisse also einer Neubewertung unterzogen werden. Diese wirkt sich anschließend auch auf soldatische Traditionen aus. In Deutschland bilden die Wehrmachtsgenerale als Namensgeber von Kasernen der Bundeswehr ein anschauliches Beispiel dafür. Die Debatten darüber werden wohl niemals abgeschlossen sein. Auch bei neuen Namensgebern von Liegenschaften und Räumlichkeiten der Bundeswehr können künftige Forschungsergebnisse zu einer Neubewertung dieser Personen führen. Die Soziologen Heiko Biehl und Nina Leonhard weisen darauf hin, dass dies selbst für die Einsätze der Bundeswehr gelten könnte. Die politische und öffentliche Legitimation beispielsweise des Afghanistaneinsatzes sei nicht für alle Zeit garantiert. Sie gehen zudem davon aus, dass künftig auch die Leistungen der Aufbaugeneration der Bundeswehr intensiver und kritischer diskutiert werden – weil die historische Forschung

---

[127] Der Text der Rede wurde in das vom Zentrum Innere Führung herausgegebene militärethische Trainingsboard „Richtig entscheiden – verantwortlich handeln" aufgenommen.
[128] Zeitonline, Irak-Krieg: Einmarsch der Briten war voreilig, 6. Juli 2016. https://www.zeit.de/politik/ausland/2016-07/irakkrieg-tony-blair-kritik-grossbritannien-chilcot.report.
[129] Deutscher Bundestag. Wissenschaftliche Dienste, Kurzinformation: Parlamentsbeteiligung in den Mitgliedsstaaten der EU bei bewaffneten Auslandseinsätzen, Berlin 2018, S. 3. https://www.bundestag.de/blob/568296/9fdd0f40e38c30f16dbef7aea883cb3d/wd-2-099-18-pdf-data.pdf.

neue Erkenntnisse hervorbringt oder ganz einfach, weil der Zeitgeist sich ändert.[130]

Wenn in Zukunft ein bewaffneter militärischer Einsatz kritisch gesehen wird und im Nachhinein seine Legalität und Legitimität in Frage gestellt werden, wirkt sich dieses auch auf die Tradition und die Auswahl von Vorbildern oder beispielhaften Ereignissen aus. Es erscheint irgendwie paradox: Wir benötigen Vorbilder für unsere eigene Handlungssicherheit und als vertrauensbildende Maßnahme für uns selbst und für andere, wir dürfen uns jedoch über deren Gültigkeit niemals ganz sicher sein. Diese Unsicherheit unterstreicht erneut den hohen Erklärungs- und Begründungsbedarf für Traditionen. Wie bei der Begründung bzw. Mandatierung militärischer Auslandseinsätze, so sollten auch Traditionen in einem intensiven Abstimmungsprozess zwischen Regierung und Parlament und im möglichst breiten Diskurs von Politik, Gesellschaft und Militär gestiftet werden.

Wir wollen uns nun noch mit der Rolle der historischen Forschung bei der Suche nach Vorbildern beschäftigen. Die Bundeswehr verfügt mit dem Zentrum für Militärgeschichte und Sozialwissenschaften (ZMSBw)[131] über ein international anerkanntes Institut. Dessen Arbeiten gründen auf seriöser kritischer, d.h. quellengestützter Grundlagenforschung. Das ZMSBw ist also nicht das „Traditionsamt der Bundeswehr". Dies hat Auswirkungen auf den Umgang mit dem soldatischen Erbe in der Bundeswehr. Vereinfacht gesagt: Tradition enthält immer ein Stück weit „Zauber". Historiker als der Wahrheit und Objektivität verpflichtete Wissenschaftler sind aber „Dekonstruktivisten", d.h. sie zerstören Mythen und Legenden ungeachtet der Tatsache, dass Politik und Gesellschaft auch in Demokratien gerne mit solchen Erzählungen leben und Soldaten gerne eine simple Aufzählung von tradierten Verhaltensweisen hätten, die sie wie eine „Check-Liste" abarbeiten könnten. Tatsache ist: „Krieg und Militär werden auf diese Weise (durch die historische Forschung; U.H.) entheroisiert; eine Sinnstiftung für den Soldaten im

---

[130] Heiko Biehl, Nina Leonhard, Bis zum nächsten Mal? Eine funktionalistische Interpretation der Debatte um die Tradition der Bundeswehr, a.a.O., S. 46, 52.

[131] Vormals Militärgeschichtliches Forschungsamt (MGFA). Das ZMSBw entstand aus einer Fusion des Sozialwissenschaftlichen Instituts der Bundeswehr (SOWI) mit dem MGFA. In der öffentlichen Wahrnehmung dominiert allerdings die militärgeschichtliche Arbeit des ZMSBw. Daraus erklärt sich auch die sehr starke Betonung der historischen Bildung im neuen Traditionserlass. Zur Kritik daran siehe Claus von Rosen, Tradition und Innere Führung. In: Donald Abenheim, Uwe Hartmann (Hrsg.), Tradition in der Bundeswehr. Zum Erbe des deutschen Soldaten und zur Umsetzung des neuen Traditionserlasses, Berlin 2018, S. 153-168.

Einsatz erfolgt nicht."[132] Damit soll nicht die kritische Militärgeschichtsschreibung in Frage gestellt werden. Ihre Aufgabe, Mythen und Legenden zu entlarven, ist heute, in Zeiten von Verschwörungstheorien und ,Fake News', wichtiger denn je. Für die Geschichtsschreibung und ihre Rolle bei der Bestimmung des soldatischen Erbes im 21. Jahrhundert stellen sich allerdings kritische Fragen: Gibt es zu viel Forschung, die verwirrt, und zu wenig Traditionspflege, die hilft? Gibt es zu viel Kritik an Gewalt, Dekonstruktion, Entheorisierung, Bloßstellung des Militärs? Und zu wenig Sinnvolles, Stolz, Ehren- und Wertvolles?[133] Wenn mit dem zu Recht gelobten Militärhistorischen Museum in Dresden eine Einrichtung existiert, die vor allem die Zivilgesellschaft zur Auseinandersetzung mit Krieg und Gewalt einlädt, muss es dann nicht auch Bereiche in diesem Museum oder andernorts geben, die mehr den Soldaten in den Mittelpunkt stellen und ihm bei seiner Suche nach Orientierung und Wertschätzung helfen? Die historische Forschung muss die Bedürfnislage, die hinter solchen Fragen steht, sehr ernst nehmen – gerade weil sie gestellt werden und eine fatale Geschichtsvergessenheit befördern, wenn sie nicht beantwortet werden.

Genau besehen sind Spannungen zwischen kritischer Forschung und Traditionspflege älter als die Bundeswehr selbst. In der Gründungsphase der Bundeswehr in den 1950-er Jahren gab es bereits einen heftigen Streit zwischen dem Leiter des damaligen Militärgeschichtlichen Forschungsamtes der Bundeswehr (MGFA), Oberst Hans Meier-Welcker, und Wolf Graf von Baudissin, seinerzeit Referatsleiter Innere Führung im Verteidigungsministerium.[134] Meier-Welcker beabsichtigte, das MGFA als eine in den geschichtswissenschaftlichen Diskurs integrierte Forschungseinrichtung aufzubauen. Er wollte verhindern, dass die deutsche Militärgeschichte sich zu einem exklusiven Reservat für general- und admiralstabsaffine Historiker und historisierende General- und Admiralstäbler entwickelte und diese ihre Stellung und wissenschaftsfeindliche Neigung nutzten, Schlachten und große Soldatenpersönlichkeiten zu überhöhen.[135] Baudissin dagegen erwartete

---

[132] Waldemar Grosch, Kommentar. In: Perspektiven der Militärgeschichte. Raum, Gewalt und Repräsentation in historischer Forschung und Bildung, herausgegeben von Jörg Echternkamp, Wolfgang Schmidt, Thomas Vogel, München 2010, S. 377. Siehe auch S. 379.

[133] Siehe Waldemar Grosch, Kommentar, a.a.O., S. 377.

[134] Siehe dazu ausführlich Christian Hauck, Historische Bildung – Politische Bildung. Zwei neue Wege der Bildung für die Bundeswehr. In: Uwe Hartmann, Claus von Rosen (Hrsg.), Jahrbuch Innere Führung 2013. Wissenschaften und ihre Relevanz für die Bundeswehr als Armee im Einsatz, Berlin 2013, S. 205-249.

[135] Siehe dazu Rainer Wohlfeil, Oberst i.G. Dr. Hans Meier-Welcker als Militärhistoriker. In: Militärgeschichtliche Zeitschrift 67 (2008), S. 451-468. Zur deutschen Militärgeschichtsschreibung vor 1933 siehe Sven Lange, Hans Delbrück und der Strategiestreit. Kriegsführung und Kriegsgeschichte in der Kontroverse 1879-1914, Freiburg i.Br. 1995

von den Mitarbeitern des MGFA, dass sie die historische Bildung der Soldaten zum Schwerpunkt ihrer Arbeiten machten. Im Kern ging es bei dem Streit darum, ob die Militärgeschichte primär eine Teildisziplin der universitären Geschichtswissenschaft sein oder einen Beitrag zur „geistigen Rüstung" der Soldaten im Kalten Krieg leisten sollte. Heute zeigt sich mit größter Deutlichkeit, dass der Nachfolger des MGFA, das ZMSBw, sich als eine wissenschaftliche Einrichtung versteht, die der interdisziplinären nationalen und internationalen Geschichtsschreibung verpflichtet ist. Integration meint hier Integration in den geschichtswissenschaftlichen Diskurs. Folglich fällt es dem ZMSBw überaus schwer, den durch den neuen Traditionserlass geweckten Erwartungen der Truppe gerecht zu werden. Im neuen Erlass heißt es: „Als Ansprechstelle für militärhistorischen Rat unterstützt das Zentrum für Militärgeschichte und Sozialwissenschaften der Bundeswehr die verantwortlichen Vorgesetzten im Umgang mit historischen Ausstellungs- und Erinnerungsstücken."[136] Dies ist eine für manche Ohren sehr zurückhaltend formulierte Aufgabe, denn sie wird weder den Erwartungen der Inneren Führung, wie sie in der Aufstellungsphase der Bundeswehr artikuliert wurden, noch den heutigen Vorstellungen der Soldaten mit Einsatzerfahrung gerecht. Das ZMSBw *muss* Grundlagenforschung betreiben – auch um als Ansprechstelle für die Streitkräfte „praxis-orientiert" wirken zu können. Allerdings sollte ihr Engagement in der historischen Bildungsarbeit deutlich vergrößert werden. Mehr noch: Es kommt darauf an, historische Erkenntnisse (beispielsweise aus der Operationsgeschichte oder dem militärischen Widerstand gegen Hitler) für die Vermittlung von gültigen Werten (beispielsweise Eigeninitiative und Verantwortung) fruchtbar zu machen. Das Zentrum könnte den Streitkräften auch Vorschläge unterbreiten, welche Inhalte sich für die Traditionspflege eigneten. Die Herausforderung für die Zukunft wird für diese national und international hochangesehene Institution darin bestehen, Ergebnisse der Grundlagenforschung so zu vermitteln, dass der nach Sinnstiftung strebende Soldat sein Heil nicht in Wissenschaftsskepsis und Simplifizierung komplexer historischer Vorgänge sucht. Andererseits sollten auch die Vorgesetzten in den Streitkräften wissen, dass politisch-historische Bildung kein „vaterländischer Unterricht" ist, der die Einsatzbereitschaft ihrer Soldaten über Geschichtskonstruktionen wie Ideologien, Mythen und Legenden steigern soll.

Insgesamt zeigt sich, dass die Suche nach Vorbildern keine ganz einfache Aufgabe ist – auch wenn mittlerweile einige Veröffentlichungen mit be-

---

[136] Traditionserlass 2018, Nr. 4.16.

gründeten Vorschlägen vorliegen.[137] Die Angehörigen der Bundeswehr benötigen Mut, um Vorschläge zu unterbreiten und neue Formen und Inhalte der Traditionspflege auszuprobieren, aber auch, um öffentliche Kritik daran und Kontroversen darüber auszuhalten. Die Truppe bedarf mehr denn je der Unterstützung: vor allem des ZMSBw, aber auch anderer Dienststellen der Bundeswehr wie beispielsweise des Zentrums Innere Führung oder der Führungsakademie. Und natürlich auch anderer staatlicher und zivilgesellschaftlicher Institutionen wie den Zentralen für politische Bildung, den politischen Stiftungen und den kirchlichen Bildungseinrichtungen. Unverzichtbar sind auch Vorschläge aus dem Diskurs der interessierten Öffentlichkeit.[138] Inwieweit diese Zusammenarbeit funktioniert, wird ganz entscheidend von den Vorgesetzten in der Bundeswehr abhängen. Sie stehen vor einer schwierigen und sicherlich auch komplexen Aufgabe, die man als „vernetzte Traditionsbildung" bezeichnen könnte. Sie sollen ein vertrauensvolles Kommunikationsklima schaffen, damit Bürger sich interessieren und engagieren und auch damit ihre Soldaten sich überhaupt mit Vorschlägen und Projektinitiativen aus der Deckung wagen. Sie sollen mit gutem Beispiel vorangehen, was ihre eigene Weiterbildung und auch ihre Bereitschaft betrifft, das Gespräch mit und den Rat von externen Experten zu suchen. Sie müssen Fehlertoleranz zeigen, insbesondere dann, wenn ihre Soldaten mit

---

[137] Siehe Donald Abenheim, Uwe Hartmann, Einleitung. In: dies. (Hrsg.), Tradition in der Bundeswehr, a.a.O., S. 7-35; Reinhold Janke, Innere Führung und Tradition. Mit einem Exkurs zu ‚Treue um Treue'. In: Uwe Hartmann, Claus von Rosen (Hrsg.), Jahrbuch Innere Führung 2016. Innere Führung als kritische Instanz, Berlin 2016, S. 84-109.

[138] Vorschläge gab es immer wieder. Detlef Bald und Jakob Knab schlugen 2006 vor, die Sanitätsakademie der Bundeswehr „Sanitätsfeldwebel Scholl-Akademie" zu benennen. Sie begründeten ihren Vorschlag wie folgt: „Die Traditionspflege der Bundeswehr würde mit der Neubenennung ‚Sanitätsfeldwebel-Scholl-Akademie' München einen Beitrag dazu leisten, die Sanitätsfeldwebel Hans Scholl, Alexander Schmorell, Willi Graf und Christoph Probst aus einem romantisch verklärten Bereich in die nüchterne Welt des militärischen Widerstands im vierten Kriegsjahr zurück zu holen. Wenn Widerstand eine Leitlinie für das Traditionsverständnis der Bundeswehr darstellt, dann ist der Militarismus, der die deutsche Geschichte geprägt hatte, endgültig überwunden. Es ist ein Vermächtnis des deutschen Widerstandes, dass sich jeder Befehl an den Grundwerten Recht und Freiheit, Gerechtigkeit und Menschenwürde orientieren muss. Auch eine Namensgebung ‚Sanitätsfeldwebel-Scholl-Akademie' wäre dafür der sinnfällige Ausdruck. ‚Es lebe die Freiheit' – dieser letzte Aufschrei von Hans Scholl würde dann auch in der Traditionspflege der Bundeswehr seine Würdigung finden." Schließlich wurde das Auditorium Maximum der Akademie am 27. März 2012 in einer feierlichen Zeremonie nach ihm benannt. Siehe dazu Deutsches Ärzteblatt Nr. 39 (2012).
https://www.aerzteblatt.de/pdf.asp?id=131121
Der Vorschlag, den (Militär-)Pädagogen Erich Weniger aufzunehmen, wurde 2006 vom damaligen MGFA positiv geprüft. Bisher steht die Aufnahme Wenigers in die Traditionspflege aus.

viel gutem Willen weit über das Ziel hinausschießen. Zu Recht weisen höhere Vorgesetzte auf die Freiräume hin, die der neue Traditionserlass gewährt. Dieses „Angebot" werden ihre Chefs und Kommandeure jedoch nur nutzen, wenn sie selbst mit gutem Beispiel vorangehen und sich, wenn Widerspruch von außen kommt, schützend vor die Truppe stellen.

Was müssen wir bekämpfen?
Tradition fordert eine Auswahl des Guten aus der Geschichte, weil es für uns noch wichtig ist und unser Handeln leiten soll. Was machen wir dann mit dem Schlechten, mit dem, was wir eigentlich nicht überliefern wollen, was aber irgendwie dennoch unser Denken und Handeln beeinflusst oder manchmal sogar bestimmt? Wir wollen an dieser Stelle keine wohlfeile Generalkritik der Bundeswehr verfassen. Es ist jedoch wichtig anzuerkennen, dass der Giftschrank mit den eigentlich unerwünschten und sicherlich nicht traditionswürdigen soldatischen Verhaltensweisen und Einstellungen nicht leer ist und auch nie leer war. Und dass wir uns darüber verständigen müssen, wie wir damit umgehen.

Beginnen wir unsere Argumentation erneut mit der Wehrmacht. Sie war ein Instrument des nationalsozialistischen Eroberungs- und Vernichtungskrieges. Die These von der „sauberen Wehrmacht", die im Zuge des Wiederaufbaus neuer deutscher Streitkräfte in den 50-er Jahren des letzten Jahrhunderts erfunden, verbreitet und von hochrangigen Politikern wie beispielsweise Bundeskanzler Konrad Adenauer und US-Präsident Dwight D. Eisenhower bekräftigt wurde[139], ist von der historischen Forschung als falsch entlarvt. Daher stellte bereits der Traditionserlass von 1982 klar, dass im „…Nationalsozialismus … Streitkräfte teils schuldhaft verstrickt (waren), teils wurden sie schuldlos missbraucht. Ein Unrechtsregime, wie das Dritte Reich, kann Tradition nicht begründen."[140] Leider wird die Legende von der sauberen Wehrmacht noch heute in bestimmten Kreisen verbreitet. Angehörige der Bundeswehr sollten ihr unabhängig von ihrem Dienstgrad oder ihrer Dienststellung argumentativ entgegentreten. Dieses Engagement ist heute nötiger denn je; denn mit einer Reinwaschung der Wehrmacht, der Relativierung ihrer Kriegsverbrechen oder dem vermeintlichen Recht, Stolz auf die Leistungen deutscher Soldaten in den Weltkriegen zu sein, wird vereinfachende und damit populistische Politik gemacht. Deren Zielgruppe sind nicht zuletzt Soldaten der Bundeswehr, um sie als Sympathisanten zu gewinnen. Vorgesetzte sollten sich daher mit Argumenten, wie sie beispielsweise von Angehörigen der Alternative für Deutschland (AfD) vorgebracht

---

[139] Siehe Donald Abenheim, Bundeswehr und Tradition, München 1989, S. 45.
[140] Traditionserlass 1982, Nr. 6.

werden[141], auseinandersetzen – nicht zuletzt in der politisch-historischen Bildung mit ihren Soldaten. Dazu gehört auch die kritische Frage, wie es sich auf die demokratischen zivil-militärischen Beziehungen sowie auf die Kohäsion der Truppe und die multinationale Zusammenarbeit auswirkte, wenn die AfD als eine „Soldatenpartei" wahrgenommen werden würde.[142] Und wie eine derartige Entwicklung Kräften im eigenen Land und auch denjenigen Staaten, die Deutschlands außenpolitische Handlungsfähigkeit untergraben wollen, in die Hände spielte. Wir werden darauf in dem Unterkapitel über den Historikerstreit in den 1980-er Jahren der alten Bundesrepublik zu sprechen kommen.

Schauen wir uns nun die Bundeswehr und ihre Führungskultur an. Die Berichte des Wehrbeauftragten liefern seit Jahrzehnten unschöne Fallbeschreibungen mit Verhaltensweisen, die den Grundsätzen der Inneren Führung diametral widersprechen und die alles andere als traditionswürdig sind. Es ist gut, dass diese Negativbeispiele offengelegt und öffentlich diskutiert werden – nicht zuletzt deshalb, um mit dem Hinweis auf deren Ahndung durch Vorgesetzte und Gerichte erzieherisch auf die Angehörigen der Bundeswehr einzuwirken. Das hat nichts mit Nestbeschmutzung und Vereitelung von Imagepflege zu tun. Es geht vielmehr darum, die Bundeswehr besser zu machen; denn die Führungskultur wirkt sich nicht nur auf die Attraktivität des soldatischen Dienstes in der Bundeswehr, sondern auch auf deren Schlagkraft und Einsatzbereitschaft aus. Der konstruktive Umgang der Bundeswehr und ihrer Angehörigen mit Kritik ist ganz gewiss eine „gute" Tradition, die weiter gepflegt werden sollte.

Zu dem Schlechten und Nicht-Traditionswürdigen gehören Einstellungen und Verhaltensweisen, die das genaue Gegenteil von dem sind, was Kardinaltugenden wie die Klugheit und die Tapferkeit, bürgerliche Tugenden wie die Zivilcourage und soldatische Tugenden wie Treue und Disziplin verlangen. In einem Fernsehinterview sagte die Bundesministerin der Verteidigung im Zuge der Ermittlungen gegen den Oberleutnant Franco A.: „Die Bun-

---

[141] Ein geeignetes Beispiel ist dafür die Rede des AfD-Vorsitzenden Alexander Gauland, die dieser am 2. Juni 2018 beim Kongress der Jungen Alternative hielt und die eine große Resonanz in den Medien auslöste. Zum Wortlaut dieser Rede siehe https://www.afdbundestag.de/wortlaut-der-umstrittenen-passage-der-rede-von-alexander-gauland/. Zur Analyse des Einflusses der AfD auf die Soldaten der Bundeswehr siehe Dierck Spreen, Rechtspopulismus und Bundeswehr. Eine Bestandsaufnahme mit Risikoanalyse. In: Angelika Dörfler-Dierken (Hrsg.), Hinschauen! Geschlecht, Populismus, Rituale. Systemische Probleme oder individuelles Fehlverhalten?, Berlin 2019, S. 97-136.
[142] Siehe dazu den Bericht in der Bild-Zeitung mit der Schlagzeile „Wegen der Bundeswehr-Krise: Wird die AfD die neue Soldaten-Partei?". https://www.bild.de/politik/2019/politik/afd-ex-minister-jung-warnt-vor-anziehungskraft-auf-soldaten-59947714.bild.html

deswehr hat ein Haltungsproblem und sie hat offensichtlich eine Führungsschwäche auf verschiedenen Ebenen."[143] Diese Aussage löste Empörung bei vielen aktiven und ehemaligen Soldaten sowie bei Reservisten aus. Mit Rückenstärkung durch den Deutschen Bundeswehrverband kritisierten viele diese Aussage als ungerechtfertigten Pauschalangriff. Auch die vielen unterstützenden Kommentare in den sozialen Medien waren Balsam für die Soldatenseele. Damit wurde allerdings die seltene Chance vertan, tatsächlich einmal den Giftschrank weit zu öffnen und das, was nicht traditionswürdig ist, was jedoch in der Führungspraxis existiert, klar zu benennen.

Dass eine selbstkritische Analyse der Führungskultur in der Bundeswehr tatsächlich wichtig und dringlich wäre, darauf weist u.a. der ehemalige Bundestagsabgeordnete Winfried Nachtwei hin. Er attestiert der Bundeswehr heute „... Absicherungs- und Karrieredenken, ... Mangel an offenem und kritischem Diskurs, ... Schweigen der Generale in der Öffentlichkeit".[144] Winfried Nachtwei ist nicht der einzige, der auf diese Defizite hinweist.[145] Und sie sind beileibe keine neuen Phänomene. Ihre Wurzeln reichen weit in die deutsche Militärgeschichte zurück. Als Beleg dafür soll eine Feststellung von Dietrich Bonhoeffer genügen, der im Jahre 1943 schrieb: „Wir haben in diesen Jahren viel Tapferkeit und Aufopferung, aber fast nirgends Civilcourage gefunden."[146] Auch wenn dieses Urteil heute zu hart erscheint, weil die historische Forschung zwischenzeitlich herausarbeiten konnte, wie viel Widerstand und Widerspruch Generale genauso wie einfache Soldaten der Wehrmacht gegenüber Hitler leisteten[147], so glauben wir, dass Tapferkeit sich niemals selbst trauen darf und immer mit der Tugend der Zivilcourage ausbalanciert werden muss.

---

[143] Siehe dazu „Die Bundeswehr hat ein Haltungsproblem" in Zeit Online vom 30. April 2017.
https://www.zeit.de/gesellschaft/zeitgeschehen/2017-04/ursula-von-der-leyen-bundeswehr-kritik-haltungsproblem-soldat-terrorverdacht.
[144] Winfried Nachtwei, Tradition aus politischer Sicht. In: Donald Abenheim, Uwe Hartmann (Hrsg.), Tradition in der Bundeswehr. Zum Erbe des deutschen Soldaten und zur Umsetzung des neuen Traditionserlasses, Berlin 2018, S. 103.
[145] Siehe auch Klaus Naumann, Einsatz ohne Ziel? Die Politikbedürftigkeit des Militärischen, Hamburg 2006 sowie die Berichte des Deutschen Wehrbeauftragten 2017-2018.
[146] Dietrich Bonhoeffer, Widerstand und Ergebung, München 1970, S. 14.
[147] Dass deutsche Generale Widerspruch und Widerstand gegen Weisungen und Befehle Hitlers leisteten, kommt sehr anschaulich in Karl-Heinz Friesers Darstellung des Krieges im Osten in den Jahren 1943-1944 zum Ausdruck. Siehe Das Deutsche Reich und der Zweite Weltkrieg, Bd. 8: Die Ostfront 1943/44. Der Krieg im Osten und an den Nebenfronten, herausgegeben von Karlheinz Frieser u.a., München 2008. Zum Widerstand „von unten" siehe Wolfram Wette (Hrsg.), Retter in Uniform. Handlungsspielräume im Vernichtungskrieg der Wehrmacht, Frankfurt/M. 2002.

Nun wollen wir nicht verhehlen, dass es heute für die Generalität und Admiralität der Bundeswehr keineswegs einfach ist, sich öffentlich zu sicherheitspolitischen Fragen zu positionieren und Kritik an Politik und Öffentlichkeit zu üben. Ein Bundestagsabgeordneter sagte einmal in einer Diskussionsrunde mit Studierenden Offizieren der Helmut-Schmidt-Universität/ Universität der Bundeswehr Hamburg: „Wenn ein General morgen seinen Job verlieren möchte, soll er heute seinen Mund aufmachen und etwas öffentlich kritisieren." Vielleicht bleibt nur der indirekte Weg, um auf Defizite hinzuweisen. Ein Beispiel dafür ist eine Rede von Generalleutnant Erich Pfeffer, dem Befehlshaber des Einsatzführungskommandos, die dieser beim Jahresempfang Anfang 2019 in Potsdam hielt. Er sagte: "Erinnern Sie sich noch an meine Rede aus dem letzten Jahr? Da hatte ich Ihnen von einem Oberfeldwebel berichtet, mein Lieblingsbeispiel. Er ist mittlerweile 29 Jahre alt. Er hat eine einjährige Tochter. Letztes Jahr war er in Mali im Einsatz. Dieses Jahr befindet er sich in der Heimat. Es ist jetzt acht Jahre her, dass er in Afghanistan im Gefecht stand. Nun liest er, dass für die Bundeswehr endlich Drohnen beschafft werden sollen. Aber dass man noch diskutiert, ob diese unbewaffnet, bewaffnet oder bewaffnungsfähig sein sollen. Da denkt er zurück an Afghanistan. Für ihn hätte damals eine Drohne eine unmittelbare praktische Bedeutung gehabt. Sie wäre wichtig gewesen, hätte ihm Schutz gegeben. Und das gute Gefühl, dass da jemand auf ihn aufpasst, ihn unmittelbar unterstützt, wenn er draußen in Schwierigkeiten gerät. Er versteht nicht, woran es liegen kann, dass diese Geräte auch acht Jahre später nicht verfügbar sind. Der Mann fragt sich, ob ihm die Politik nicht vertraut, mit solchen Systemen verantwortungsvoll umzugehen. An Recht und Gesetz kann es nicht liegen, denn der Oberfeldwebel weiß, dass er, aber auch der Drohnenpilot, in einem politisch vorgegebenen, insbesondere klaren rechtlichen Rahmen, operiert. Dieser besteht für alle deutschen Soldaten aus dem Völkerrecht, unserem Grundgesetz, dem Mandat des deutschen Bundestages und den daraus abgeleiteten Einsatzregeln, den *rules of engagement* (RoE), die insbesondere die Grenzen des Waffeneinsatzes klar definieren. Wie gesagt, in diesem Jahr ist unser Oberfeldwebel zu Hause. Er verrichtet seinen Dienst in Deutschland (...). Aber: der nächste Einsatz steht vor der Tür. Bald schon wird er wieder für lange Zeit von seiner Familie getrennt sein. Sie wird ohne ihn zurechtkommen müssen. Das wiegt schwerer als alle Aspekte im Regeldienst. Dienst in der Heimat bedeutet jedoch nicht Untätigkeit: Unser Oberfeldwebel bereitet sich darauf vor, mit seinem Bataillon für sechs Monate nach Litauen zu gehen. Dort hat er keine unmittelbare Bedrohung. Im Grunde fühlt es sich an wie eine Übung. Aber es ist mehr, denn gleichzeitig weiß er ganz genau, es wird sehr genau wahrgenommen, was er und sein Verband können. Und wenn es ernst würde, dann in ganz anderer Intensität als in den Szenarien, die er bisher kennt. Daher ist die Vorbereitung von ganz anderer Qualität (...). So stellt sich die Bundeswehr im Jahr 2019 für viele Soldaten dar. Sie sehen, theoretische oder gar akademische Debatten sind wichtig, dürfen aber nicht dazu verleiten, den Blick für das Notwendige, das Machbare zu verlieren. Insbesondere können wir keine Vorurteile oder ideologische Scheuklappen brauchen. Leider passiert das immer wieder. Wenn es Aufgaben gibt, müssen wir sie, nicht zuletzt aus Verantwortung gegenüber unserem Oberfeldwebel, bewältigen. Die Streitkräfte sind nicht das Produkt einer einzelnen Legislaturperiode oder eines Haushaltsjahres. Sondern sie sind ein zentrales, vielleicht sogar essentielles Instrument einer kontinuierlichen Sicherheitspolitik."

Mancher mag diese Rede als nicht sonderlich beeindruckend bewerten. Klartext hört sich vielleicht wirklich anders an. Wahrscheinlich ist sie aber das, was heute möglich ist, ohne eine frühzeitige Versetzung in den Ruhestand zu riskieren oder sogar eine „Generalsrevolte" anzuzetteln. Deutlich wird allerdings auch: Wer zu Recht Absicherungs- und Karrieredenken, Mangel an offenem und kritischem Diskurs sowie das Schweigen der Generale in der Öffentlichkeit kritisiert, muss auch die Politik mit in den Blick nehmen.

Mit der kritischen Analyse von zivil-militärischen Beziehungen sowie der Führungskultur in den Streitkräften hat nicht nur Deutschland seine liebe Not. Thomas E. Ricks, ein US-amerikanischer Journalist und Bestsellerautor, kritisierte in seinen Büchern nicht nur die strategischen Defizite in der Kriegsführung im Irak (1991 und 2003), sondern auch das fehlende Verantwortlichmachen (*accountability*) von Generalen durch ihre politischen Auftraggeber.[148] Für Ricks liegen hier die tieferen Ursachen für das „Fiasko" im Irak. Aus seiner Analyse leitet er eine Vielzahl von Vorschlägen ab, wie die zivil-militärischen Beziehungen sowie die Strategiefähigkeit verbessert werden könnten. So schlägt er eine verbesserte Auswahl des höchsten Führungspersonals vor und fordert die verantwortlichen Politiker auf, Generale zur Rechenschaft zu ziehen und zu entlassen oder zu versetzen, wenn diese ihren Auftrag nicht erfüllen. Weiterhin rät er zu einer „rigorosen Weiterbildung" (*rigorous education*) des künftigen Führungspersonals, um dieses dazu zu befähigen, strategisch, kritisch und kreativ zu denken. Auch die Bundesministerin der Verteidigung scheint diesen Weg zu gehen, wie die Entlassung von hochrangigen Generalen der Bundeswehr sowie die Reform der

---

[148] Thomas E. Ricks, The Generals. American Military Command from World War II to Today, New York 2013, S. 447-462. Siehe auch ders., Fiasko. The American Military Adventure in Iraq, New York 2007.

Führungsakademie der Bundeswehr[149] unterstreichen. Es besteht allerdings ein wesentlicher Unterschied zwischen den USA und Deutschland. Thomas E. Ricks leitet seine Kritik sowie seine Verbesserungsvorschläge aus einem leuchtenden Vorbild ab. Ihm dient der US-General des Zweiten Weltkriegs und spätere Außenminister George C. Marshall als Maßstab.[150] Dieser ist sozusagen die Latte, an der sich die Leistungen heutiger Generale messen lassen müssten. Einen derartigen Orientierungspunkt bietet die jüngere deutsche Militärgeschichte scheinbar nicht. Vielleicht suchen wir auch zu wenig danach. Zumindest sind uns keine Reden von Politikern oder Bücher von Journalisten und Historikern bekannt, in denen ein General als Vorbild aufgebaut wird. Auch die Bundesministerin der Verteidigung verzichtete darauf in ihrer programmatischen Rede an der Führungsakademie in Hamburg im November 2015. Tatsächlich wäre die Auswahl auch nicht ganz so einfach. Die Generale des Zweiten Weltkrieges scheiden bis auf wenige Ausnahmen weithin aus. Wolf Graf von Baudissin als der wichtigste Begründer der Inneren Führung ist heute genauso umstritten wie er es während seiner aktiven Zeit war. Ulrich de Maizière genießt zwar großen Respekt, und wir geben gerne zu, dass er uns ein Vorbild ist. Aber wird der Vorbildcharakter seines Denkens und Handelns offiziell und öffentlich gewürdigt?

In den Biographien oder Sammelbänden über Generale aus der jüngeren Geschichte der Bundeswehr, die alle über eine Dienstzeit in der Wehrmacht verfügten, wird die oben angesprochene Dominanz der historischen Forschung gegenüber der Stiftung und Pflege von Traditionen besonders deutlich. Diese Biographien sind eher kritische Analysen ihres Lebenswerkes.[151] Sie würdigen die Generale in ihren Stärken und Schwächen, ohne jedoch ihre Persönlichkeitseigenschaften oder ihr damaliges Tun für die Zukunft der Bundeswehr und ihre Angehörigen fruchtbar zu machen. Für die Traditionspflege käme es allerdings darauf an, deren Stärken so herauszuarbeiten, dass sie als Orientierungspunkte für heute und morgen dienen können –

---

[149] Rede der Bundesministerin der Verteidigung an der Führungsakademie der Bundeswehr, November 2016. Siehe https://augengeradeaus.net /2016/11/bundeswehr-fuehrungsakadmie/.

[150] Zu Leben und Werk von George C. Marshall siehe Mark A. Stoler, George C. Marshall. Soldier-Statesman of the American Century, Detroit 1989; Forest Pogue, George C. Marshall: Education of a General 1880-1939, New York 1963.

[151] Siehe John Zimmermann, Ulrich de Maizière. General der Bonner Republik 1912 bis 2006, München 2012; Rudolf J. Schlaffer, Wolfgang Schmidt, Wolf Graf von Baudissin 1907-1993. Modernisierer zwischen totalitärer Herrschaft und freiheitlicher Ordnung, München 2007; Georg Meyer, Vom Kriegsgefangenen zum Generalinspekteur. Adolf Heusinger 1945-1961; Karl Feldmeyer, Georg Meyer, Johann Adolf Graf von Kielmansegg 1906-2006. Deutscher Patriot, Europäer, Atlantiker, Bonn 2007.

einschließlich der Beurteilung der Leistungen aktiver Generale und Admirale oder der Begründung von Bildungszielen für Stabs- und General-/Admiralstabsoffiziere. Diese Aufgabe bleibt ein wichtiges Desiderat, ohne das es schwierig sein wird, das Erbe des deutschen Soldaten im 21. Jahrhundert zu bestimmen und daraus Schlussfolgerungen für die Zukunft der Bundeswehr zu ziehen. Hier könnte eine wichtige Aufgabe für die Führungsakademie der Bundeswehr und das Zentrum Innere Führung liegen. Und vielleicht auch für die zahlreichen Truppen- und General-/Admiralstabsoffiziere mit einem Masterstudium in Geschichte oder Politikwissenschaften.

Lassen Sie uns nun den Giftschrank noch weiter öffnen. Schauen wir auf die zerstörerische Wirkung der vielfach angemahnten unzureichenden Verantwortungskultur in den Streitkräften auf die Traditionspflege selbst. Dazu haben wir einen Text ausgewählt, in dem der aktive Oberst Reinhold Janke eigene Erfahrungen reflektiert:

„Im Frühjahr 2001 wurde ich Kommandeur des Stabs- und Fernmelderegiments 310 beim Heeresführungskommando in der Falckensteinkaserne in Koblenz. Bei der Dienstposteneinweisung übergab mir mein Vorgänger auch den brisanten Sonderauftrag, als offizieller Vertreter des Heeresführungskommandos jährlich am Volkstrauertag an der Kriegsgräberstätte Pfaffenheck eine Ansprache zu halten und einen Kranz niederzulegen. Die Gedenkstätte Pfaffenheck war – wie ich später ermittelte – 1957 unmittelbar an der Hunsrückhöhenstraße als Ehrenfriedhof eingerichtet worden, anstelle eines früheren Massengrabes für gefallene deutsche Soldaten, die Mitte März 1945 bei den schweren Abwehrkämpfen gegen Angriffsverbände der 90. US Infantry Division in diesem Raum eingesetzt waren. Es handelte sich dabei auch um oft noch blutjunge Angehörige des Gebirgs-Jäger-Regiments 11 'Reinhard Heydrich' der 6. SS-Gebirgs-Division ‚Nord'.[152] Seit 1957 führte die Verbandsgemeinde Untermosel (Kobern-Gondorf) traditionell gemeinsam mit dem Landrat, den örtlichen Bürgermeistern und mit der Bundeswehr aus Koblenz eine Gedenkfeier mit Gedenkgottesdienst durch. Dieser überregionale Rahmen ergab sich daraus, dass die Veranstaltung in Pfaffenheck eine der vier zentralen Gedenkfeiern zum Volkstrauertag im Bundesland Rheinland-Pfalz darstellte. Da die Patengemeinde meines Regiments Treis-Karden an der Mosel war, fragte ich meinen Vorgängerkommandeur, woher denn diese ehrenvolle Aufgabe in Pfaffenheck rührte. Die Begründung erstaunte mich, denn ursprünglich hatte diese Aufgabe der Komman-

---

[152] Laut Angabe des Mitteilungsblatts ‚Nordruf' des Traditionsverbandes der ehemaligen 6. SS-Gebirgs-Division Nord e.V. (Brief Nr. 75, 21. Jahrgang, Dezember 2002, S. 7) fanden in Pfaffenheck 236 gefallene deutsche Soldaten, darunter 189 Angehörige der Division Nord ihre letzte Ruhestätte.

dierende General des III. Korps' und später der Befehlshaber des Heeres-führungskommandos innegehabt. Doch 1992 hatte nach mehrjährigen politischen Protesten und Querelen schließlich eine Unachtsamkeit seitens der ausrichtenden Gemeinde bei der Programmgestaltung dazu geführt, dass ein Vertreter des Traditionsverbandes der 6. SS-Gebirgs-Division Nord noch im Rahmen der offiziellen Gedenkfeier einen eigenen Kranz an der Gedenkstätte hatte niederlegen können. Nach diesem offenbar hochwillkommenen Organisationslapsus, der in der regionalen Presse ein vehementes Echo erzeugt hatte[153], hatte sich der damalige Befehlshaber entschlossen, künftig nicht mehr persönlich an dieser brisanten Gedenkveranstaltung teilzunehmen. Allerdings fand sich dann aber in seinem großen Stab mit Dutzenden hochrangiger (General-) Stabsoffiziere offenbar keiner, der den Mut und die Zivilcourage aufgebracht hätte, den Befehlshaber in dieser ehrenvollen, aber heiklen Aufgabe künftig zu vertreten. Augenscheinlich standen Befürchtungen hinsichtlich eigener Karriereziele dem im Wege. So wurde dieser Auftrag schließlich auf den jeweiligen Regimentskommandeur des eigenen ‚Hausregiments' dauerhaft delegiert.[154] Damit war das Problem ‚outgesourct'. Denn ein gestandener Fernmelder bewies für diesen Auftrag offenbar mehr Haltung, Risikobereitschaft und Durchführungsgeschick als die (General-)Stabsoffiziere des Heeresführungskommandos. Als Regimentskommandeur habe ich diesen Auftrag dann zweimal durchgeführt. Im Wissen um die unrühmliche Vorgeschichte dankte mir der Landrat jedes Mal für meine Teilnahme. Nach Auflösung meines Regiments fand in Pfaffenheck 2003 keine Teilnahme der Bundeswehr statt. Danach wurde dieser Auftrag schließlich sogar auf den Kompaniechef der Stabskompanie des Heeresführungskommandos ‚abgedrückt'. Ich habe daraus zwei wesentliche Dinge gelernt: <u>Erstens:</u> Bereits in Friedenszeiten sind Mut und Zivilcourage gefordert. Doch wenn gerade unter Spitzenoffizieren schon bei einem etwas heiklen Friedensauftrag mit einem erwartbaren Grundverständnis von Geschichte, Tradition, Ethik und Haltung so heftig gezuckt wird, kann es mit der Belastbarkeit, Entschlossenheit und Tapferkeit im Kriege auch nicht

---

[153] Claudia Renner: ‚Volkstrauertag mit vielen Pannen. Vor der Gedenkstunde bei Pfaffenheck: Probleme im Umgang mit der Vergangenheit. In: Rheinzeitung (Nr. 261) von Mittwoch, 10. November 1993, S. 17.

[154] Mein Amtsvorgänger hatte am 4. Oktober 2000 beantragt, von dem alten Auftrag entbunden zu werden, da die jährliche Einladung zur Teilnahme stets an den Befehlshaber Heeresführungskommando persönlich gerichtet war und die Vertretung des Befehlshabers durch den Regimentskommandeur „ursprünglich nur übergangsweise und nicht ‚automatisch' erfolgen" sollte. Dieser Hinweis wurde schlichtweg ignoriert. Aufgrund meiner Nachfrage mit Bitte um Klärung wurde der Auftrag dann durch den Befehlshaber Heeresführungskommando noch einmal am 18./21. September 2001 schriftlich erneuert.

weit her sein. <u>Zweitens</u>: Traditionen – und der ‚Pfaffenheck-Auftrag' gehörte hier dazu – müssen glaubwürdig vorgelebt werden, auch wenn Widerstände und Risiken drohen. Dazu braucht es das Vorbild von Vorgesetzten und die damit verbundene Bereitschaft, die Folgen des eigenen Wägens und Wagens auszuhalten. Das altgriechische Verb τολμαω (tolmao) hat sinnigerweise genau diese Doppelbedeutung: ‚ich wage' / ‚ich ertrage'. Es ist kein Ausweis eines überzeugenden und werteorientierten Traditionsverständnisses, geschweige denn soldatischer Tugenden, sich vor einer solchen Aufgabe aus Karrierekalkül oder Feigheit zu drücken. Denn soldatisches Ethos erfordert, nicht abzuducken, sondern nach vorne zu treten und Verantwortung zu übernehmen."[155]

Von Dietrich Bonhoeffer haben wir gelernt, dass es sehr wohl Tapferkeit ohne Zivilcourage geben kann. Aber Reinhold Janke hat zweifelsfrei recht: Stellungnahmen zur deutschen Geschichte bei öffentlichen Veranstaltungen wagen und mögliche Kritik daran ertragen sind Voraussetzungen für die Pflege des soldatischen Erbes. Wenn allerdings Verantwortungsbereitschaft nicht mehr eine selbstverständliche Tugend militärischer Führungskräfte ist, dann ist dies Beleg dafür, dass es um das Traditionsverständnis der Bundeswehr und dessen Pflege auch nicht gut bestellt ist.

Langsam tut der Blick in den Giftschrank weh. Lassen Sie uns dennoch noch tiefer hineinschauen. Oberst Rainer Buske war im Jahre 2008 Kommandeur in Kunduz. Rund sechs Jahre später, unmittelbar nach seiner Versetzung in den Ruhestand, schrieb er ein Buch über seine damaligen Erfahrungen. Darin stellt er Stärken der Führungskultur der Bundeswehr und einzelner Stabsoffiziere heraus, er legt aber auch Verhaltensweisen bloß, die ganz gewiss nicht zum Erbe des deutschen Soldaten im 21. Jahrhundert gehören sollten. Schauen wir uns seine Beschreibung der Lage nach einem Anschlag an, bei dem zwei seiner Soldaten fielen: „Am Telefon berichtete ich dem Einsatzführungskommando in knappen Worten, was tatsächlich vorgefallen war. Und schon kamen sie, die Frage und die Suche nach dem Schuldigen. Sofort wurde mir die Frage gestellt, warum die gefallenen Soldaten nur mit einem leicht geschützten LKW MUNGO und nicht mit einem schwer gepanzerten Transportfahrzeug unterwegs gewesen waren. Unausgesprochen lag darin der Vorwurf an mich als gesamtverantwortlichen Führer, durch die Wahl von weniger geeigneten Transportfahrzeugen unmittelbar für den Tod der Kameraden verantwortlich zu sein. In dem Augenblick habe ich die Beherrschung verloren. Ich brüllte ihn über das Telefon zum

---

[155] Reinhold Janke, Tradition und Ethik. In: Donald Abenheim und Uwe Hartmann (Hrsg.), Tradition in der Bundeswehr. Zum Erbe des deutschen Soldaten und zur Umsetzung des neuen Traditionserlasses, Berlin 2018, S. 181-183.

Entsetzen meiner Soldaten mit den Worten ‚Arschloch, halte Dein Maul' an und legte auf. Das war das Letzte, was ich noch gebrauchen konnte. Patrick Behlke und Roman Schmidt hätten auch in einem 70 Tonnen schweren Kampfpanzer LEOPARD unterwegs gewesen sein können. Sie wären trotzdem gestorben, weil man nun einmal zur Personenüberprüfung aus seinem Fahrzeug heraus muss. Ich bin mir auch heute noch sicher, dass der Verteidigungsminister diese Frage nie gestellt hatte. Es waren seine Zuarbeiter und Lakaien, die meinten, alles besser zu wissen. Ein Schuldiger musste her, und zwar sofort. Und diesen Schuldigen meldet man umgehend dem Minister, was zwei Vorteile mit sich bringt. Der Minister steht in einem besseren Licht da, wenn er bei seiner Presseerklärung gleich einen Schuldigen präsentieren kann, und der Lakai glänzt und putzt sich vorteilhaft beim Minister heraus. Mein Gott, wie sehr verabscheue ich solche Menschen"[156].

Bei der Intervention des BMVg ging es um die schnelle und erfolgreiche Suche nach einem Schuldigen innerhalb der militärischen Hierarchie. Zweck war es wohl, einem vermeintlichen politischen Willen zu genügen und Politiker zu schützen. Dahinter könnte auch die Absicht gestanden haben, die Kritik von der höchsten militärischen Führung abzulenken und einen untergeordneten Offizier zum Sündenbock zu machen. Dies wäre ein probates Mittel, um die von Thomas E. Ricks geforderte Rechenschaftspflicht verantwortlicher Generale bzw. Admirale zu hintertreiben. Derartige Interventionen beschädigten nicht nur den Primat der Politik; sie untergrüben auch das so wichtige Vertrauen zwischen der höheren militärischen Führung und der Truppe im Einsatz. Sie wären weder sinnstiftend noch dürften sie salonfähig sein und damit stilbildend wirken.

Wie Vertrauen zerstört wird, zeigt auch das folgende Beispiel. Junge studierende Offiziere an der Helmut-Schmidt-Universität/Universität der Bundeswehr Hamburg wandten sich vor einigen Jahren mit einem Herzenswunsch an das BMVg. Auf dem Wege des Vorschlagswesens der Bundeswehr reichten sie den Antrag ein, eine Paradeuniform einzuführen. Ihre Begründung dafür beruhte u.a. auf einem Vergleich zwischen dem relativ schmucklosen, zivil erscheinenden Dienstanzug der deutschen Soldaten und den Uniformen alliierter Streitkräfte, die deren Soldaten zu besonderen Anlässen vor allem in der Öffentlichkeit tragen. Mit großem Sachverstand und unter Zuhilfenahme akademischer Expertise verorteten die jungen Offiziere ihren Antrag innerhalb des gültigen Traditionsverständnisses der Bundeswehr. Der nach ihren Vorstellungen geschneiderte Prototyp orientierte sich an der Uniform der Lützower Jäger aus den Befreiungskriegen gegen Napoleon. Rote Absätze und insgesamt 16 goldene Knöpfe stellten die Verbin-

---

[156] Rainer Buske, Kunduz, a.a.O., S. 183.

dung zum deutschen demokratischen Rechtsstaat mit seiner föderalen Ordnung sowie den Farben der Nationalflagge her. Die Initiative wurde öffentlich durchaus kontrovers diskutiert.[157] Die offizielle Antwort des BMVg darauf zeugte nicht nur von fehlendem Verständnis für die Bedürfnisse der nachwachsenden Soldatengeneration; sie beinhaltete auch noch den Vorwurf von rückwärtsgewandten Einstellungen und sogar rechtem Gedankengut. Dies ist ein Beispiel dafür, wie selbst innerhalb der Bundeswehr die „Faschismuskeule" geschwungen wird und Engagement und Kreativität zerschlagen werden, wenn es darum geht, unliebsame Initiativen von unten zu unterdrücken.

Lassen Sie uns nun den Giftschrank schließen und darüber nachdenken, welche Folgerungen wir daraus ziehen können. Wir haben bereits festgestellt, dass es nicht so einfach ist, Vorbilder zu finden oder zu konstruieren, die auf breiten Konsens in Politik, Gesellschaft und Bundeswehr stoßen. Der Blick in den Giftschrank zeigte uns allerdings, dass wir über das, was wir bekämpfen sollten, oftmals eher Einvernehmen erzielen als über das, was wir als gut und vorbildlich auswählen wollen. Wenn wir Schwierigkeiten damit haben, für die gültigen Werte Vorbilder zu finden, dann können wir dennoch die Wichtigkeit dieser Werte dadurch unterstreichen, indem wir selbstkritisch mit der Führungswirklichkeit und damit auch mit uns selbst umgehen. Sie haben Recht: Dies ist keine Traditionspflege im Sinne einer Auswahl des Guten, sondern eher ein *negatives* Traditionsverständnis. Gleichwohl würden wir dadurch eine Tugend stärken, die unverzichtbar ist für vertrauensvolle zivil-militärische Beziehungen sowie für die Einsatzbereitschaft und -fähigkeit der Bundeswehr insgesamt: gemeint ist die Bereitschaft und Fähigkeit zur Selbstkritik.[158]

Wie die Reaktion auf die Bewertung der militärischen Führungskultur durch die Bundesministerin unterstreicht, haben die Streitkräfte ein Problem mit Kritik und Selbstkritik sowie deren Umwandlung in etwas Positives. Der Verdacht liegt nahe, dass manche Vorgesetzte sich bei der Pflege von Traditionen kaum engagieren, weil sie ahnen, dass sie selbst den Ansprüchen der darin zum Ausdruck kommenden Werte und Vorbilder nicht genügen; denn damit müssten sie ihre eigenen Führungsschwächen aufdecken und zugeben. Soldaten haben ein feines Gespür für ein Auseinanderklaffen von

---

[157] Siehe dazu den Bericht auf RP Online, Ist Feldgrau noch zeitgemäß? Deutsche Soldaten wollen neue Uniform, 8. Oktober 2011.
https://rp-online.de/panorama/deutschland/deutsche-soldaten-wollen-neue-uniform_aid-13676835

[158] Mannschaften sehen gerade in der gering ausgeprägten Selbstkritik von Vorgesetzten ein Führungsproblem. Siehe Angelika Dörfler-Dierken/Robert Kramer, Innere Führung in Zahlen, S. 43-52.

Ansprüchen, die in wohlklingenden Reden formuliert werden, und der von ihnen erlebten Wirklichkeit politischer und militärischer Führung.

Tradition und Truppenführung[159]

Wir haben bereits darauf hingewiesen, dass Tradition eine Brücke ist, die Vergangenheit und Zukunft verbindet. Sie hilft dem Soldaten dabei, die besonderen Anforderungen seines Berufs zu vergegenwärtigen und die daraus resultierende Verantwortung als Anspruch an sich selbst wahrzunehmen. Neben dieser allgemeinen, auf Werte und Vorbilder ausgerichteten Aufgabe hat Tradition jedoch noch eine weitere wichtige Funktion. Sie überliefert *konkrete Grundsätze für das Handeln*, die überzeitlich, d.h. auch in der absehbaren Zukunft Gültigkeit beanspruchen dürfen. Dazu gehören beispielsweise die in wichtigen Vorschriften verankerten Führungsgrundsätze. Tradition ist also eine Art Handbuch für die Praxis. Weiter oben hatten wir bereits festgestellt: Tradition ist eine ‚Krücke', ein ‚Helfer-in-der-Not'. Sie erleichtert das soldatische Handeln, das, wie Clausewitz so anschaulich beschrieb, einer „Bewegung in einem erschwerenden Mittel" gleicht. Dies trifft auch auf die überlieferten Führungsgrundsätze zu. Sie sind ein überaus hilfreiches, praktisches Traditionsgut.

Ein besonders gutes Beispiel dafür ist die Vorschrift des Heeres zur Truppenführung (TF).[160] Sie enthält keine Erzählungen oder Erfahrungsberichte, sondern durch kritisches Nachdenken verdichtete Führungsgrundsätze. Dabei kann die erst kürzlich neu erlassene TF auf eine lange Überlieferung zurückblicken. Diese reicht bis zur „Instruktion für die höheren Truppenführer" aus dem Jahr 1885 zurück.[161] Tradiert wurde ein *spezifisch* deutsches Verständnis von Truppenführung. Das bedeutet nicht, dass die Inhalte der Führungsgrundsätze national geprägt wären. Nein, ganz im Gegenteil. Die Inhalte sind vor allem aus der *Natur* des Krieges abgeleitet. Sie gelten unabhängig von Ort und Zeit. Spezifisch deutsch ist das „… Verständnis für zahlreiche Grundsätze und ihre Anforderungen an die militärische Führung…".[162] Grundsätze werden nicht als Handlungsanweisungen für bestimmte Situationen detailliert vorgegeben, sondern als allgemeine Führungsgrundsätze, aus denen die Truppenführer „… die jeweils zutreffenden Grundsätze auftrags- und lagebezogen …" anwenden und miteinander

---

[159] Dieser Abschnitt ist eine überarbeitete Textpassage aus Uwe Hartmann, Der gute Soldat, a.a.O., S. 105-116.

[160] Vorschriften heißen neuerdings ‚Regelungen'. Die berühmte ‚Tante Frieda', also die Heeresdienstvorschrift zur Truppenführung (HDv 100/100) heißt heute C1-160/0-1001, Bereichsvorschrift Truppenführung.

[161] TF, Nr. 203.

[162] TF, Nr. 203.

kombinieren.[163] Sie ermöglichen ein *einheitliches* Verständnis von Truppenführung unter den Führungskräften der Bundeswehr, und gleichzeitig gewähren sie Freiräume für individuelle Führungskunst.[164] Dementsprechend definiert die TF Truppenführung als „… eine Kunst, eine auf Charakter, Können und geistiger Kraft beruhende schöpferische Tätigkeit…".[165] Diese Definition aus der neuesten Vorschrift, deren Wortlaut identisch ist mit dem der Vorschriften von 1924 (von Seeckt) und 1933 (Beck), stellt eine ganz wichtige Traditionslinie dar, die dem Geiste der Inneren Führung und auch dem Leitbild vom ‚Staatsbürger in Uniform' entspricht und daher auch für die Bundeswehr gültig ist: Sie beruht auf dem (Selbst-)Verständnis des aus geistiger Freiheit und mitdenkendem Gehorsam Verantwortung übernehmenden Soldaten. In diesen Begriffen konzentriert sich das gültige Erbe des deutschen Soldaten aus dem 19. und 20. Jahrhundert wie in einem Brennglas. Es hilft uns noch heute, gute militärische Führer vor allem im Einsatz zu sein.

Das Dachdokument der derzeit gültigen, aus mehreren Modulen bestehenden Regelungsreihe „… beschreibt den Kern deutschen Verständnisses zur Führung von Landstreitkräften…".[166] Es richtet sich vorrangig an diejenigen militärischen Führer, die aus unterschiedlichen militärischen und ggf. auch zivilen Kräften zusammengesetzte Verbände führen. In der Regel handelt es sich dabei um Generale bzw. Admirale und höhere Offiziere. Aber auch diejenigen Offiziere und Unteroffiziere, die Truppenführer beraten, müssen die Grundsätze der TF kennen. Dementsprechend ist das Dachdokument auch Grundlage für die Ausbildung aller Angehörigen der Bundeswehr in nach der jeweiligen Führungs- und Verantwortungsebene abgestufter Weise.[167] Hierin zeigt sich eine weitere Tradition aus dem 19. Jahrhundert, die bis heute wirkt: die Ausbildung der Führungskräfte aller Führungsebenen nach gemeinsamen Führungsgrundsätzen.

Aus dem spezifisch deutschen Verständnis von Truppenführung erwachsen überaus hohe Anforderungen an den Soldaten, vor allem an den militärischen Führer. In den Vorschriften sind zahlreiche Tugenden, Einstellungen und Kompetenzen aufgeführt, die hier nicht im Einzelnen aufgelistet werden können. Ein Blick in das öffentlich zugängliche und knapp gehaltene Dachmodul der TF verdeutlicht, dass Truppenführung einhergeht mit einem umfassenden Bildungskonzept. Sie funktioniert nicht ohne den gebilde-

---

[163] TF, Nr. 111.
[164] TF, Nr. 901.
[165] TF, Nr. 302.
[166] Inspekteur des Heeres, Truppenführung (TF), Strausberg 2017, Nr. 103.
[167] TF, Nr. 106.

ten Soldaten und schon gar nicht ohne den gebildeten militärischen Führer. Im Bildungskanon der TF steht die Tugend der Klugheit ganz oben. ‚Geistige Kraft', ‚Kreativität', ‚ganzheitliches Denken', ‚Verständnis komplexer Systeme', Kritik und Selbstkritik oder Fehlertoleranz, das sind die Begriffe, mit denen die neue TF das Primat der Klugheit zum Ausdruck bringt – wie es bereits bei ihren Vorgängern der Fall war.[168]

Zur soldatischen Bildung gehören auch zwischenmenschliche Einstellungen und soziale Kompetenzen. In der neuen TF steht beispielsweise der schöne Satz „Wer Menschen führen will, muss Menschen mögen"[169]. Dieser findet sich bereits in ähnlichem Wortlaut oder in vergleichbaren Redewendungen wie beispielsweise „mit Herz und Verstand führen" in älteren Vorschriften. Sogar der Begriff der Liebe taucht in diesem Zusammenhang auf.[170] Auch in der Zentralen Dienstvorschrift „Innere Führung. Selbstverständnis und Führungskultur der Bundeswehr" aus dem Jahre 2008 steht dieser sympathische Satz.[171] Einen hohen Stellenwert in der TF haben auch traditionelle soldatische Führungsgrundsätze wie Vorbildsein, Ruhe und Gelassenheit ausstrahlen, „… Gefahren und Entbehrungen, Freud und Leid…" mit der Truppe teilen[172], sich beraten lassen, Vertrauen schaffen, Fehlerkultur vorleben[173], Sinn vermitteln[174] und interkulturelle Bildung fördern. Wenn wir nun noch darauf hinweisen, dass in der TF aus dem Jahre 2017 auch die Legitimation des militärischen Auftrags oder das Integrationsgebot angeführt und auf Einsätze von Landstreitkräften angewandt werden, dürfte klarwerden, dass zwischen der ZDv 10/1 und der TF kaum inhaltliche Unterschiede bestehen. Innere Führung und Truppenführung (also die ‚Äußere Führung', wie sie General Graf von Kielmansegg 1953 bezeichnete) lassen sich nicht

---

[168] Zur Entwicklung der TF siehe Werner von Scheven, Die Truppenführung. Zur Geschichte ihrer Vorschrift und zur Entwicklung ihrer Struktur von 1933 bis 1962. 11. Generalstabslehrgang (H), Hamburg 1969.

[169] TF, Nr. 402. Dieser Satz stammt ursprünglich von dem deutschen Brigadegeneral Joachim Bruhn, der zuletzt Stellvertretender Divisionskommandeur und Kommandeur der Divisionstruppen der 1. Panzerdivision in Hannover war.

[170] Darauf wies General Schneiderhan in einer Rede am 27. Juni 2006 in Celle hin. Siehe dazu Uwe Hartmann, Innere Führung, a.a.O., S. 99f. Sie auch Uwe Hartmann, Der gute Soldat, a.a.O., S. 109-110. Der Autor beschreibt darin einen Kaminabend mit General Hans-Lothar Domröse an der HSU/UniBwH in Hamburg im Jahre 2011. Als der Militärpfarrer Michael Rohde den Begriff der Liebe benutzte, nahm General Hans-Lothar Domröse diesen auf und diskutierte darüber längere Zeit mit den anwesenden studierenden Offizieren und Professoren, was dieser Begriff im militärischen Kontext bedeutet.

[171] Siehe darin die Nr. 607. Diese Vorschrift trug über Jahrzehnte hinweg die Bezeichnung „ZDv 10/1". Neuerdings wird sie als A-2600/1 bezeichnet.

[172] TF, Nr. 402.

[173] TF, Nr. 415.

[174] TF, Nr. 417.

trennen. Beide beruhen auf einer gemeinsamen Tradition, die weit in das 19. Jahrhundert zurückreicht: der aus geistiger Freiheit gehorchende, umfassend gebildete Soldat, der mit dem Bürger versöhnt ist. Wer diese geistige Freiheit beschränkt, indem er beispielsweise die Bildung vernachlässigt, der beschädigt auch die Integration, und er unterbricht eine Traditionslinie, die beide nährt.

An dieser Stelle soll noch einmal betont werden: In der TF werden Tugenden wie die Klugheit sowie die umfangreiche Liste sozialer Kompetenzen nicht aus allgemeinen humanistischen Prinzipien oder Attraktivitätsgesichtspunkten abgeleitet, sondern aus der Natur des Krieges und dem spezifisch deutschen Verständnis von Führung im Krieg. Hier besteht eine Denktradition, auf der die Reformer in ihrem Bemühen, die neuen deutschen Streitkräfte als Armee in der Demokratie zu begründen, aufbauten. Sie haben die Idee des aus innerer Freiheit gehorchenden Soldaten erweitert um die äußere, d.h. politische Freiheit. Dies hatte weitere Auswirkungen auf das Führungsverständnis und spiegelt sich, wie wir mit den folgenden Ausführungen zeigen möchten, auch in der neuesten TF eindrucksvoll wider.

Die TF stellt klar: „Führen mit Auftrag ist deutsches Führungsprinzip und einer der Eckpfeiler des soldatischen Selbstverständnisses in den deutschen Streitkräften…".[175] Ganz wichtig für unser Verständnis von ‚Führen mit Auftrag' ist die Einsicht, dass damit ein umgreifendes Führungsprinzip gemeint ist. Es soll immer gelten und so die „innere Einstellung" von Truppenführern genauso wie das „Verhalten der Untergebenen" prägen. Um es in Clausewitz' Worten zu beschreiben: Führen mit Auftrag ist ein wesentliches Element der „kriegerischen Tugend des Heeres". Dabei meint Führen mit Auftrag mehr als die dezentrale Ausführung von Befehlen. Es fordert Vorgesetzte auf, Aufträge zu erläutern und Handlungsfreiheit in der Auftragsdurchführung zu geben. Auf der anderen Seite erwartet es von Unterstellten, selbständig, d.h. auch ohne Befehle zu handeln, ja sogar vom Auftrag abzuweichen, um die Ziele der übergeordneten Führung zu erreichen.[176] Die soldatische Erziehung soll dafür die Voraussetzungen schaffen. Militärische Führung ist daher grundsätzlich mit einer erzieherischen Zielsetzung

---

[175] TF, Nr. 601.
[176] TF, Nr. 604. Zur Begründung dieses deutschen Führungsprinzips und seiner Anwendung im Zweiten Weltkrieg siehe Marco Sigg, Der Unterführer als Feldherr im Taschenformat. Theorie und Praxis der Auftragstaktik im deutschen Heer 1869 bis 1945, Paderborn u.a. 2014.

verbunden. Der Vorgesetzte ist also immer auch Erzieher, wie es lange Zeit Tradition und Teil des Selbstverständnisses vor allem der Offiziere war.[177] Wir werden noch an späterer Stelle ausführlich auf die Innere Führung eingehen.[178] Hier soll es zunächst reichen, dass das Neue der Inneren Führung nicht zuletzt darin besteht, dass das soldatische Handeln im Sinne der übergeordneten Führung auch die politischen Ziele mit umfasst. Dies ist ja gerade der Unterschied zur Auftragstaktik deutscher Armeen bis 1945. ‚Führen mit Auftrag' baut auf der tradierten Auftragstaktik auf und erweitert sie um die Berücksichtigung der politischen und ethischen Auswirkungen militärischen Handelns. Jeder Soldat steht also mit in der letztlich politischen Verantwortung. Was das konkret im Einsatz bedeutet, bezeichnet die TF als ‚wirkungsorientiertes Denken'. Damit ist gemeint, dass der Truppenführer und seine Berater die Wirkungen ihrer geplanten Handlungen auf „… einen politisch vorgegebenen Endzustand…"[179] hin beurteilen. „Ganzheitlich sind dabei alle Arten von Wirkungen, letale und nicht letale, physische und psychologische Wirkungen in allen Dimensionen zu berücksichtigen."[180] Das politisch vorgegebene Ziel eines Einsatzes bzw. der politische Zweck des soldatischen Dienstes sind höchste Referenzgrößen für selbständiges Handeln. Sie sind auch Grundlage für Legitimation und Motivation. Hier zeigt sich erneut die nicht überschätzbare Bedeutung der Klugheit als höchste Tugend des Einzelnen wie der gesamten Streitkräfte. Deutlich wird auch, wie sowohl die TF als auch die 10/1 das Erbe des deutschen Soldaten aus der Zeit vor 1945 aufgenommen und angesichts veränderter politischer und sozialer Rahmenbedingungen in der demokratischen Bundesrepublik Deutschland sowie eines veränderten, deutlich komplexeren Kriegsbildes weiterentwickelt haben.

---

[177] Auch im Hinblick auf den Erziehungsauftrag der Vorgesetzten in der Bundeswehr gibt es, ähnlich wie bei der Inneren Führung, eine enorme Begriffsverwirrung. Zudem existiert ein Mythos des Vorgesetzten als eines geborenen Führers, der unbewusst richtig erzieht. Die Erziehungsaufgabe fordert allerdings besondere pädagogische Anstrengungen in Theorie und Praxis, wie das Beispiel der Auftragstaktik oder des Führens mit Auftrag zeigt. Denn von der Kultur her betrachtet ist der Deutsche eher risikoavers und planungsorientiert (siehe dazu Richard D. Lewis, When Cultures Collide. Leading across Cultures, Boston/London 2012, S. 223-233). Das deutsche Verständnis von Führung in Krieg und Einsatz erfordert allerdings einen Soldaten, der bewusst Risiken eingeht und trotz Ungewissheit handelt. Bei diesen Differenzen zwischen dem, was der Soldat mitbringt und dem, was Krieg und Einsatz gem. dem gültigen Kriegsbild von ihm fordern, setzt die soldatische Erziehung an.

[178] Siehe Kapitel 4.3 in diesem Buch.

[179] TF, Nr. 613.

[180] TF, Nr. 613. Siehe dazu auch Erik Rattat, Der militärische Führer im komplexen Operationsumfeld. In: Uwe Hartmann, Claus von Rosen (Hrsg.), Jahrbuch Innere Führung 2015. Neue Denkwege angesichts der Gleichzeitigkeit unterschiedlicher Krisen, Konflikte und Kriege, Berlin 2015, S. 142-148.

Wir glauben auch, dass die deutsche soldatische Tradition der Truppenführung bewusst das Denken der Gründungsväter der Bundeswehr geleitet hat. In der Inneren Führung steckt also weitaus mehr vom Alten, als man gemeinhin denkt oder auf den ersten Blick vermutet. Das eigentlich Neue an der Inneren Führung ist die politische Mitverantwortung für das demokratische Deutschland.[181] Sie ist das Kraftzentrum, aus dem der Einzelne geistige Orientierung für Sinn und Zweck seines Dienstes wie auch für sein jeweiliges Handeln gewinnt. Die Innere Führung ist also nicht nur ein wesentlicher Teil der bundeswehreigenen Tradition, sie ist auch das Medium, über das deutsche Militärtraditionen aus der Zeit vor 1945 in die Bundeswehr hinein transportiert wurden. Offensichtlich wurde diese wichtige historische Erkenntnis in den Workshops zur Neubearbeitung des Traditionserlasses nicht angemessen behandelt.[182]

Tradition überliefert also Grundsätze, die schon vielen Soldatengenerationen zuvor halfen, ihren Dienst in Krieg und Frieden professionell sowie treu und gewissenhaft auszuüben. Der heutige Soldat darf sich getrost darauf verlassen, dass er sie auch in Zukunft anwenden darf. Wenn in der Bundeswehr heute Vorgesetzte aller Organisationsbereiche und Ebenen nach dem Führungsprinzip des ‚Führens mit Auftrag' handeln, dann stellen sie sich und ihre Soldaten in eine Tradition, die ihr Denken und Handeln beeinflusst, ohne dass ihnen dies oftmals so bewusst ist. Und wenn Soldaten aller Dienstgrade ihre Vorgesetzten ob ihres Führungsstils loben oder kritisieren und darin Bewertungskriterien des ‚Führens mit Auftrag' enthalten sind, dann zeigt auch dies, dass implizit ein Vorverständnis über die richtigen Führungsgrundsätze vorhanden ist.

Beispiele wie die Auftragstaktik bzw. das ‚Führen mit Auftrag' zeigen, dass Soldaten heute überall auf noch wirkfähige Traditionen stoßen. Sie müssen nur ansatzweise ein Verständnis dafür entwickelt haben, die Augen offen halten und mit Verstand ihr militärisches Umfeld betrachten. Dann erkennen sie umso leichter, dass Tradition sie nicht nur angeht, sondern auch auffordert, die Vergangenheit in ihrer Bedeutung für uns heute und für unsere Zukunft zu verstehen. Es ist eine immer wieder zu leistende Aufgabe, die Auftragstaktik als Anspruch an seine eigene Person, für die militärische Einheit und letztlich für die Armee als Ganzes anzuerkennen und daraus Schlussfolgerungen für Führung, Ausbildung, Bildung und Erziehung zu ziehen.

---

[181] Diese Mitverantwortung kommt besonders stark im Traditionserlass 1965, Nr. 3, 4, 17 zum Ausdruck.

[182] Siehe dazu auch Donald Abenheim, Tradition und Innere Führung. In: Jahrbuch Innere Führung 2017, Berlin 2017, S. 209-218.

Es gibt jedoch zahlreiche Beispiele, die verdeutlichen, dass es um die Praxis des ‚Führens mit Auftrag' nicht so gut bestellt ist.[183] Tradition hilft uns dabei, selbstkritisch danach zu fragen, was wir verbessern müssen, um die Auftragstaktik als Führungsprinzip in eine Zukunft mit neuen und kaum vorhersehbaren Herausforderungen zu überführen. Auch wenn die Auftragstaktik mittlerweile fast den Status eines Mythos einnimmt, weil ihre praktische Umsetzung sich vom Anspruch recht weit entfernt hat, so ist es doch wichtig, diesen Mythos aufrechtzuerhalten. Denn verbunden damit ist ein Stolz auf die an der Auftragstaktik orientierte Truppenführung, die in Theorie und Praxis immer noch Vorbild ist für Armeen auf der ganzen Welt und die sich auch in den Auslandseinsätzen der Bundeswehr bewährt. Und dieser Stolz ist eine wichtige Motivation dafür, die Führungskultur zu pflegen und, wo immer nötig, zu verbessern – jeder in seinem Verantwortungsbereich.

Die größte Gefahr für diese deutsche Führungstradition geht indessen von der seit vielen Jahren angespannten Material- und neuerdings auch der Personallage aus. Darauf weist der Wehrbeauftragte des Deutschen Bundestages, Hans-Peter Bartels, mit seinen Jahresberichten hin.[184] Manche werden darin vor allem eine kritische Bestandsaufnahme der personellen und materiellen Lage der Bundeswehr lesen. Neben seiner Mahnung, es gäbe von allem zu wenig, dürfte auch sein Hinweis auf die fehlende Dringlichkeit bei der Abstellung der Defizite hohe Aufmerksamkeit gefunden haben. Vielleicht ist angesichts der enormen Dichte an Berichten über die unzureichende Einsatzbereitschaft der Streitkräfte untergegangen, dass der Wehrbeauftragte in seinem Jahresbericht wie in seinem gesamten Wirken vor allem eine Lanze für die traditionelle Führungskultur der Bundeswehr bricht. Denn seine Argumentation läuft darauf hinaus, dass die aus der Mangelwirtschaft der letzten Jahre überbordende Bürokratie deren Führungskultur, insbesondere das ‚Führen mit Auftrag', zerstöre. Wer weiß, wie wertvoll diese über fast 200 Jahre gewachsene spezifische deutsche Führungskultur ist, ahnt, dass die materielle Ausstattung im Vergleich zu dem Verlust dieses Führungsprinzips das kleinere Problem ist.

---

[183] Jörg Keller, Mythos Auftragstaktik. In: Ulrich vom Hagen (Hrg.), Armee in der Demokratie. Zum Verhältnis von zivilen und militärischen Prinzipien, Wiesbaden 2006, S. 141-164; Uwe Hartmann, Fehlerkultur – ein Seminar als Beispiel. In: Uwe Hartmann, Claus von Rosen (Hrsg.), Jahrbuch Innere Führung 2016. Innere Führung als kritische Instanz, Berlin 2016, S. 229-237.

[184] Siehe zuletzt Deutscher Bundestag (19. Wahlperiode), Unterrichtung durch den Wehrbeauftragten, Jahresbericht 2018 (60. Bericht), Drucksache 19/7200 vom 29.01.2019.

Im Beziehungsgeflecht mit Politik und Gesellschaft kommt es auch darauf an, dass das Militär Tradition als Schutz vor gutgemeinten öffentlichen Rat- und Vorschlägen versteht – zumindest dann, wenn diese verkennen, dass der Primat der Politik die militärische Professionalität nicht konterkarieren darf, sofern das Militär Garant der äußeren Sicherheit und einer den Werten des Grundgesetzes verpflichteten Menschenführung bleiben soll. Vorsicht ist auch gegenüber Beratern angezeigt, wenn diese ihre Managementtheorien 1:1 auf die Streitkräfte übertragen. Kurzum: „Gutgemeint" ist eben nicht „gut". Verabsolutiertes Managementdenken hat im Militär genauso wenig zu suchen wie eine zu starke Technologisierung und Bürokratisierung. Verant-wortung, Eigeninitiative und Freiheit im Gehorsam stehen im Mittelpunkt. Tradition ist also auch eine Art Schutzschirm, ein „Nadelöhr" bzw. eine Prüfinstanz, durch das gut gemeinte Vorschläge aus anderen gesellschaftli-chen Bereichen, vor allem der Wirtschaft, einfach hindurch müssen, um den Tauglichkeitstest für die Streitkräfte zu bestehen. In der Demokratie gehört es auch dazu, dass der Soldat den Politikern und Bürgern soldatische Tradi-tion und deren Funktionen erklären kann. Dafür benötigt er eine gehörige Portion Klugheit und Charakterstärke, damit Moden und Trends ihn nicht vom Kern seines Berufes ablenken. Voraussetzung dafür ist eine umfassen-de, vor allem geisteswissenschaftliche Bildung[185] und das Einüben in gute Argumente für Debatten – gerade auch unter Kameraden. Wo dies fehlt, kommt auch das Gespräch mit Politikern und Bürgern nicht weit. Damit kommen wir zum nächsten Praxisfall.

Tradition unter Soldatengenerationen

Gespräche sind wichtig, um Traditionen zu verstehen und ihre Inhalte zu überliefern. Besonders wertvoll sind solche Gespräche, die fest in der Erin-nerung verankert bleiben und den Einzelnen in seinem Selbstverständnis als Soldat berühren. Manchmal haben diese den Charakter einer existentiellen, d.h. das Leben insgesamt verändernden Begegnung.[186] Allerdings ist uns das generationenübergreifende Im-Gespräch-Bleiben in den letzten Jahrzehnten weithin verloren gegangen. Es finden kaum mehr Gespräche zwischen älte-ren und jüngeren Soldaten über ihre unterschiedlichen Erfahrungen im Kal-ten Krieg bzw. in der Armee im Einsatz statt – obwohl dies aufgrund der seit 2014 wieder notwendigen stärkeren Gewichtung der Landes- und

---

[185] Dieses Bildungsverständnis findet sich vor allem im Traditionserlass 1965, Nr. 18.
[186] Zur existenzphilosophischen Bedeutung des Begegnungsbegriffs siehe Otto Friedrich Bollnow, Existenzphilosophie und Pädagogik, Stuttgart ^{6}1984.

Bündnisverteidigung wichtig wäre.[187] Selbst die ‚Armee der Einheit‛ taucht höchstens noch als Thema wissenschaftlicher Forschung auf. Und nicht selten stoßen Soldaten, die aus Einsätzen zurückkehren, auf Desinteresse bei denjenigen, die über keine oder deutlich weniger Einsatzerfahrungen verfügen. Angesichts der lebensprägenden Erfahrungen eines Kampfeinsatzes, für die junge Erwachsene besonders aufnahmefähig sind, ist es auch nicht verwunderlich, dass die ‚Generation Einsatz‛ sich in ihrer Erinnerungskultur stark auf den Krieg in Afghanistan konzentriert. Sie versuchten, ihr Kriegserlebnis in das Gedächtnis der Bundeswehr an prominenter Stelle einzupflanzen (und, wie wir im nächsten Abschnitt sehen werden, möchten sie es auch in die nationale Erinnerungskultur einbringen). Dies ist ihnen bereits recht weit gelungen. Dafür stehen die neuen Erinnerungsstätten wie das Ehrenmal der Bundeswehr oder der Wald der Erinnerungen sowie zahlreiche Initiativen in den sozialen Medien[188]. Die Erfahrungen der ‚Generation Einsatz‛ mit dem gewaltsamen Tod sind heute fest im kollektiven Gedächtnis der Bundeswehr verankert. Symbole als Träger eines kollektiven Gedächtnisses wie beispielsweise das Eiserne Kreuz erhalten auf diese Weise eine neue, auch emotionale Aufladung. Spätere Generationen werden dadurch auf eine gemeinsame Erinnerung verpflichtet.

Allerdings erwachsen daraus Reibungen im Umgang mit der Geschichte. „Jede Generation entwickelt ihren eigenen Zugang zur Vergangenheit und lässt sich ihre Perspektive nicht durch die vorangehende Generation vorgeben.‟[189] Dieser Generationskonflikt ist durchaus normal, wie Aleida Assmann feststellt. Problematisch ist allerdings die einseitige Fokussierung der ‚Generation Einsatz‛ auf die Bundeswehr als Einsatzarmee in Afghanistan oder Mali mit dem damit verbundenen Kriegs- und Konfliktbild. Der neue Traditionserlass fordert eine besser ausbalancierte Perspektive auf die gesamte Geschichte der Bundeswehr. Er verpflichtet die ‚Generation Einsatz‛ auf eine gemeinsame Erinnerung, die über ihre eigenen Erlebnisse hinausgeht. Genauso fordert er von älteren Soldatengenerationen, die neueste Einsatzgeschichte mit in den Blick zu nehmen. Keine Generation darf das vergessen, was der anderen als Erfahrungsschatz am Herzen liegt.

Unsere Empfehlung lautet hier: Bemühen Sie sich, vielfältige Gelegenheiten für das generationsübergreifende Gespräch zu schaffen. Vorgesetzte sollten

---

[187] Ein Beleg dafür ist die zögerliche Haltung von Vertretern des BMVg und des ZInFü, das Gespräch mit den Herausgebern und Autoren des Buches „Armee im Aufbruch‟ zu suchen. Nachdem dieses endlich doch zustande gekommen war, riss der Gesprächsfaden bald wieder ab.

[188] Hierzu zählt beispielsweise das gemeinsame Erinnern an den Todestag gefallener Kameraden. Dazu werden vor allem die sozialen Medien genutzt.

[189] Aleida Assmann, Der lange Schatten der Vergangenheit, a.a.O., S. 27.

dabei verhindern, dass die ‚Generation Einsatz' auf der Suche nach Vorbildern die Erfahrungen der Bundeswehrsoldaten aus dem Kalten Krieg einfach überspringt und unvermittelt auf die Wehrmachtssoldaten schaut. Ein Wir-Gedächtnis der Soldatengenerationen innerhalb der Bundeswehr kann so nur schwerlich wachsen. Dies ist eine große Herausforderung für die Traditionspflege in der Bundeswehr. Vorgesetzte sollten daher intensive und vertrauensvolle Gespräche über Erinnerungen des Soldatseins in den verschiedenen Armeen der Bundeswehrgeschichte anregen und dafür einen geeigneten Rahmen schaffen. Dies kostet Zeit und macht Mühe. Es lohnt sich aber; denn der Austausch von Erinnerungen wirkt verbindend und gemeinschaftsbildend. Allerdings gibt es hier Grenzen, die Vorgesetzte kennen sollten, um nicht frustriert zu sein. Prägungen von Generationsidentitäten wie beispielsweise bei der ‚Generation Einsatz' sind kaum mehr veränderbar. Jüngere Soldaten werden sich ihr Vorrecht, einen eigenen Blick auf die Vergangenheit zu werfen, nicht nehmen lassen. Dies gilt allerdings nicht für die Verabredung über eine gemeinsame Zukunft. Und darum geht es letztendlich bei der Tradition.

Die ‚Generation Einsatz' ist allerdings nicht so homogen, wie es auf den ersten Blick scheint. Es gibt deutlich erkennbare Ab- und Ausgrenzungen. Manche jüngere Soldaten sprechen von einer Zwei-Welten-Problematik und fordern eine höhere Besoldung derjenigen, die als „Draussis" größeren Gefährdungen und Unannehmlichkeiten ausgesetzt seien als die „Drinnis", also diejenigen, die innerhalb von Feldlagern ihren Dienst tun.[190] Der Wunsch, den Veteranenbegriff auf die „Einsatzveteranen" zu begrenzen, zeugt davon genauso wie der Untertitel des Buches „Armee im Aufbruch", der den Kampftruppen eine Sonderstellung für die Gestaltung der Zukunft der Bundeswehr zuweist. Nun sollte man derartige Bestrebungen nicht dramatisieren. Schon immer gab es Spannungen zwischen Front und Etappe. Und auch der Kampf der Logistiker und Kampfunterstützer um Anerkennung ihrer Leistungen bei den Kampftruppen ist ebenfalls Legion. Selbst unter den Kampftruppen gibt es Spannungen, die sich früher in Standorten wie beispielsweise Munster in derben Späßen und manchmal auch in gewaltsamen Auseinandersetzungen entluden. Wir haben selbst darauf hingewiesen, dass soldatische Traditionen die Eigentümlichkeiten unterschiedlicher Organisationsbereiche und Truppengattungen berücksichtigen müssen. Ab-

---

[190] Siehe u.a. Marcel Bohnert, Extremerfahrungen als Zerreißprobe. Zum Wandel der Streitkräftekultur durch den Einsatz in Afghanistan. In: Jahrbuch Innere Führung 2013. Wissenschaften und ihre Relevanz für die Bundeswehr als Armee im Einsatz, Berlin 2013, S. 344-351. Artur Schwitalla beschreibt den Unterschied zwischen Drinnies und Draussies in seinem Buch „Afghanistan, jetzt weiß ich erst... Gedanken aus meiner Zeit als Kommandeur des Provincial Reconstruction Team FEYSABAD", Berlin 2010, S. 128-130.

grenzungen sind normal und wichtig, um spezifische Identitäten auszubilden. Wir möchten allerdings davor warnen, diese Prozesse unreflektiert laufen zu lassen und in ihrer Wirkung auf die Kohäsion der Gesamtstreitkräfte zu unterschätzen. Werden sie dominant, dann behindern sie das inter- und intragenerationelle Gespräch als eine wesentliche Grundlage für soldatische Traditionen und damit letztlich die Kampfkraft und den Einsatzwert der Truppe.

Nun unterstreicht auch der neue Traditionserlass die Bedeutung einer Verbindung der Soldatengenerationen. Darin heißt es: „Als geistige Brücke zwischen Vergangenheit und Zukunft verbindet Tradition die Generationen und gibt Orientierung für das Führen und Handeln."[191] Ebenso in den Erlassen von 1965 und 1982 ist diese Funktion an zentraler Stelle verankert.[192] Gleichwohl scheint, wie unsere oben angeführten Beispiele zeigen, die Praxis in der Truppe dieser Funktion nicht gerecht zu werden. Auf die Grenzen des Möglichen (prägende Erfahrung des Kampfes der jüngeren Generation sowie deren Vorrecht, eine eigene Perspektive auf die Vergangenheit zu entwickeln) haben wir schon hingewiesen. Wo könnten die Gründe dafür liegen, dass das, was möglich wäre, nicht erreicht wird?

Zunächst einmal gibt es wenige Gelegenheiten für Gespräche über das soldatische Selbstverständnis und seine Werte. Ursachen dafür sind u.a. die Schließung von Offizier- und Unteroffizierheimen, die Reduzierung der Unterkünfte innerhalb von Kasernen oder die Verbannung von Angehörigen der Marine von ihren Schiffen, wenn diese im Heimathafen liegen. Eine Rolle spielen sicherlich auch das veränderte Freizeitverhalten und die Notwendigkeiten der Vereinbarkeit von Familie und Beruf. Hinzu kommen neuerdings Dienstzeitregelungen, die die Arbeitszeit zu einem sehr knappen Gut machen. Das Führen von konstruktiven Gesprächen, in denen offen unterschiedliche Meinungen und Wertungen vertreten werden, dürfte zudem hohe pädagogische Fähigkeiten erfordern.

Ein weiterer Grund dürfte mit der Vernachlässigung der Inneren Führung zu tun haben. Damit werden wir uns im vierten Kapitel näher beschäftigen. An dieser Stelle sei zumindest darauf hingewiesen, dass Kenntnisse und Akzeptanz vor allem bei jüngeren Soldatengenerationen gering sind. Viele Mannschaften sehen in ihr eine Handreichung für die Menschenführung, d.h. für ihre Vorgesetzten. Für sie selbst sei sie ohne Relevanz.[193] Selbst hohe militärische Vorgesetzte scheinen die Grundsätze der Inneren Füh-

---

[191] Traditionserlass 2018, Nr. 1.1
[192] Siehe Traditionserlass 1965, Nr. 1; Traditionserlass 1982, Nr. 1.
[193] Meike Wanner, Einstellungen der Angehörigen der Bundeswehr zur Inneren Führung, a.a.O., S. 89-90.

rung nicht zu kennen, wie die Art und Weise der Durchführung der Suche nach Wehrmachtsdevotionalien in den Kasernen der Bundeswehr im Jahre 2017 belegt. Vielleicht verstießen sie aufgrund des politischen Handlungsdrucks bewusst dagegen. Von der allgemeinen Vernachlässigung der Inneren Führung sind auch die politische und historische Bildung betroffen. Dass diese häufig genug ausfällt oder, wenn sie denn stattfindet, nicht selten von externen Weiterbildungsinstituten durchgeführt wird, hat viele negative Auswirkungen. Besonders schlimm sind sie für die Bildung der Vorgesetzten selbst, weil diese sich nicht mehr für deren Vorbereitung, Durchführung und Nachbereitung ins Zeug legen müssen.

Für die Probleme der Bundeswehr, ein generationsübergreifendes Wir-Gedächtnis zu entwickeln, dürften allerdings auch die bisherige Erinnerungskultur in Deutschland im Allgemeinen sowie in der Bundeswehr im Besonderen eine Rolle spielen. Wir haben schon darauf hingewiesen, dass ab Mitte der 1980-er Jahre (d.h. mit dem Ausscheiden der letzten kriegsgedienten Soldaten) auch in der Bundeswehr die Rolle der Wehrmacht im II. Weltkrieg deutlich kritischer bewertet wurde als dies noch bis in die 1960-er Jahre hinein der Fall war. Das war auch richtig so. Für die Traditionspflege erwuchsen daraus allerdings einige negative Begleiteffekte. Denn die mit dem Ende der Legende von der sauberen Wehrmacht einhergehenden kontroversen Diskussionen dürften das intergenerationelle Gespräch auch innerhalb der Bundeswehr (d.h. zwischen den Soldaten mit und ohne Dienstzeit in Reichswehr und Wehrmacht) sowie zwischen Angehörigen der Bundeswehr und den ehemaligen Wehrmachtssoldaten, die nicht in der Bundeswehr dienten, belastet haben. Offizielle Kontakte wie beispielsweise die Übernahme von Traditionsverbänden und Truppenfahnen aus der Wehrmacht hatte bereits der Traditionserlass von 1965 verboten. In den 1980-er Jahren gerieten nun auch die informellen Beziehungen unter starken gesellschaftlichen Druck. Treffen mit Angehörigen der Wehrmacht wie beispielsweise von Gebirgsjägern auf dem Hohen Brenthen in Mittenwald lösten Demonstrationen und kritische Nachfragen aus.[194] Auch innerhalb der Bundeswehr wurden die Stimmen, die sich gegen die ehemaligen Wehrmachtssoldaten richteten, immer lauter.[195] Dieses Klima dürfte dazu beigetragen haben, dass Angehörige der Bundeswehr Distanz zu ihnen wahrten. So riss der Gesprächsfaden schließlich ab. Dem großen Schweigen über die Un-

---

[194] Uwe Hartmann, Innere Führung, a.a.O., S. 196.
[195] Siehe dazu die Ausgabe der Truppenpraxis 3/1990 und die darin unter der Überschrift „Wie hältst du's mit der Wehrmacht?". Mit seinem darin aufgenommenen Artikel „Ihre Ausrottung ist ein Gebot der Selbsterhaltung" (S. 269-271) profilierte sich Brigadegeneral Winfried Vogel als damals größter interner Kritiker der Wehrmacht.

rechtstaten im Zweiten Weltkrieg in Politik und Gesellschaft[196] folgte zwar eine intensive öffentliche Debatte. In den Streitkräften selbst breitete sich allerdings eine bleierne Stille zwischen den Soldatengenerationen aus. Es mag sein, dass die These zu gewagt ist. Es liegt aber nahe zu schlussfolgern, dass die heutigen Angehörigen der Bundeswehr den Austausch zwischen den Soldatengenerationen einfach verlernt haben. Zumindest ist das Bewusstsein kaum mehr ausgeprägt, dass die älteren Generationen den jüngeren etwas zu sagen haben. Und vielleicht gilt dies auch umgekehrt. Vorgesetzte müssen im Rahmen ihrer Maßnahmen zur Traditionspflege dafür erst wieder Verständnis wecken.

Tradition und zivil-militärische Beziehungen in Demokratien
Traditionen werden nicht nur im Gespräch zwischen den Soldatengenerationen, sondern auch im Dialog mit Politik und Gesellschaft gepflegt. Dies erweist sich als ganz wichtig für Aufbau und Erhalt vertrauensvoller zivil-militärischer Beziehungen. Darauf hatten wir bereits hingewiesen. Dass die Bundeswehr hier vieles richtig gemacht hat, zeigt die Wertschätzung, welche die Bürger Deutschlands ihren Streitkräften seit Jahrzehnten entgegenbringen. Dass diese weder menschenunwürdigen Umgangston, Schikane und Diskriminierung noch von Extremisten unterwanderte Streitkräfte wollen, kann ebenfalls aus den Meinungsumfragen abgelesen werden. Daher ist es kein Wunder, dass nach Skandalen das Vertrauen der Bürger in die Bundeswehr zumindest kurzzeitig Einbußen erfährt. Und weiterhin zeigen sie größte Skepsis gegenüber bewaffneten militärischen Einsätzen im Ausland, selbst wenn es neuerdings wieder verstärkt um die Bündnisverteidigung geht.[197]
Weithin akzeptiert sind die Formen der Repräsentanz der Bundeswehr in der Öffentlichkeit. Dazu zählen vor allem Feierliche Gelöbnisse, Große Zapfenstreiche und Tage der offenen Tür. Auch die Gedenkgottesdienste für gefallene Soldaten fanden Anklang. Sie verliefen störungsfrei und erzielten eine hohe emotionale Betroffenheit bei Gästen und Zuschauern. Dies wäre nicht zu erwarten, wenn derartige Veranstaltungen dazu genutzt wür-

---

[196] Gabriele von Arnim, Das große Schweigen. Von der Schwierigkeit, mit den Schatten der Vergangenheit zu leben, München 1989. Siehe auch Aleida Assmann, Der lange Schatten der Vergangenheit, a.a.O., S. 104-112.

[197] Zu den Einstellungen der deutschen Bevölkerung zu den Einsätzen der Bundeswehr im Rahmen der Bündnisverteidigung (enhanced Forward Presence) siehe Heiko Biehl, Chariklia Rothbart, Markus Steinbrecher, Cold War Revisited? Die deutsche Bevölkerung und die Renaissance der Bündnisverteidigung. In: Jahrbuch Innere Führung 2017, Berlin 2017, S. 137-154.

den, die Anwendung bewaffneter Gewalt zu verherrlichen und einen soldatischen Heldenkult zu zelebrieren.

Traditionen sind demnach auch ein Spiegelbild der demokratischen zivil-militärischen Beziehungen. Wer Traditionen gering schätzt und dafür wenig tut, nutzt auch nicht deren Potenzial für Aufbau und Pflege vertrauensvoller Beziehungen zwischen Politikern sowie Bürgern in und ohne Uniform. „Ist dies denn wichtig?", mag mancher Leser einwenden. Ja, es ist wichtig, gerade für das, was den jüngeren Soldaten heute so am Herzen liegt: Anerkennung und Wertschätzung. Aber mehr noch: Inhalte und Pflege von vertrauensvollen zivil-militärischen Beziehungen und einer dazu beitragenden Traditionsarbeit sind Ausdruck für Strategiefähigkeit. Wer sich mit gescheiterten Kriegen und Einsätzen beschäftigt, stellt fest, dass Friktion in der Kommunikation von Politik und Militär oftmals eine wesentliche Ursache war falsche Strategien war.[198] Die von der Bundesregierung angekündigte Förderung der Strategiefähigkeit Deutschlands[199] sollte also einhergehen mit verstärkten Bemühungen zur Pflege und Weiterentwicklung von Traditionen, die Vertrauen innerhalb der „wunderlichen Dreifaltigkeit" (Carl von Clausewitz) von Politik, Gesellschaft und Militär verbessern. Auf die Notwendigkeit, die „vernetzte Sicherheitspolitik" durch geeignete Traditionen zu stärken, haben wir bereits hingewiesen. Es ist gut, dass der neue Traditionserlass explizit die Überlieferung und Pflege von Institutionen anführt.[200] Denn Strategiefähigkeit beruht auf effektiven Einrichtungen, die Strategien implementieren und diese, wenn erforderlich, anpassen. Die beteiligten Akteure sollten darin vertrauensvoll zusammenarbeiten.[201] Auf diese Weise könnten militärische Einsätze eher die gewünschten politischen Wirkungen erzielen. Erfolgreich durchgeführte Einsätze hätten wiederum positive Auswirkungen auf die Anerkennung und Wertschätzung des soldatischen Dienstes bei den Bürgern. Es liegt also im ureigenen Interesse der Soldaten, mittels Traditionspflege die demokratischen zivil-militärischen Beziehungen und damit auch die Strategiefähigkeit Deutschlands wo immer möglich zu verbessern. Es ist vielleicht ein guter, praxisnaher Ratschlag, dass Soldaten

---

[198] Siehe dazu Eliot A. Cohen, Supreme Command. Soldiers, Statesmen, and Leadership in Wartime, New York 2003; Ricks, The Generals, a.a.O., S. 448.

[199] Siehe dazu das Weißbuch 2016, a.a.O., S. 57.

[200] Siehe Traditionserlass 2018, Nr. 1.2.

[201] Siehe dazu Klaus Naumann, Einsatz ohne Ziel?, a.a.O. sowie als Negativbeispiel: Robert M. Gates, Duty. Memoir of a Secretary at War, New York 2014, insbesondere das Kapitel 10: Afghanistan: A House Divided, S. 335-386.

aus der Truppe sich dafür zunächst im lokalen Bereich, wenn nicht sogar in der unmittelbaren Nachbarschaft, engagierten.[202] Soldaten sollten zudem nicht vergessen, dass die Mitverantwortung der Bürger zu den Konstruktionsmerkmalen der Bundeswehr gehört. Die Bundeswehr ist als eine ‚Parlamentsarmee' gegründet worden. Ob es um ihre innere Lage, ihren Haushalt oder die Auslandseinsätze geht, immer ist der Deutsche Bundestag beteiligt. Alle Parlamentarier sind folglich gegenüber den Bürgern in ihren Wahlkreisen Rede und Antwort in sicherheits- und militärpolitischen Fragen schuldig. Es ist daher sinnvoll, die Bürger bei den Diskussionen über das Erbe des deutschen Soldaten zu beteiligen und sie so weit es geht in die Traditionspflege einzubeziehen.

Traditionen können allerdings auch eine Quelle für sehr kontroverse Auseinandersetzungen sein. Soldaten mögen dies als unangenehm und unangemessen empfinden. Erschwerend kommt hinzu, dass die Bundeswehr und ihre Formen der Selbstdarstellung in der Öffentlichkeit nicht selten als Platzhalter oder Blitzableiter für grundlegende sicherheitspolitische Auseinandersetzungen missbraucht werden. Wer die Existenz von Soldaten für nicht erforderlich hält, hat natürlich auch kein Verständnis für Tradition als Lebenshilfe oder vertrauensbildende Maßnahme. Tradition kann leider eben auch eine Last bedeuten. Dispute sind in einer Demokratie aber unerlässlich, ansonsten würde sie Schaden nehmen. Wolf Graf von Baudissin, ein wesentlicher Mitbegründer der Inneren Führung, sagte einmal, der Streit über Tradition sei bereits Tradition in der Bundeswehr geworden.[203] Tatsächlich, so könnte man argumentieren, hat dieser Streit auch überaus positive Wirkungen: Er intensiviert die Gespräche unter den Soldaten und zwischen den Soldatengenerationen sowie mit den Bürgern und Politikern eines Landes. Er fördert die Gesprächskultur, weil es darauf ankommt, in den emotional besetzten Themen trotz der hohen Relevanz für das eigene Selbstverständnis immer fair zu sein. Er verdeutlicht, dass die Soldaten der Bundeswehr Soldaten in einer Demokratie sind. Wie bei allen anderen Bürgern ist ihr Mittel zur Wahrnehmung ihrer Interessen vor allem das Gespräch.

---

[202] Vorschläge für Maßnahmen zur Verbesserung der zivil-militärischen Beziehungen finden sich in Klaus Beck, Rainer L. Glatz, Fragen des Verhältnisses von Gesellschaft und Bundeswehr. In: Jahrbuch Innere Führung 2018, herausgegeben von Uwe Hartmann und Claus von Rosen, Berlin 2018, S. 36-40; Klaus Beck, Uwe Hartmann, Gewerkschaften und Bundeswehr. In: Jahrbuch Innere Führung 2014, herausgegeben von Uwe Hartmann und Claus von Rosen, Berlin 2014, S. 305-321.

[203] In gewisser Weise stand Baudissin selbst im Brennpunkt dieser Streitigkeiten, innerhalb wie auch außerhalb des damaligen Bundesministeriums für Verteidigung. Siehe dazu im Einzelnen Frank Nägler, Der gewollte Soldat und sein Wandel, a.a.O., insbesondere S. 101-133.

Für die Diskussionen mit Soldaten und Mitarbeitern genauso wie mit Personen aus Politik und Gesellschaft sollten vor allem die Führungskräfte in der Bundeswehr sich ein reflektiertes Traditionsverständnis erarbeiten. Dafür ist es hilfreich, mögliche Argumente und Gegenargumente zu bedenken und kluge Antworten parat zu haben. Damit soll nicht gesagt werden, dass man immer seine Meinung durchsetzen sollte. Ob in Gesprächen mit Soldaten oder Debatten in der Öffentlichkeit, es ist immer gut und glaubwürdig, selbst hinzuzulernen und eigene Positionen zu revidieren, wenn die Gegenseite die überzeugenderen Argumente bringt. Auch für die Erarbeitung eines eigenen Traditionsverständnisses ist es hilfreich, sich mit möglichen Gegenargumenten auseinander zu setzen und insbesondere auch die spezifischen Befindlichkeiten von Gesprächspartnern aus der interessierten Öffentlichkeit zu kennen.

Diese Einführung will positive Einstellungen zur Tradition fördern und dazu Ideen für einen engagierten und zukunftsweisenden Umgang mit ihr anbieten. Gerade weil Tradition so wichtig ist, gibt es darüber Streit. Er gehört dazu, sollte jedoch entschärft werden, indem man Streit für normal hält. Traditionsstreite gehören genauso wie Auseinandersetzungen über die Geschichtspolitik oder die Erinnerungskultur zu einer Demokratie. Nur in Diktaturen oder autoritären Herrschaftsformen gibt es diesen Streit offensichtlich nicht. Diese geben die richtige Tradition von oben „perfekt" vor.

Nachdenklich stimmt – und dieser Gedanke ist eine gute Überleitung zum folgenden Kapitel – ein Befund des Historikers Klaus Naumann als einem der wirklich ausgewiesenen Kenner der Bundeswehr. Er schreibt: „Der bei den Workshops (zur Ausarbeitung des neuen Traditionserlasses; U.H.) aufscheinende Gegensatz zwischen einer militärischen und einer gesellschaftlichen Perspektive auf das Traditionsproblem sollte genauer bestimmt werden. Was könnte unter einer integrationsfähigen, was könnte unter einer einsatzfähigen Traditionsbildung verstanden werden? Gibt es dafür einen gemeinsamen Nenner – oder entwickeln sich Militär und Gesellschaft ohnehin auseinander? Das wird von beiden Seiten bestritten werden, aber die Reibungsflächen sind unübersehbar. Die Gesellschaft wird sich immer wieder an soldatischen (‚tribalen') Praktiken und Riten reiben, das Militär wird seinerseits auf den Eigenarten seines Milieus und seiner Profession bestehen, die keinen Beruf bietet ‚wie jeder andere'. Das taugt immer wieder für Skandale, aber dabei geht's im Kern um die gegenseitige Normenbekräftigung: Was ist intolerabel, was akzeptabel, was vorbildlich? Die Gretchenfrage ist die Bewahrung der Menschenwürde – eine Basisformel des Grundgesetzes (Art. 1), hinter der sich nicht allein – negativ – die Strafrechtsordnung oder – positiv – der Anspruch auf die freie Entfaltung der Persönlichkeit verbirgt, sondern zugleich ein vorrechtlicher Appell ausgesprochen ist, der der Bewahrung und Pflege einer Sittlichkeit gilt, die das Zusammenleben im demokratischen Staat überhaupt erst möglich macht. Diese Erwartung an die Sittlichkeit von Verhalten und Haltung, die sich im Prinzip an alle Bürger richtet, hat im Militär aus naheliegenden Gründen eine besondere Bekräftigung erfahren durch die Eidesformel und das Soldatengesetz; sie richtet sich nicht allein auf Treue und Tapferkeit, sondern ebenso sehr auf Kameradschaft, Aufrichtigkeit, Gewissenhaftigkeit oder Verschwiegenheit. Der Sinn dieser gegenüber dem Bürger gesteigerten Inpflichtnahme liegt in dem Sonderverhältnis staatlich-politischer Gewaltmonopolisierung; ihr Urgrund ist das Dienstverhältnis. Es soll garantiert (zumindest aber bekräftigt) werden, dass militärische Gewaltausübung und damit das Soldatenhandwerk generell einer kontrollierten, effektiven und verantwortlichen Zweckbindung und Zieldefinition unterliegt."[204]

Klaus Naumann weist also auf den bestehenden „Gegensatz zwischen einer militärischen und einer gesellschaftlichen Perspektive auf das Traditionsproblem" hin. Bevor Soldaten sich auf die Suche nach einem „gemeinsamen Nenner" machen, sollten sie sich jedoch darüber verständigen, was die von Klaus Naumann angesprochene „Sittlichkeit von Verhalten und Haltung" für sie konkret bedeutet; und weiterhin, welche Inhalte des soldatischen Erbes unverzichtbar sind, warum diese so wichtig sind und wo gesetzliche Grenzen liegen. Angesichts unterschiedlicher Erwartungen zwischen den Organisationsbereichen der Bundeswehr und ihren Generationen dürfte dies nicht einfach sein. Dennoch sollte der Versuch gewagt werden. Das Ergebnis dieses Aushandlungsprozesses könnten sie anschließend mit Politik und Gesellschaft diskutieren, um gemeinsam herauszufinden, was akzeptabel und damit integrationsfähig ist. Es handelt sich um einen auf zwei Ebenen (Bundeswehr intern und extern) verlaufenden kommunikativen Prozess, wie er für Demokratien sinnvoll ist. Die Soldaten können darin ihre Perspektive einbringen; sie sollten sogar die Prozesse initiieren und wo immer möglich gestalten. Es handelt sich also um ein proaktives Engagement und nicht um ein reaktives Krisenmanagement, wenn das Kind bereits in den Brunnen gefallen ist, d.h. wenn Politik und Gesellschaft angesichts von Skandalen „aufschreien". Hierbei wird auch deutlich, wie wichtig es ist, dass sich die Soldaten in Politik und Gesellschaft mit demokratischen Mitteln artikulieren, aber auch, wie wichtig die identitäts- und kulturstiftende Funktion von Tradition ist, damit Soldaten sich mit ihren Interessen und begrün-

---

[204] Klaus Naumann, Der Wald und die Bäume. Spannungsfelder in der Traditionsdiskussion der Bundeswehr. In: Donald Abenheim, Uwe Hartmann (Hrsg.), Tradition in der Bundeswehr, Berlin 2018, S. 64-65.

deten Ansichten in die politischen Debatten und Entscheidungsprozesse einbringen können.

Diese in diesem Kapitel angesprochenen Praxisfelder von Tradition und Traditionspflege zeigen, dass es noch sehr viel zu tun gibt, dass der Gestaltungsraum sehr groß ist, und dass es sich lohnt, sich auf diesem Felde persönlich zu engagieren.

Zum Schluss dieses Kapitels wollen wir noch einen wichtigen Zusammenhang herausarbeiten. Tradition kann den Soldaten dabei helfen, intensiver durch Politik und Gesellschaft wahrgenommen zu werden und so die gewünschte Aufmerksamkeit und Wertschätzung zu erhalten. Wir dürfen diesen Wunsch nicht unterschätzen und als bloße „Gier" abtun. Zunächst einmal ist der Wunsch danach eine anthropologische Konstante. Heute, in einer Zeit großer Unübersichtlichkeit und Verunsicherung, ist er wahrscheinlich stärker ausgeprägt als noch vor 30 oder 40 Jahren. Und da Soldaten berufsbedingt in besonderer Weise mit Ungewissheit und Gefahren konfrontiert sind, ist ihr Verlangen danach größer als in vielen anderen Berufsgruppen. Sie benötigen daher ein hohes Selbstwertgefühl. Politik und Gesellschaft sollten diese sozialpsychologischen Zusammenhänge erkennen und darauf unterstützend reagieren. Denn „wer nicht die Aufmerksamkeit bekommt, die er haben zu müssen glaubt, fängt an, diejenigen schlechtzureden, die ihm den ersehnten Beitrag verweigern."[205] Es bestünde sogar die Gefahr, dass Soldaten ihre Identität durch Ablehnung beispielsweise der offenen, liberalen Gesellschaft oder sogar der demokratischen Spielregeln entwickelten. Damit soll nicht gesagt werden, dass die Soldaten vor Kritik geschützt werden sollten. Nein, Widerstandserfahrungen im Umgang mit dem Anderen, also beispielsweise mit Politik und Gesellschaft, sind wichtig für die Schärfung soldatischer Identität. Auf diese Dialektik weist Thea Dorn hin, wenn sie schreibt: „Individuelle Konturen entstehen nur im Wechselspiel von Anerkennung *und* Ablehnung, von Unterstützung *und* Widerstand, von Gelingen *und* Scheitern."[206] Die subjektive Wahrnehmung bei vielen Soldaten, grundsätzlich und permanent abgelehnt zu werden, ist jedoch für die Identitätsbildung alles andere als gesund. Nicht zuletzt aus Trotz könnten Soldaten sich in die Scheinwelt einer „heroischen Gemeinschaft" zurückziehen oder einem „identitären Wahn"[207] unterliegen.

Darüber hinaus könnten sich Soldaten eigene Gewissheiten schaffen, was zu einer Abkopplung von Politik und Gesellschaft oder in die Suche nach ein-

---

[205] Siehe dazu Axel Hacke, Über den Anstand in schwierigen Zeiten…, a.a.O., S. 89.
[206] Thea Dorn, deutsch, nicht dumpf. Ein Leitfaden für aufgeklärte Patrioten, München ³2018, S. 85.
[207] Thea Dorn, deutsch, nicht dumpf, a.a.O., S. 113.

fachen und möglichst geschlossenen Geschichtsbildern münden kann. Traditionalistisches Denken, das die Gesellschaft als dekadent abqualifiziert und die Streitkräfte als „Notgemeinschaft" stilisiert und das bereits in der Gründungsphase der Bundeswehr Grundlage für die Kritik der Inneren Führung war[208], findet heute unter Soldaten zunehmend Zuspruch. Sie könnten sogar besonders anfällig werden für Populismus und Rechtsradikalismus. Und die Hinweise, dass bestimmte politische Gruppierungen aus dem Wunsch der Soldaten nach Anerkennung politisches Kapital schlagen wollen, sind doch deutlich erkennbar. All dies belastete die zivil-militärischen Beziehungen und damit Demokratie, Recht und Freiheit in unserem Land. Soldaten untergrüben also das, was ihr soldatisches Erbe im 21. Jahrhundert ist und worauf sie zu Recht stolz sein dürfen. Das Gesprächsangebot, das Tradition bietet, könnte beitragen, diese Gefahren zu verringern. Konkret bedeutet dies: Soldaten müssten auf Politiker und Bürger ohne Uniform mit Themen aus dem weiten Feld der Tradition zugehen; diese wiederum müssten mit engagiertem Interesse darauf antworten. Hierfür gibt es ein eindrucksvolles Beispiel: Es ist der öffentliche Auftritt von Major i.G. Marcel Bohnert und Fregattenkapitän Sven Könnecke bei einer Veranstaltung zur Verleihung des Preises des Goldenen Bloggers (das ist so etwas wie die Goldene Himbeere als Gegenstück zum Oskar in der Filmwelt). Sie nahmen diesen Preis persönlich entgegen (was bei früheren Preisträgern nicht der Fall war) und vertraten auf diese Weise nicht nur Werte, für die die Bundeswehr insgesamt steht, sondern gewannen auch viel Sympathie bei dem insgesamt eher bundeswehrkritischen Publikum.[209] Derartiges Handeln auch von höherer Stelle zu würdigen, wäre nicht nur Beleg für eine gute Führungskultur, sondern auch ein Beitrag für die Stiftung von Traditionen.[210]

Im nächsten Kapitel haben wir uns vorgenommen, den historischen Kontext darzustellen, in dem Traditionen gestiftet und entsprechende Erlasse geschrieben worden sind. Dies ist für das Verständnis der Traditionsstreite, der daraus resultierenden Erlasse sowie einer erlasskonformen Traditionspflege unverzichtbar.

---

[208] Siehe Frank Nägler, Der gewollte Soldat und sein Wandel, a.a.O., S. 129-131.
[209] Siehe dazu https://de-de.facebok.com/infobundeswehr2.0/posts/2193145264076542. Siehe auch Marcel Bohnert, Lena Lütz, #Uniformgate. Zu Bunt gehört auch grün – Die Bundeswehr auf neuen Wegen aus der gesellschaftlichen Integration. In: Jahrbuch Innere Führung 2018, herausgegeben von Uwe Hartmann und Claus von Rosen, S. 41-57.
[210] Tatsächlich wäre es eine Wiederbelebung von Traditionen, die die Bundeswehr früher einmal auszeichneten. Siehe dazu die Beispiele in Uwe Hartmann, Der gute Soldat, a.a.O., S. 93-94; siehe auch Gustav Lünenborg, Bürger und Soldat. Innere Führung hautnah 1956-1993, Berlin 2015.

2. Die Traditionsstreite und -erlasse in der Geschichte der Bundeswehr

2.1 Tradition im sicherheitspolitischen, militärstrategischen und gesellschaftlichen Kontext

Weshalb ist das soldatische Kulturerbe der Bundeswehr ein solch kontroverses Thema? Es mag zwar auf den ersten Blick nicht so erscheinen, gleichwohl ist militärische Tradition niemals ein starres Konzept, noch dazu monolithisch geformt oder gegossen. Je genauer man hinsieht, desto mehr stellt man fest, dass Inhalte und Formen des gültigen Kulturerbes durch neue sicherheits- und verteidigungspolitische Herausforderungen und veränderte innenpolitische Machtverhältnisse sowie durch die Organisation und das Personal der Streitkräfte geprägt und immer wieder verändert werden.

Den jüngeren Soldatengenerationen mit ihrer Kritik und ihrem Reformeifer kommt dabei eine besondere Rolle zu. Sie stellen das in Frage, was ihre Vorgänger noch als feststehende Grundlage des soldatischen Dienens betrachtet hatten. Vor einem halben Jahrhundert, in den 1960-er und 1970-er Jahren, stellten junge Studenten an deutschen Universitäten nicht nur die Legitimation des Vietnam-Krieges der USA in Frage, sondern auch den Umgang ihrer Väter mit der deutschen Geschichte, vor allem mit der nationalsozialistischen Vergangenheit. Daraus erwuchs schließlich eine massive Kritik nicht nur an der Außen- und Sicherheitspolitik der Bundesregierung, sondern auch am Traditionsverständnis der Bundeswehr. „1968" steht dafür als Chiffre. Diese kritische Haltung erreichte ihren Höhepunkt Anfang der 1980-er Jahre. Damals fanden Massendemonstrationen gegen die geplante nukleare Nachrüstung der NATO mit der Stationierung von Mittelstreckenraketen auf (west-)deutschem Boden statt. Aktionen gegen Zeremonielle und Rituale der Bundeswehr als Formen soldatischer Traditionspflege und militärischen Brauchtums arteten in Gewalt aus. In deren Mittelpunkt standen oftmals die öffentlichen feierlichen Gelöbnisse. Davon wurden auch die jungen Offiziere und Offizieranwärter, die an den Universitäten der Bundeswehr studierten, beeinflusst.

Ein neueres Beispiel für öffentliche Beeinflussungen und deren Rezeption bei den Soldaten bildet eine Gruppe junger studierender Offiziere und Offizieranwärter an der Helmut-Schmidt-Universität/Universität der Bundeswehr Hamburg, die sich angesichts des eskalierenden Kampfeinsatzes der Bundeswehr in Afghanistan schriftlich zu ihrem Selbstverständnis äußerten. Sie gaben ihrem bereits angesprochenen, im Jahr 2014 erschienenen Buch den programmatischen Titel „Armee im Aufbruch"[211]. Ihr engagierter Versuch, eine gesamtgesellschaftliche sicherheitspolitische Debatte anzustoßen, reichte allerdings nicht aus, um die politische Leitung und militärische Führung der Bundeswehr zu bewegen, die Arbeit an einem neuen Traditionserlass sogleich konkret anzuweisen – wiewohl die jungen Offiziere aus den Kampftruppen der Bundeswehr deren Umgang mit Geschichte und Tradition in Frage stellten. So gesehen hätten eigentlich die Alarmglocken zu einer ernsthaften Auseinandersetzung mit dieser Kritik läuten müssen. Dazu gab, wie seinerzeit bei den Traditionserlassen von 1965 und 1982, erst der Umgang einzelner Angehöriger der Bundeswehr mit der Wehrmacht den entscheidenden Anstoß. Denn Anfang des Jahres 2017 wirkte der Fall des jungen Oberleutnants Franco A. und das im Zuge der Ermittlungen öffentlich gemachte Auffinden von „Wehrmachtsdevotionalien" auf Teile der deutschen Politik und Öffentlichkeit wie ein Schock.

Betrachten wir nun näher, wie sich die Wechselwirkungen zwischen Sicherheits- und Verteidigungspolitik, innenpolitischen Machtverhältnissen, gesellschaftlichen Debatten und Entwicklungen innerhalb der Bundeswehr einerseits und dem Traditionsverständnis andererseits in Deutschland seit 1949 entwickelt haben. Um das heutige Traditionsverständnis der Bundeswehr zu verstehen, ist der Blick in ihre Geschichte und das heißt – bei aller offensichtlichen Harmonie – vor allem auf ihre Kontinuitäten und Diskontinuitäten erforderlich.

Von 1948 bis zur Wiederbewaffnung im Jahr 1955 geriet die öffentliche Frage nach dem Erbe des deutschen Soldaten in Ost- und Westdeutschland zunächst in den Sog eines plötzlichen Kurswechsels. Nicht mehr Entnazifizierung und Abrüstung waren das Erfordernis der Stunde, sondern Demokratisierung und Aufrüstung.[212] Damit stellte sich unweigerlich die Frage nach dem Selbstverständnis des *neuen* deutschen Soldaten und seinen Wertvorstellungen. Die Rahmenbedingungen waren diesmal allerdings ganz andere als 1919 oder 1935. Das Kriegsbild hatte sich radikal geändert ebenso wie die politischen Strukturen mit ihren nunmehr demokratischen zivilmilitärischen Beziehungen. Diese waren juristisch garantiert durch die Ordnung des Grundgesetzes und pragmatisch abgesichert von der alliierten Schutzmacht USA. Die damalige westdeutsche Regierung unter Konrad Adenauer verfolgte eine eindeutige Westbindung der Bundesrepublik Deutschland. Demokratie, Recht und Freiheit sollten daher auch das Selbst-

---

[211] Marcel Bohnert, Lukas J. Reitstetter, Armee im Aufbruch. Zur Gedankenwelt junger Offiziere in den Kampftruppen der Bundeswehr, Berlin 2014.
[212] Bzw. Sowjetisierung im Falle der DDR. Siehe dazu Torsten Diedrich, Rüdiger Wenzke, Die getarnte Armee: Geschichte der kasernierten Volkspolizei der DDR, Berlin 2001.

verständnis des neuen Soldaten bestimmen und dieses eindeutig von den Vorgängern der Bundeswehr, insbesondere von der nationalsozialistischen Wehrmacht, abgrenzen. Der ostdeutschen Regierung hingegen stand die Schaffung einer Armee sowjetischen Typs vor Augen – gemäß sowjetischer Vorgaben sowie der geschichtsselektiv orientierten Vorstellung, die DDR beherzige künftig am allerbesten die Devise „Von der Sowjetunion lernen, heißt, siegen lernen." Die Nationale Volksarmee der DDR (seit 1956) und deren Vorläuferorganisation namens „Kasernierte Volkspolizei" (1952 bis 1956) waren militärische Formationen sozialistischen sowjetischen Typs. Der Auftrag hinsichtlich ihres Selbstverständnisses war klar: Bewusster Bruch mit dem soldatischen Ideal der Reichswehr und der Wehrmacht, die als Ausdruck kapitalistischer Klassenherrschaft von vornherein nicht in Frage kamen. Die Details dieses Ansatzes führten in der Praxis jedoch zu Problemen sowohl beim beruflichen Selbstverständnis als auch bei der Auswahl der militärischen Symbolik. Die an die Wehrmacht angelehnte Uniform des NVA-Soldaten bestätigt dies anschaulich, ebenso die Sozialisation der Aufbaugeneration der NVA (unabhängig davon, ob diese vor kurzem noch Uniformträger der Wehrmacht gewesen waren oder im sowjetischen Exil gelebt hatten).[213] Ihr Auftreten in der Erziehungsdiktatur DDR legte absolut nicht Zeugnis ab für den neuen Menschen des Sozialismus.

Die Gründung der beiden deutschen Armeen dauerte vom Ende der 1940-er bis in die Mitte der 1950-er Jahre, ja bis zum Beginn der 1960-er Jahre. Es war ein Prozess, kein bloßes Ereignis. Und dieser nur oberflächlich gradlinige und widerspruchsfreie Prozess wurde stark von der innenpolitisch vorherrschenden „Ohne-mich"-Stimmung geprägt. Sie wurde offen artikuliert in der westdeutschen Demokratie, aber nur verhalten kultiviert von den Deutschen in der sozialistischen Diktatur, soweit es dort die Repression und das Konformitätsbekenntnis überhaupt zuließen. Während es bei der Wiedereinführung der Wehrpflicht im Dritten Reich im Jahr 1935 noch eine weit verbreitete Begeisterung gab, stellte sich die Situation nun in beiden deutschen (Teil-)Staaten völlig anders dar. Sowohl in der Bundesrepublik Deutschland als auch in der DDR, und überdies auch auf internationaler Ebene, herrschte eine tiefe Skepsis gegenüber alten preußischen Soldatentraditionen. Dies ist mehr als verständlich: Die Brutalität militärischer Disziplin und der Missbrauch menschlichen Lebens waren im Zweiten Weltkrieg offen zutage getreten. Der Blick auf die davon zu differenzierende Gewaltkultur des Ersten Weltkrieges war zumindest in Deutschland vielfach

---

[213] Siehe Peter Joachim Lapp, Die Zweite Chance: Wehrmachtsoffiziere im Dienste Ulbrichts, Aachen 2010; Stephan Fingerle, Waffen in Arbeiterhand? Die Rekrutierung des Offizierkorps der NVA und ihrer Vorläufer, Berlin 2001.

noch ungetrübt. Im Ausland dagegen galt die einfache Formel „Preußen gleich Nazi".

Die Aufstellung der Bundeswehr erfolgte langsam und wurde von einer Welle öffentlichen Unbehagens begleitet. Zugleich löste die Gründung dieser Streitmacht eine intensive Debatte über die Frage aus, ob die Bundesrepublik der westlichen Gemeinschaft sowie dem institutionellen Gefüge westlicher Werte beitreten oder – dem Westen irgendwie doch aufgeschlossen – neutral bleiben sollte. Die Gegner der Adenauerschen Politik der Integration in den Westen bildeten keinen monolithischen Block. So stand die deutsche Sozialdemokratie dem NATO-Beitritt der Bundesrepublik bis 1959 sehr skeptisch gegenüber, weil dieser die deutsche Wiedervereinigung unter demokratischen Vorzeichen verhinderte. Deren Haltung gegenüber der Europäischen Wirtschaftsgemeinschaft war davon grundverschieden. Ausgesprochene Nationalneutralisten fanden sich eher auf Seiten der unorthodoxen Linken und des einstmals deutschnationalen Wählerspektrums, welches geistig noch nicht „automatisch" in der Bundesrepublik angekommen war. Die Aufstellung der Bundeswehr wurde nicht nur vom Erbe des Dritten Reichs überschattet, sondern auch von der durchaus legitimen Frage, weshalb die Weimarer Republik gescheitert war und welche Rolle das Militär in der ersten Demokratie gespielt hatte. Bonn sollte nicht Weimar sein. Und so begleitete die Aufstellung der Bundeswehr immer die Forderung im In- und Ausland, dass diese Armee eben kein Remake der Reichswehr darstellen durfte. Es sei der Vollständigkeit halber erwähnt, dass die historisch-politische Sensibilität hierfür bei effizienzorientierten und pragmatischen westlichen Militärs nicht so ausgeprägt war wie bei deutschen Politikern mit dem Erfahrungsschatz der 1920er-Jahre.[214]

Der damaligen Bundesregierung unter Bundeskanzler Konrad Adenauer gelang es, die neuen deutschen Streitkräfte auf Basis pluralistischer und verfassungsrechtlicher Prinzipien zu gründen. Es ging der offiziellen Politik aber nicht nur darum, die Rechte der Bürger zu schützen. Angesichts der gefährlichen sicherheitspolitischen Lage, wie sie jedermann durch den Korea-Krieg von 1950 bis 1953 offen vor Augen stand, mussten sie gleichzeitig deren militärische Effizienz gewährleisten.[215] Auch hierbei kam es zu Kon-

---

[214] Fritz René Allemann, Bonn ist nicht Weimar, Köln 1956. Siehe auch das Vorwort von Gordon Craig in Donald Abenheim, Bundeswehr und Tradition, München 1989, S. XI-XII. Interessant sind hierfür auch die vom damaligen MGFA herausgegebenen stenographischen Berichte der Sitzungen der Vorgängerorganisation des Verteidigungsausschusses des deutschen Bundestages (bislang sind 4 Bände erschienen).

[215] Im vom BMVg 1957 erstmalig herausgegebenen „Handbuch Innere Führung" heißt es: „In unserer Situation des Neuaufbaues von Streitkräften lautet die einzig legitime Frage: Wie

troversen und Konflikten[216]; denn die strategischen und operativen Erfahrungen des noch nicht lange zurückliegenden Krieges wurden durch die Existenz und beginnende Verbreitung von Atomwaffen in Frage gestellt. Hinzu kam das Problem, dass Deutschland in zwei konkurrierende Staaten geteilt wurde, deren Armeen sich nun feindlich gegenüberstanden. Insgesamt stellte sich die Frage, ob die Rolle des Soldaten in Staat und Gesellschaft sowie die traditionellen Konzepte in den Bereichen Strategie, Operationsführung und Taktik noch gültig sein konnten. Die neuen Streitkräfte sollten zwar anders aussehen und handeln als die Wehrmacht und die Reichswehr. Doch was das konkret bedeutete, darüber bestand weder innerhalb des Militärs noch in Politik und Gesellschaft Konsens. Man war sich nur darüber einig, dass ein Missbrauch der Soldaten für Angriffskriege und die unmenschliche Disziplin in den militärischen Einheiten sich nicht wiederholen durften. Allerdings war ein nicht unerheblicher Teil der ehemaligen Stabsoffiziere aus Reichswehr und Wehrmacht nicht bereit, ihre eigene Vergangenheit kritisch zu bewerten. Sie glaubten zudem, eine besondere Brillanz in der Kriegsführung vor allem in Osteuropa zu besitzen.[217]

Der Bundesregierung gelang es schließlich mit breiter Unterstützung des Parlaments, die neuen deutschen Streitkräfte in den verfassungsrechtlichen Rahmen des Grundgesetzes einzubinden. Sie führten damit einen radikalen Wandel im Bild des Soldaten herbei.[218] Dass dieser notwendig war, zeigte der Blick auf die verwüsteten deutschen Städte, die verurteilten Kriegsverbrecher und die ausgehungerten ehemaligen deutschen Soldaten, die aus sowjetischer Kriegsgefangenschaft zurückkehrten. Dass auch die Öffentlichkeit eine Abkehr vom traditionellen Soldatenbild forderte, kommt in einer Reihe von Filmen zum Ausdruck, in denen betrunkene Feldwebel und feige Offiziere satirisch karikiert wurden.[219]

Innerhalb des Amtes Blank, des Vorläufers des heutigen Verteidigungsministeriums, wurden die verfassungsrechtlichen und liberalen Prinzipien in

---

kann die deutsche Bundeswehr in der Mitte des 20. Jahrhunderts zu einem Instrument von höchster Schlagkraft gestaltet werden?" (S. 17).

[216] Siehe Bogislaw von Bonin, Atomkrieg unser Ende, Recklinghausen 1955.

[217] Siehe Gotthard Breit, Das staats- und Gesellschaftsbild deutscher Generale beider Weltkriege im Spiegel ihrer Memoiren, Boppard 1973; Oliver von Wrochem, Erich von Manstein: Vernichtungskrieg und Geschichtspolitik, Paderborn/München 2006. Vgl. auch Frank Pauli, Wehrmachtsoffiziere in der Bundeswehr. Das kriegsgediente Offizierkorps der Bundeswehr und die Innere Führung 1955-1970, Paderborn 2010.

[218] Siehe dazu die detaillierte Untersuchung von Frank Nägler, Der gewollte Soldat und sein Wandel. Personelle Rüstung und Innere Führung in den Aufbaujahren der Bundeswehr 1956 bis 1964/65, München 2010.

[219] Siehe dazu Bernard Chiari, Matthias Rogg, Wolfgang Schmidt (Hrsg.), Krieg und Militär im Film des 20. Jahrhunderts, München 2003.

der Konzeption der Inneren Führung mit ihrem Leitbild des ‚Staatsbürgers in Uniform' umgesetzt. Der ehemalige Reichswehr- und Wehrmachtsoffizier Wolf Graf von Baudissin spielte hierbei eine wichtige, um nicht zu sagen, die zentrale Rolle.[220] Allerdings stieß die Innere Führung nicht auf ungeteilte Akzeptanz. Sie litt auch darunter, dass die Westbindung der neuen Bundesrepublik Deutschland und ihre Mitgliedschaft in der Atlantischen Allianz nicht von allen unterstützt wurden. Westbindung oder deutscher (Sonder-) Weg bzw. Mitgliedschaft in der NATO oder Neutralität wie in Österreich 1955, das alles waren kontrovers diskutierte Fragen. Die Debatten erreichten einen ersten Höhepunkt in den 1960-er Jahren. Sie werden auch heute wieder geführt, gerade weil die Bundeswehr nicht mehr als ein bloßes Kind des Kalten Krieges gelten kann. Sie ist vielmehr Ausdruck nunmehr gesamtdeutscher Staatlichkeit in einer Welt, in der „der Westen" offensichtlich nicht mehr der Westen wie einst ist.[221]

Im Unterschied zur Weimarer Republik war in der Bonner Republik der Staat vor der Armee da. Die Bundeswehr wurde erst gut sechs Jahre nach der Bundesrepublik Deutschland gegründet. Sie war überdies im bürgerlichen Denken nur ein begrenzter Ausdruck souveräner Staatlichkeit; denn die Kampfverbände der Bundeswehr waren von vornherein der NATO assigniert. Überdies beinhaltete die Konzeption der Inneren Führung eine Reihe von ehrgeizigen Wertvorstellungen über den Soldatenberuf sowie weitreichende Bürgerrechte für die Soldaten. In diesen Vorstellungen spiegelte sich die zeitgenössische Skepsis derjenigen wider, die gerade aus dem Krieg in ein besiegtes Land zurückgekehrt waren. Der Missbrauch soldatischer Ideale und Symbole, wie es ihn insbesondere in der Zeit des Nationalsozialismus gegeben hatte, wurde von der Mehrheit der jungen Menschen und auch von Älteren abgelehnt. Wolf Graf von Baudissin war deren Galionsfigur. Er personalisierte den notwendigen Neuanfang. Doch gleichzeitig polarisierte er vor allem innerhalb der Streitkräfte und geriet immer stärker in die Rolle eines Blitzableiters für diejenigen, die den Wandel nicht so radikal oder überhaupt nicht wollten.[222] Obwohl Baudissins Kritiker das

---

[220] Siehe dazu Claus von Rosen, Zur Einführung: Baudissins dreifache politisch-militärische Konzeption für den Frieden. In: Wolf Graf von Baudissin, Grundwert: Frieden in Politik – Strategie – Führung von Streitkräften, herausgegeben von Claus von Rosen, Berlin 2014, S. 9-36.

[221] Zur Zukunft des Westens und der damit verbundenen Politik und Wertewelt siehe Heinrich August Winkler, Zerbricht der Westen? Über die gegenwärtige Krise in Europa und Amerika, München ²2017.

[222] Seine zahlreichen und lauten Kritiker wurden seinerzeit als Traditionalisten beschrieben. In mancher Hinsicht ließ sich auch die Bundesrepublik der frühen Adenauer-Ära als „traditionalistisch" beschreiben.

Grundgesetz und die Westbindung akzeptierten, hielten diese weiterhin daran fest, dem Soldaten einen gesellschaftlichen Sonderstatus einzuräumen.[223] Für sie stand das Militär abseits der Verbrechen des Nationalsozialismus – was heute schockierend anmutet, angesichts des gigantischen Ausmaßes, in dem viel zu viele Soldaten auch Kriegsverbrechen begangen hatten.

Die Grundsätze der Inneren Führung wurden im Zuge der Erarbeitung der Wehrgesetze in der ersten Hälfte der 1950-er Jahre festgelegt. Dennoch zögerten die Verantwortlichen im damaligen Bundesministerium für Verteidigung in Bonn, die Merkmale eines gültigen soldatischen Erbes exakt zu bestimmen. Eine praktische Liste mit Vorgaben, wie sie in der Zeit zwischen 1871 und 1945 existiert hatten[224], gab es nicht. Baudissins Reden und Schriften, in denen er sich zu Traditionsfragen geäußert hatte, sprachen eher die gebildete Mittelschicht (noch dazu protestantischer Herkunft) und skeptische Meinungsmacher an, die sich vom Auftreten und Charakter dieses intellektuellen preußischen Adeligen angezogen fühlten, der so gar nicht dem Klischee des bornierten Militaristen und zeitlich überlebten „Krautjunkers" entsprach. Für die Belange der Truppe waren sie weniger geeignet, auch wenn seine Vorträge wesentliche Kapitel des 1957 erstmalig und 1972 in fünfter Auflage erschienenen Handbuchs Innere Führung ausmachten.[225]

Die kaum mitreißende Symbolik und die nur verhaltenen Rituale des neuen westdeutschen Militärs gemäß dem Motto „Armee ohne Pathos" und „Der Stechschritt ist verboten" unterschieden sich erheblich von denen vor 1945. Sie stießen dennoch bei Kritikern in der Zivilgesellschaft und in den Reihen des Militärs auf Widerstand. Bei den Kritikern gab es in der Tat eine „unheilige Allianz" zwischen denjenigen, die zur politisch Linken wie zur politisch Rechten gehörten und die Bundeswehr ablehnten sowie denjenigen, die innerhalb der Bundeswehr die Innere Führung, letztlich jegliche Form von Reform zurückwiesen. Die westdeutsche Wehrreform wurde auch in der deutsch-deutschen Propaganda des Kalten Krieges thematisiert.[226] Darin galt „Tradition" als Codewort für Nazismus oder Kommunismus – je nachdem, auf welcher Seite der deutsch-deutschen Grenze man sich befand. Aber nicht nur; denn Hitler und den Seinen war es erstaunlich weit gelungen, den für die Tradition so wichtigen Begriff der Nation unter ihre Deu-

---

[223] Heinz Karst Das Bild des Soldaten, Boppard 1964.

[224] Siehe beispielsweise Kurt Hesse, Die soldatische Tradition, Frankfurt a.M. 1940; Fritz Otto Busch, Traditionshandbuch der Marine, München 1937.

[225] BMVg, Handbuch Innere Führung, Bonn 1957 ([5]1972).

[226] Siehe beispielsweise Joachim Hellwig et al., Der 20. Juli 1944 und der Fall Heusinger, Berlin (Ost) o.J. (1959).

tungshoheit zu bringen.[227] Die staatstragenden Parteien der Bundesrepublik Deutschland tragen daran noch heute in unterschiedlicher Intensität.

Wer sich mit dem Thema der Tradition in der Bundeswehr und dem Zustandekommen der Traditionserlasse beschäftigt, muss also deren Kontext beachten. Dieser Kontext seit dem Jahre 1949 umfasst die Sicherheits- und Verteidigungspolitik der jeweiligen Bundesregierungen genauso wie deren Kritik in Öffentlichkeit und Militär sowie die Veränderungen in der Zusammensetzung des Personals der Streitkräfte. Wichtige Bezugspunkte waren auch Alliierte und Gegner, also die NATO bzw. der Warschauer Pakt. Eine besondere Rolle spielt die Führungsphilosophie der Inneren Führung. Ihre Grundsätze sowie Leitbilder geben die Maßstäbe für die Auswahl von Traditionsgütern sowie die Formen ihrer Pflege vor. Wenn die Innere Führung jedoch keine Akzeptanz findet, kann sie diese Funktion nicht wahrnehmen. Sie gerät dann auch in den Strudel innerhalb der zahlreichen Konfliktlinien, wie sie gerade für Umbruchsituationen typisch sind. Positionen und Stellungnahmen beruhen allerdings nicht immer auf verteidigungs- oder gesellschaftspolitisch begründeten Überlegungen, sondern sind manchmal ganz einfach nur der Wunsch nach einer Rückkehr zu den vertrauten Praktiken des vergangenen Krieges. Diese Haltung entstammt weniger dem Neonazismus oder Militarismus als vielmehr einer beruflich bedingten Ablehnung gegenüber Änderungen jeder Art im Soldatenbild und im Kriegsbild. Dieser Konservatismus ist wirklich vielen Streitkräften eigen.

In den frühen 1960-er Jahren der Bundesrepublik Deutschland überschnitten sich eine Reihe öffentlicher Kontroversen über Härte in der Ausbildung (z.B. Nagold) und Misshandlung von Wehrpflichtigen bzw. über rückwärtsorientierte oder reaktionäre Offiziere in der Bundeswehr mit dem Wiedererstarken rechtsradikaler Politik im Gefolge der ersten Wirtschaftsrezession der jungen Bundesrepublik (1963/64 bis 1968) und am Vorabend ihrer (ersten) Großen Koalition (1966-1969). Zuvor war die Ära Adenauer zu Ende gegangen (1949-63), während der Kalte Krieg zunehmend in Gefahr stand, einen Weltenbrand auszulösen. Dies ist der Kontext, in dem der erste Traditionserlass der Bundeswehr entstand.

Traditionserlass von 1965

Die Schwierigkeiten, Innere Führung im realen Soldatenalltag praktikabel zu gestalten, führten unausweichlich zu Situationen, in denen Soldaten, arglos oder nicht, Elemente des alten Traditionsverständnisses wieder aufleben

---

[227] Vgl. das Schlusskapitel in Sebastian Haffner, Anmerkungen zu Hitler, München 1979, S. 183-204. Siehe auch Friedrick Meinecke, Die deutsche Katastrophe, Wiesbaden 1946.

ließen. So verliehen beispielsweise militärische Führer inoffiziell Truppenfahnen, die es in der Reichswehr und Wehrmacht gegeben hatte, an Einheiten der Bundeswehr. Dies geschah zwar entsprechend der Trageerlaubnis für vor 1945 verliehene Orden in entnazifizierter Form, aber analog dem Verfahren, welches nach 1919 für die Reichswehr im Verhältnis zu Truppenteilen deutscher Kontingentsarmeen zu Zeiten des Kaiserreichs und davor gegolten hatte. Manch neu aufgestellter Bundeswehrtruppenteil nahm offiziell Verbindung zu einer Veteranenorganisation auf, ohne dass eine offizielle Genehmigung seitens des BMVg dafür vorlag. Das Ganze geschah in einem halbversteckten Dissens frei nach der Methode „don't ask – but tell". Es ging nicht um historische Reflexion, sondern um das Aufnehmen alter Bande. Dahinter stand oftmals kein böser Wille, sondern die Suche nach Handlungssicherheit in einer Vergangenheit, die – jedenfalls bis 1918 – so schlecht doch nicht gewesen sei. Das Verlangen nach ungebrochener Tradition entsprach der damaligen (west-) deutschen Mehrheitsgesellschaft, nur: in sich stimmig war die Angelegenheit nicht; denn es stellte sich mehr und mehr Wildwuchs ein.[228] Die Antwort der politischen Leitung und militärischen Führung der Bundeswehr musste also über kurz oder lang in der Kodifizierung der Werte und Grundsätze der Tradition in einem einzigen Dokument geschehen – ein ehrgeiziges Unterfangen, das aber auf ein großes Interesse der Zivilgesellschaft stieß. Die Verfasser dieses Dokuments konnten also mit aktiver kontroverser Unterstützung von außerhalb der Bundeswehr rechnen. 20 Jahre nach der „Stunde Null" sowie in der letztlich kurzen Regierungszeit des „Wirtschaftswunderkanzlers" Ludwig Erhard entstand schließlich der erste Traditionserlass.

Die verschiedenen, über einen Zeitraum von sechs Jahren erarbeiteten Entwürfe des Traditionserlasses vom 1. Juli 1965 führten auch innerhalb des BMVg zu kontroversen Debatten. Daher mussten die Verfasser um den damaligen Oberst i.G. und späteren Generalmajor Eberhard Wagemann das Dokument immer wieder nachbessern. Insgesamt gab es 29 Entwürfe. Diese harte Arbeit sollte sich letztlich lohnen. Der erste Traditionserlass wurde schließlich zum Maßstab für den fortan gelingenden Primat der Politik, gegen den die militärische Führung grundsätzlich nicht opponierte. Die Integration der Bundeswehr in die NATO wie auch die Demokratie der Bundesrepublik Deutschland wurden nicht hintertrieben vom Militär. Bonn war tatsächlich nicht Weimar.

Inhaltlich war der Erlass als Kompromiss für Wehrmachtsveteranen in der neuen Bundeswehr angelegt. Er reflektierte die Teilung Deutschlands und

---

[228] Siehe Donald Abenheim, Bundeswehr und Tradition, a.a.O., S. 121-129; Frank Nägler, Der gewollte Soldat und sein Wandel, a.a.O., S. 447-452.

die dynamische Veränderung der (west-)deutschen Gesellschaft, die zunehmend unkonventioneller und damit unübersichtlicher wurde. Sicherheitspolitisch kam die Tatsache hinzu, dass der Primat der Politik seine Entsprechung darin fand, dass die Auslöschung der Menschheit durch das Vernichtungspotential zweier Supermächte eine konkrete Bedrohung war und damit ein ganz neues politisch-militärisches Denken notwendig machte, wollte man im Kalten Krieg überleben. Der Erlass versuchte zudem eine Quadratur des Kreises: Das Erbe des aufrichtig kämpfenden und sich aufopfernden Landsers der Wehrmacht sollte mit den Frauen und Männern des Widerstandes von 1944 versöhnt werden.[229] Letzteres war die eigentliche Herausforderung. Wenige Jahre zuvor, zum 15. Jahrestag des Attentats vom 20. Juli 1944, hatte Bundespräsident Theodor Heuss dessen Aufnahme in das Traditionsverständnis in seiner berühmten Ansprache an der Führungsakademie der Bundeswehr in Hamburg angemahnt.

Der in einem klassischen (Beamten-)Deutsch verfasste Erlass enthält zwar eine Reihe von Grundprinzipien der neu geschaffenen Inneren Führung. Insgesamt ist er jedoch durch eine eher sozialkonservative Sicht auf den Wehrdienst, die Staatsbürgerschaft und das Nationalgefühl geprägt. Dies ist keine Überraschung, wenn man berücksichtigt, dass der Traditionserlass die zivil-militärischen Beziehungen der Ära Konrad Adenauers und das unideologische Politikverständnis in der sehr kurzen Regierungszeit Ludwig Erhards widerspiegelt. Ihm liegt die Vorstellung der deutschen Nachkriegsdemokratie als „formierter Gesellschaft" zugrunde – ein Ausdruck, den Bundeskanzler Ludwig Erhard benutzte, um zu unterstreichen, dass die westdeutsche Wohlstandsgesellschaft nicht der Klassenkampfsituation frönen sollte, wie es in der Weimarer Republik der Fall war und was zu deren Ende beigetragen hatte. Hinzu kam seine fortschrittsoptimistische Grundeinstellung von der Tragfähigkeit der sozialen Marktwirtschaft in einem transatlantisch orientierten und mit sich selbst im Reinen befindlichen Gemeinwesen, auch über etwaige Krisen hinweg.[230]

Der Traditionserlass von 1965 spiegelt ebenfalls die andauernden Spannungen der 1950-er und 1960-er Jahre im Hinblick auf die Innere Führung wider. Eine kritische Bestandsaufnahme sollte immer auch im Hinterkopf behalten, dass der unter großem Zeitdruck erfolgte Aufbau der neuen westdeutschen Streitkräfte von eben jenen ehemaligen Reichswehr- und Wehrmachtssoldaten vorangebracht wurde, die ihre politische Heimat in Bonn sowie in Fontainebleau bei Paris (bis 1966/67 befand sich dort das NATO-

---

[229] Siehe Hans Speier, German Rearmament und Atomic War: Views of German Military and Political Leaders, New York 1957.
[230] Siehe Volker Hentschel, Ludwig Erhard. Ein Politikerleben, München 1996.

Hauptquartier SHAPE) und natürlich in Washington beim Garanten westdeutscher Freiheit gefunden hatten. Die Bonner Politik war auf diese Fachleute dringend angewiesen, wenn sie den versprochenen militärischen Beitrag zur Verteidigung des Westens liefern und innerhalb des Bündnisses vom Objekt zum vertrauensvoll akzeptierten Subjekt werden wollte. Zudem standen die Angehörigen dieser Kriegsgeneration mit ihrer „Jugend ohne Jugend" vor 1939 auch in Staat und Wirtschaft in einflussreichen Funktionen. Und, ebenfalls nicht unwichtig, die Autoren des ersten Traditionserlasses, ihrerseits Befürworter der Inneren Führung, waren selbst Soldaten im Zweiten Weltkrieg gewesen. Deren Erfahrungsschatz bestimmte die Diktion des Erlasses.

Der Text von 1965 enthält eine kompakte Interpretation der Vergangenheit mit der Bezeichnung „gültige Überlieferungen der deutschen Wehrgeschichte". Diese setzt sich u.a. mit der Wehrmacht im Nationalsozialismus auseinander, ohne sie explizit als Traditionsbestand zu verbieten. Realistisch gesprochen: Genau zwei Jahrzehnte nach dem Krieg und drei Jahre vor „1968" wäre anderes auch kaum möglich gewesen. Institutionell und organisatorisch betrachtet, unterschied sich die Bundeswehr mit ihrer zivilmilitärischen Zwei-Säulen-Struktur aus Streitkräften und Bundeswehrverwaltung sowie der Kontrolle durch das Parlament und dem Fehlen eines Generalstabs erheblich von ihren Vorgängerarmeen.[231] Es galt nun der Primat der Politik in einem erstaunlich prosperierenden Gemeinwesen mit demokratischer Verfassung und einer politischen Kultur, die ihren demokratischen Stil im Begriffe war zu finden. Ein voreiliger Bruch in den Bereichen des Soldatenbildes und der Führungsbegriffe vor allem im taktischoperativen Bereich wäre auch aus Sicht der Alliierten dysfunktional gewesen – zumindest solange die konventionelle Überlegenheit der Streitkräfte des Warschauer Paktes den schnellen Aufbau deutscher Divisionen erforderte und die Illusion des Funktionierens der NATO-Strategie der „Massive Retaliation" bestand. Die Bundeswehr sollte aus Sicht der Bundesregierung mehr als ein konventioneller Stolperdraht im Falle des Vorrückens der Truppen des Warschauer Paktes gen Westen sein. Dies erklärt auch das Streben nach atomaren Trägersystemen im Kurzstreckenbereich und den Aufbau einer taktischen Luftwaffe mit Nuklearfähigkeit unter Verteidigungsminister Franz-Josef Strauß (1958-1962).[232]

---

[231] Siehe Dieter Krüger, Das Amt Blank. Die schwierige Gründung des Bundesministeriums für Verteidigung, Freiburg i.Br. 1993.
[232] Zu den Kriegsbildern der Bundeswehr jüngst Florian Reichenberger, Der gedachte Krieg. Vom Wandel der Kriegsbilder in der Bundeswehr, München 2018; Bruno Thoss, NATO

Traditionserlass von 1982

Das Dokument von 1965 wurde weitgehend von Veteranen der Wehrmacht in der neuen Bundesrepublik verfasst und spiegelt deren Prägung wider. Mitte der 1960-er Jahre brach eine neue Zeit an, die das zum Ausdruck brachte, was Demokratien auszeichnet: den Regierungswechsel. Dieser trat über die Große Koalition (1966 bis 1969) dann 1969 tatsächlich ein. Es begann die Zeit sozialdemokratischer Kanzlerschaft, die bis 1982 dauern sollte. Willy Brandt und Helmut Schmidt (der 1974 sein Nachfolger werden sollte) bildeten zwischen 1969 und 1972 das Tandem von Bundeskanzler und Bundesminister der Verteidigung. Sie waren mit einer (Welt-) Politik im Umbruch konfrontiert. Die Veränderungen auf internationaler und nationaler Ebene waren:

1. Die Verringerung der Kriegsgefahr im Kalten Krieg im Zuge der damaligen Entspannungspolitik, die zu einer kritischen Bewertung der Rolle der Bundeswehr führte. Die Bundeswehr war gegründet worden unter der Konstellation des Kalten Krieges. Wenn dieser nun – so die Hoffnung – mit der Entspannungspolitik zu überwinden war, warum sollte es dann noch eine personell und materiell gut gerüstete Bundeswehr geben?

2. Der Linksruck in der SPD, der heftige Spannungen zwischen Sozialdemokraten und den Sozialisten ihres linken Flügels auslöste.

3. Die liberale Neupositionierung des Koalitionspartners FDP weg vom Sozialliberalismus und hin zum Wirtschaftsliberalismus, ohne sich dabei auf den „klassischen" deutschen Nationalliberalismus politisch einzulassen.

Innenpolitisch führten die Auseinandersetzungen innerhalb der sozialliberalen Koalition und mehr noch der Wandel von einer euphorischen Entspannungspolitik unter Bundeskanzler Willy Brandt und Bundesaußenminister Walter Scheel hin zu einer realistischen Entspannungspolitik unter Bundeskanzler Helmut Schmidt und Bundesaußenminister Hans-Dietrich Genscher zu einer Konstellation, die den Traditionserlass von 1982 prägte. Die Kontroverse um den NATO-Doppelbeschluss innerhalb der SPD kam als wichtiges Moment hinzu, doch sie war nur eine der Determinanten des neuen Erlasses. Daneben gab es zahlreiche weitere Einflussfaktoren.

1976 war es zu einem politischen Skandal wegen einer Einladung einer unbelehrbaren Persönlichkeit des rechten Spektrums, des ehemaligen Wehrmachtsfliegers Hans-Ulrich Rudel, zum Stuka-Ace-Traditionstreffen auf

Strategie und nationale Verteidigungsplanung, München 2006. Zur Luftwaffen-Doktrin siehe Dirk Schreiber, Die Luftwaffe und ihre Doktrin. Einsatzkonzeptionen bis 1971, Berlin 2018.

dem Fliegerhorst Bremgarten bei Freiburg i.Br. gekommen. Diese Veranstaltung elektrisierte förmlich die Kritiker der Bundeswehr links der politischen Mitte. Anders als seine Kameraden, die mittlerweile in der Bundeswehr dienten, hatte sich Rudel niemals vom NS-Regime glaubhaft abgewandt. Für diese wurde er auf Grund seines politischen Engagements zunehmend problematisch. Denn Rudel agierte als Redner auf Ehemaligen- und NPD-Treffen in einer Art und Weise, die immer mehr die Frage aufwarf, ob Bewunderung für militärische Leistungen von einst nicht doch von politischer Betriebsblindheit zeugte. Rudels Welt nach 1945 war jedenfalls nicht allein die Pilotenkanzel von vor 1945. Die Glaubwürdigkeit des Traditionsverständnisses der Bundeswehr musste sich darin erweisen, ob Rudels verschrobene Weltsicht dem Selbstverständnis einer technisch-modernen und demokratie-loyalen Bundeswehr tatsächlich entsprach.

Die Zahl derjenigen, die an der Abschreckungsfähigkeit der Bundeswehr sowie an der moralischen Legitimität des Ersteinsatzes von Nuklearwaffen zweifelten, nahm Ende der 1970-er Jahre zu. Als Spätfolge der „68" formierte sich die ökopazifistische Partei „Die Grünen", politisch damals zu verorten links der Sozialisten in der SPD. Sie waren personell geprägt durch junge Leute aus dem bürgerlichen Milieu, die bewusst mit dem „Establishment" brechen wollten. Der sowjetische Einmarsch in Afghanistan 1979 und die beabsichtigte Aufstellung von Pershing II und Marschflugkörpern als Antwort auf die sowjetische Bedrohung mit Mittelstreckenraketen vom Typ SS-20 wirkten nicht nur in deren Augen als „Boten der Endzeit". Zudem versetzte der Linksterrorismus die westdeutsche Politik in Aufruhr. In dieser außen- und innenpolitisch spannungsreichen Zeit ließ der damalige Verteidigungsminister Hans Apel (SPD) den Traditionserlass überarbeiten.[233] Die im September 1982 unterzeichneten Richtlinien blieben weit länger in Kraft als irgendjemand zum Zeitpunkt seiner Veröffentlichung geglaubt hätte. Vielleicht war genau dies einer der Gründe dafür, dass im Zuge der Erstellung des neuesten Traditionserlasses in den Jahren 2017/18 kaum mehr einer dessen Inhalte und dessen politische Hintergründe richtig kannte.

Der Text von 1982 zeigt jedenfalls eine weitaus schärfere Abgrenzung von der Wehrmacht, als dies mehr als ein Jahrzehnt zuvor möglich gewesen war. Diese Tatsache spiegelt die Rolle der sozial-liberalen Milieuprägung der Autoren sowie die neuen Ergebnisse der Militärgeschichtsschreibung über den Zweiten Weltkrieg wider. Mittlerweile hatte sich in Politik und Geschichtswissenschaft die Auffassung durchgesetzt, dass die Wehrmacht im

---

[233] In seinem Buch „Der Abstieg. Politisches Tagebuch eines Jahrzehnts, Berlin 1991, S. 222-223" stellt Hans Apel die aus seiner Sicht wesentlichen Neuerungen der Richtlinien dar.

Nationalsozialismus weder unpolitisch noch eine Insel des moralischen Anstands inmitten der Naziflut gewesen ist. Die Legende von der „sauberen Wehrmacht" schwand spätestens in dem Augenblick, als das MGFA-Reihenwerk „Das Deutsche Reich und der Zweite Weltkrieg" sich der Ostfront im Jahre 1941/42 widmete, erst recht danach. Die Wehrmacht als Institution, nicht allein Einzelpersonen, war an Kriegsverbrechen aktiv beteiligt. Inwieweit dies der Fall war, darüber sollte die Kontroverse in der Folgezeit erst richtig anheben. Die Autoren des Traditionserlasses von September 1982, gleichsam der letzten Aktion des Noch-Verteidigungsministers Hans Apel, waren zudem keine Ehemaligen.

Gegenüber dem Dokument von 1965, welches verfassungsrechtlich Artikel 87a als argumentativen Bezugspunkt der Traditionsbestimmung wählte, scheinen die „Richtlinien" von 1982 (man beachte die Vermeidung des Begriffs „Erlass") den Dienst in der Bundeswehr als Dreh- und Angelpunkt des soldatischen Erbes zu wählen. Die rote Linie, welche die Wehrmacht ausgrenzt, wurde im Text von 1982 viel deutlicher gezogen als im Dokument von 1965. Denn der entscheidende Satz lautet: „... In den Nationalsozialismus waren Streitkräfte teils schuldhaft verstrickt, teils wurden sie schuldlos missbraucht."[234] Der 2. Traditionserlass deutete allenfalls zwischen den Zeilen an, dass die Wehrmacht als Institution auch ihren aktiven Part für die Sicherung und Durchsetzung der NS-Herrschaft lieferte, und zwar nicht erst mit dem Angriff auf die Sowjetunion. Die Autoren stellten sehr wohl fest: „Alles militärische Tun muss sich an den Normen des Rechtsstaats und des Völkerrechts orientieren".[235] In dieser Passage wird die Vorstellung widerlegt, dass soldatische Tugenden in einem Bereich außerhalb von Politik und Gesellschaft als ein Ideal an sich betrachtet werden können. Doch es fehlt die Konkretisierung anhand des historischen Beispiels. Offensichtlich gab es eine Scheu davor; denn man hätte den Vorwurf auf sich gezogen, ähnlich übrigens bei der Verwendung ‚kriegsgeschichtlicher Beispiele', dem Kult der ‚großen Männer' zu frönen. Dabei hatte der Erlass doch klargestellt: „Ein Unrechtsregime, wie das Dritte Reich, kann Tradition nicht begründen."[236]

Es sollte bis Mitte der 1990er-Jahre dauern, bis Bundesminister der Verteidigung Volker Rühe (CDU) präzisierte: „Wenn es um die Wehrmacht geht, haben wir nur die Möglichkeit, der ganzen Wahrheit ins Auge zu sehen. Der Glaube, die Wehrmacht sei der weitgehend unbefleckte Hort von Anstand und Ehre inmitten der nationalsozialistischen Barbarei gewesen, diese These ist durch die historische Forschung der letzten Jahre widerlegt. (...) Die

---

[234] Traditionserlass 1982, Nr. 6.
[235] Traditionserlass 1982, Nr. 7.
[236] Traditionserlass 1982, Nr. 6.

Wehrmacht war als Organisation des Dritten Reiches in ihrer Spitze, mit Truppenteilen und mit Soldaten in Verbrechen des Nationalsozialismus verstrickt. Als Institution kann sie deshalb keine Tradition begründen."[237] Die Richtlinien von 1982 stehen heute in der Kritik, der Wehrmacht zu versöhnlich gegenüberzustehen. Man sollte aber bedenken, dass der Text von 1982 wie der ursprüngliche Erlass von 1965 ein Produkt ihrer jeweiligen Zeit waren. In gewisser Weise ist dieser Erlass tatsächlich ein Spiegel zur Biographie von Helmut Schmidt.[238] Dieser war Offizier in der Wehrmacht und gründete später als Sozialdemokrat die Bundeswehr mit. Der ‚faustische' Aspekt dieser Generation, den eine neue Generation im 21. Jahrhundert offenbar nicht bzw. kaum mehr nachvollziehen kann, steht im Mittelpunkt der Erlasse sowohl von 1965 als auch von 1982. Beide geben Aufschluss darüber, wie zwei deutsche Generationen im 20. Jahrhundert – diejenige mit jugendlicher Prägung vor 1914/18 und diejenige mit ihren Jugenderfahrungen vor 1939/45 – die westdeutsche Nachkriegsdemokratie aufgebaut haben und zugleich in ihr angekommen sind. Von den jüngeren Generationen, den „weißen Jahrgängen" (1929 bis 1937), den Kindern des Wirtschaftswunders und schließlich den „Achtundsechziger", wurden sie mit der bitteren Frage konfrontiert, wie „sie haben mitmachen können". Die Fragen lösten allerdings nicht die Paradoxien der deutschen Militärgeschichte im 20. Jahrhundert: Man konnte ein guter Soldat sein und zugleich den „Zwanzigsten Juli" hochschätzen; man konnte in der Wehrmacht, übrigens auch in der Waffen-SS, gedient und sich später zum guten Demokraten gewandelt haben.

Die kurze historische Beschreibung der beiden ersten Traditionserlasse der Bundeswehr zeigt, dass bei deren Interpretation immer der historische Kontext beachtet werden muss. Dazu gehört die sicherheitspolitische und militärstrategische Lage Deutschlands genauso wie das gültige Kriegsbild, aber auch die innenpolitischen Auseinandersetzungen und Kräfteverhältnisse sowie die Persönlichkeiten der verantwortlichen Politiker und ihrer militärischen Berater. Besondere Beachtung müssen hierbei vor allem die ehemaligen Reichswehr- und Wehrmachtssoldaten in den 1950-er bis 1970-er Jahren finden. Diese durften vor allem im Jahre 1965 nicht als Verlierer der Traditionsdebatten erscheinen, wenn man sich deren weiterer Unterstützung

---

[237] Rede des Bundesministers der Verteidigung Volker Rühe auf der 35. Kommandeurtagung 1995 in München. Vgl. ders. in der Bundestagsdebatte über die Wehrmachtsausstellung, Deutscher Bundestag: Plenarprotokoll 13/163 Stenographischer Bericht, 163. Sitzung, 13. März 1997.
[238] Zu Helmut Schmidt siehe grundlegend Hartmut Soell, Helmut Schmidt, 2 Bde., München 2003 und 2008.

politisch sichern wollte. Der Erlass von 1965 nahm Rücksicht auf die Befindlichkeiten von ehemaligen Reichswehr- und Wehrmachtssoldaten als Bürger der Bonner Republik, die nicht nur in der Bundeswehr, sondern auch in Staat, Gesellschaft und Wirtschaft wichtige Führungspositionen innehatten. 1982 war dies längst nicht mehr der Fall; der Generationswechsel von der Kriegs- zur Nachkriegsgeneration war fast vollzogen. Die „skeptische Generation", also die Geburtsjahrgänge der 1920-er und frühen 1930-er Jahre, hatte das Zepter der Verantwortung mittlerweile übernommen.[239] Gleichwohl löste auch der zweite Traditionserlass äußerst kontroverse Debatten aus. Die CDU/CSU als damals größte Oppositionspartei im Deutschen Bundestag der ausgehenden sozial-liberalen Ära (SPD/FDP) kündigte sogar an, den Erlass nach Übernahme der Regierungsgeschäfte sofort einzukassieren. Genau das passierte nicht; denn die Gesellschaft der Bundesrepublik hätte dies nicht akzeptiert und der ab Oktober 1982 neue Verteidigungsminister Manfred Wörner (CDU) hätte bereits vor der Kießling-Wörner-Affäre[240] sämtliche Hoffnungen auf eine Kanzlerschaft nach Helmut Kohl begraben können. Es ist auf den ersten Blick ein Treppenwitz der Geschichte, dass dieser so heftig umstrittene Erlass Brüche und Zäsuren der deutschen Nachkriegsgeschichte wie den Fall der Mauer und das Ende des Kalten Krieges sowie die Transformationen der Bundeswehr hin zur Armee der Einheit und zur Einsatzarmee unbeschadet auf Jahrzehnte überstehen sollte. Bei genauerem Hinsehen zeugt es auch von dessen Güte.

2.2. Entwicklungslinien und Gemeinsamkeiten der Traditionserlasse 1965, 1982 und 2018

Bei Durchsuchungen von Bundeswehrliegenschaften im Jahre 2017 wurden in Illkirch im französischen Elsass ein Stahlhelm der Wehrmacht und eine Schmeisser MP-40 gefunden. Dieses Ergebnis führte schnell zur sicheren Gewissheit in der Presse und andernorts, dass in der Bundeswehr immer noch der Geist der Wehrmacht lebt. Beachtet wurde dabei vielfach nicht, dass es sich bei diesen beiden Gegenständen um Replikate handelte, d. h. um Gegenstände, die historischen Vorbildern nachgebildet waren. Mei-

---

[239] Helmut Schelsky, Die skeptische Generation. Eine Soziologie der deutschen Jugend, Düsseldorf /Köln 1957. Zur Kultur- und Mentalitätsgeschichte der Bonner Republik siehe Herman Glaser, Kulturgeschichte der Bundesrepublik Deutschland, 3 Bde., Frankfurt/M. 1990. Zum Generationswechsel in der Bundeswehr vgl. Helmut R. Hammerich, Rudolf J. Schlaffer (Hrsg.), Militärische Aufbaugeneration der Bundeswehr 1955 bis 1970. Ausgewählte Biographien, München 2011; Klaus Naumann, Generale in der Demokratie. Generationengeschichtliche Studien zur Bundeswehrelite, Hamburg 2007.
[240] Siehe dazu Heiner Möllers, Die Affäre Kießling. Der größte Skandal der Bundeswehr, Berlin 2019.

nungsbildend wirkte jedenfalls die Behauptung einer „ungebrochenen Kontinuität" von der Wehrmacht zur heutigen Bundeswehr. Davon zeugen Hunderte von Artikeln, die nach dem öffentlichen Skandal über Führungsverantwortung, Befehlsgewalt und Moral in der Bundeswehr seit Anfang 2017 veröffentlicht wurden. Motivforschung und Tiefenanalyse erfolgten bei aller Wächterfunktion der Presse und ob der Inszenierung des Ereignisses in Illkirch nicht.

Fühlen mit der Dinglichkeit von Gegenständen ist einfacher als das Nachdenken über geistige Konzepte. Damit ist gemeint, dass es viel einfacher ist, den Griff einer Maschinenpistole anzufassen, beziehungsweise über deren Anblick schockiert zu sein, als eine offizielle Dienstvorschrift zum Umgang mit der Vergangenheit zu studieren. Es waren die 2017 gefundenen „Wehrmachtsdevotionalien", die den Entstehungsprozess des dritten Traditionserlasses der Bundeswehr erheblich beschleunigten. Gegenstände aus vergangenen Zeiten sind also der Anlass – allerdings nicht der Grund – für ein Dokument, das es so in keiner anderen NATO-Armee gibt. Allein die Österreicher verfassten vor einem halben Jahrhundert einen ähnlichen Kodex, was verständlich ist angesichts der österreichischen Identitätsproblematik seit dem Ende des Habsburger Reiches (November 1918) und der gemeinsamen Verstrickung in den Nationalsozialismus[241].

Unsere Suche nach den Kontinuitäten und Diskontinuitäten in den drei Dokumenten von 1965, 1982 und 2018 stützt sich ab auf das, was uns Carl von Clausewitz hinsichtlich des Faktors „Kritik" in der Geschichtsschreibung in Erinnerung ruft. Drei Schritte, in chronologischer Abfolge, seien wichtig für die kritische Analyse: (1) die Suche nach der Ursache, (2) die Suche nach der Wirkung und (3) die Beurteilung der Handlung.[242] Im Fall des Traditionserlasses und seiner Entwürfe aus den Jahren 2017-2018 ist die Chronologie von wesentlicher Bedeutung für das heutige Verständnis von Bundeswehr und Tradition. Diejenigen, die sich in jüngster Zeit an den öffentlichen Debatten über Tradition beteiligten, stellten die Richtlinien über das Erbe der Vergangenheit aus dem Jahre 1982 vielfach verzerrt dar. Man muss sich durchaus die Frage stellen, ob sie diese überhaupt gelesen hatten. Denn deren Stellungnahmen leiden unter falschem Zitieren dieses Dokuments und einer allgemeinen Unwissenheit über dessen Kontext.

Der Umgang mit dem Erbe des deutschen Soldaten bildet eine Kontinuität, die sowohl die Erstellung des zweiten Traditionserlasses von 1982 als auch des dritten von 2018 explizit auszeichnet. Beim ersten Traditionserlass von

---

[241] Siehe Manuela R. Krueger, Traditionsverständnis im Lichte der Traditionserlasse von Bundeswehr und Bundesheer, a.a.O.

[242] Clausewitz, Vom Kriege, a.a.O., S. 312-334.

1965 war dies – zeitbedingt – nicht in dieser Intensität der Fall, was den Rekurs auf diesen freilich nicht überflüssig macht. Diese Kontinuität werden wir im Folgenden herausarbeiten.

Der Traditionserlass von 1965 als ein wichtiger Meilenstein in der Entwicklung der Inneren Führung wurde in der jüngsten Debatte über das soldatische Erbe in Deutschland im 21. Jahrhundert im Grunde vergessen. Unberücksichtigt blieb auch der damalige enge zivil-militärische Austausch zwischen Militär, Staat und Gesellschaft zu den in der Inneren Führung kodifizierten Grundlagen des soldatischen Dienstes. Der Text von 1965 sollte gelesen werden, wenn man die Probleme des soldatischen Erbes in der Tiefe erfassen möchte. Ohne den ersten Traditionserlass lassen sich zudem die beiden folgenden nicht richtig begreifen. Diese drei Dokumente sollten jedoch in chronologischer Reihenfolge gelesen werden und nicht umgekehrt. Die Entwicklung von dem ersten bis zu dem neuesten Dokument ist der Schlüssel zum Öffnen der Truhe „Tradition". Den Schlüssel dafür erhält man nicht durch das willkürliche Herausgreifen eines einzelnen Merkmals, wie etwa Kasernennamen oder Barettabzeichen. Und schon gar nicht durch die Fokussierung auf das Replikat eines Stahlhelms von 1935, „made in…" – die Länder sind einschlägig bekannt, die Waren sind zu kaufen auf einschlägigen Jahrmärkten und im Internet.

Eine sorgfältige Untersuchung dieser drei Dokumente ergibt bemerkenswerte Übereinstimmungen in ihren wesentlichen Aussagen. Bei der Kernaufgabe, die spätestens im Herbst 1950 in Himmerod konzipiert wurde, nämlich etwas „grundsätzlich Neues" zu erschaffen und dabei aus der militärischen Vergangenheit das auszuwählen[243], was immer noch nützlich war, gibt es jedoch deutliche Veränderungen.

Die größte Kontinuität zwischen dem Jahr 1959, als die Arbeit an dem ersten Dokument aufgenommen wurde, und dem Jahr 2018 besteht in dem Versuch, zugleich drei Dinge auf einmal zu tun:

- einer unterschiedlichen Leserschaft, vor allem aber den Soldaten, einen Katalog von Werten und Symbolen anzubieten: Es geht also um die *Adressaten*;
- die Ideale und Prinzipien der Inneren Führung mit einer konventionellen Konzeption des militärischen Dienstes zu vereinbaren, in der die Soldatentugenden im Vergleich zur Zivilgesellschaft einen höhe-

---

[243] Siehe dazu Rautenberg, H.J., Wiggershaus, N., Die „Himmeroder Denkschrift" vom Oktober 1950, Karlsruhe 1977; Loretana de Libero, Tradition in Zeiten der Transformation, a.a.O., S. 24-28. Siehe auch ZDv 10/1, Nr. 205.

ren Stellenwert einnehmen: Hierbei geht es um die Gestaltung der *zivil-militärischen Beziehungen*;

- mit dem Erbe zweier Diktaturen im Deutschland des 20. Jahrhunderts[244] demokratiegerecht umzugehen. Das betrifft den *Umgang mit der Wehrmacht* und auch *mit der NVA*, selbst wenn seit Ende des NS-Regimes über 70 Jahre vergangen sind und die Geschichte der DDR für die West-Deutschen eine Art Nebenlinie oder gar den abgestorbenen Ast eines anderen Baumes darstellen mag.

Die oben genannten Aspekte sind allen Dokumenten gemeinsam. Hinzu kommen als Gemeinsamkeiten Ausführungen zu soldatischen Werten, zu der Beziehung zwischen Geschichte und Tradition als auch zwischen Traditionsinhalten und Traditionspflege sowie der Gesamtheit der Symbole und Zeremonien, die diese Werte zum Teil des militärischen Alltags machen. Alle drei Dokumente versuchen mehr oder weniger, eine Liste von Idealen, Prinzipien, Vorbildern, Symbolen und Bräuchen zu kodifizieren, die dem soldatischen Dienst zugrunde liegen sollen. Damit tragen sie der Notwendigkeit Rechnung, dass Soldaten die Rahmenbedingungen ihres Dienstes im Kontext der Symbolik der Vergangenheit begreifen müssen. Sie, die Soldaten, müssen verstehen, wie eine militärische Organisation die gültigen Aspekte dieser Vergangenheit auswählt und auch die eigene Geschichte zur Bestimmung des soldatischen Selbstverständnisses nutzt.

Im Folgenden werden wir die angeführten Gemeinsamkeiten *Adressaten, zivil-militärische Beziehungen* und *Umgang mit der Wehrmacht bzw. der NVA* vorstellen.

Adressaten

Die drei Dokumente richten sich vornehmlich an die Soldaten der Bundeswehr. Es geht ihnen darum, deren Identitätsfindung im Spannungsverhältnis von Befehl und Gehorsam, Politik, Strategie, Operationen und Taktik, dem Erbe des Krieges in Form von Biographien und Symbolen und den Auswirkungen des sich verändernden Kriegsbildes zu erleichtern. Sie ringen mithin um, wie man im Englischen sagen würde, *core values*, also um einen Kernbestand an Werten, die für den neuen deutschen Soldaten gelten und nicht diktatorisch instrumentalisierbar und damit zu missbrauchen sind.

Weitere unverzichtbare Adressaten sind Politik und Zivilgesellschaft. Sie bilden ein Gegengewicht gegen eine zu starke Betonung des Soldatischen und dessen Besonderheiten. Andererseits kann die Berücksichtigung dessen,

---

[244] Sowie später mit der Nationalen Volksarmee während der deutschen Teilung zur Zeit des mit ideologischen Mitteln geführten Kalten Krieges.

was Politik und Zivilgesellschaft für tolerierbar halten, dazu führen, dass die Soldaten als die eigentlich primären Bedarfsträger von Tradition und Traditionspflege in den Hintergrund gedrängt werden. Damit kommen wir zu den demokratischen zivil-militärischen Beziehungen in Deutschland.

Demokratische zivil-militärische Beziehungen

Die zweite Kontinuität der Erlasse besteht in ihrer Beschreibung der Beziehungen zwischen Militär, Politik und Zivilgesellschaft in einer Demokratie. Das Vorhaben, die Vergangenheit zu kodifizieren und einen Katalog der immer noch gültigen Teile des Erbes zu entwerfen, hat politische Auswirkungen auf den Staat und die Gesellschaft. Und dies mehr denn je: in einer Zeit der Krise und Umbrüche in Staat und Gesellschaft, wie sie für 1965, 1982 und 2018 durchaus charakteristisch ist, sind Festlegungen zum soldatischen Erbe von ganz besonderer Relevanz. Dies gilt vor allem für Staaten mit Wehrpflichtarmeen, weil sich darin die staatsbürgerlichen Pflichten am stärksten zeigen. Und es ist insbesondere dann der Fall, wenn die Demokratie an Autorität verliert und schließlich grundsätzlich in Frage gestellt wird.

Es geht also um Identitätsfragen. Selbst wenn man irrtümlicherweise annimmt, dass das Soldatentum als auf irgendeine Art von Staat und Zivilgesellschaft getrennt zu betrachten sei, dürfen Soldaten einen solchen Kodex nicht ohne Bezug zu den staatlichen Gewalten und zur öffentlichen Meinung begreifen. Nachdem totalitäre politische Parteien den soldatischen Kodex in der Vergangenheit missbraucht haben, insbesondere die so genannten Sekundärtugenden Gehorsam, Ehre und Treue, ist diese zivil-militärische Dimension von allerhöchster Bedeutung, und zwar überzeitlich: 1965 – 1982 – 2018.

Es ist *erstens* ein äußerst ambitioniertes Vorhaben, ein solch komplexes Thema wie die Bedeutung von Geschichte und Tradition für den Soldatenberuf auf seine wesentlichen Merkmale in Vorschriftenform zu reduzieren und in einem Erlass auf wenigen Seiten festzuschreiben. Dieses Vorhaben stellt nicht zuletzt einen Versuch dar, die unterschiedlichen Adressaten in einem einzigen Prozess bzw. Dokument zufrieden zu stellen. Und das angesichts der Inkonsistenz der soldatischen Ideale und ihrer Verwendung der Vergangenheit, die in der Gegenwart aufgrund gegensätzlicher Weltbilder ebenfalls umstritten ist. *Zweitens* verkörpert der Erlass ein geschichtspolitisches Dokument. Dies hat zur Folge, dass aus Teilen der Öffentlichkeit Gegenwind kommt. Dazu zählen vor allem diejenigen gesellschaftlichen Gruppierungen, die militärischen Angelegenheiten skeptisch gegenüberstehen, jedoch sehr genau wissen, dass der Umgang mit Geschichte eine politische Waffe sein kann. Normale militärische Vorschriften haben kaum mit diesem Spannungsfeld zu kämpfen. Die berühmte ‚Tante Frieda' oder Truppenführung, das wichtigste Gefechtshandbuch der Bundeswehr, war nie derart der öffentlichen Kritik ausgesetzt wie der Traditionserlass.[245] Auch die Vorschriften zu Pflichten und Rechten des Soldaten aus der Zeit vor 1945 bildeten selten oder kaum einen Gegenstand von öffentlichen Debatten[246].

Umgang mit der Wehrmacht bzw. der NVA

In Bezug auf den dritten Aspekt, der die Einordnung der Wehrmacht (und später, beim Erlass aus dem Jahr 2018, der NVA) in das soldatische Erbe betrifft, gibt es eine wichtige Gemeinsamkeit: Anlass für die Erarbeitung bzw. Überarbeitung der Erlasse ist die Wahrnehmung des Umgangs von Angehörigen der Bundeswehr mit der Wehrmacht. Allerdings trat im Verlauf der letzten sechzig Jahre eine wichtige Diskontinuität zutage. Wie Verteidigungsministerin Ursula von der Leyen während des ersten Workshops zur Tradition im August 2017 bemerkte, hätten sich die Ansichten der Gesellschaft darüber, was gültig und was ungültig ist, seit den 1950-er Jahren verändert. Für viele Soldaten ist dies eine unangenehme Wahrheit, da sie zumeist die Vergangenheit buchstäblich als eine Fundgrube professioneller Vorbilder für Ansehen und Moral betrachten, die vor der Kritik von Zivilisten bewahrt werden sollte.

Die Frage der Vergangenheitsbetrachtung und der Bedeutung der Geschichte im Leben der Bürger ist hochproblematisch und anfällig für Polemik. Die große politische Polarisierung in der westlichen Welt dieser Tage macht dies noch schwieriger. Heute werden Ereignisse und Symbole der Vergangenheit bewusst genutzt, um Regeln zu verletzen und zu provozieren. Es wird damit vorgetäuscht, als könnten Wehrmacht und Waffen-SS und auch die NVA überzeitliche Werte für den Soldaten in der Demokratie im positiven Sinne vermitteln.

Natürlich hat sich der Umgang mit der Wehrmacht im Laufe der Zeit stark gewandelt: Aus einer lebendigen deutschen Kollektiverfahrung, über die man sich beim Sonntagnachmittagskaffee in deutschen Wohnzimmern doch austauschte, ist ein weit entferntes Thema geworden, das aber dank der Medien immer noch omnipräsent ist. Ist es damit ein relevantes Thema? Die

---

[245] Siehe hierzu den Artikel „Tante Frieda" in Der Spiegel, Nr. 36 vom 31. August 1970, S. 41.

[246] Gordon Craig, Politics of the Prussian Army, New York/Oxford 1955; Patrick Heinemann, Rechtsgeschichte der Reichswehr 1918-1933, Paderborn 2018. Siehe auch Reinhard Höhn, Revolution, Heer, Kriegsbild, Darmstadt 1944.

heutige Welt ist jedenfalls eine andere als die Mitte der 1960-er Jahre, und diese wiederum unterscheidet sich von derjenigen der späten 1970-er Jahre.

2.3 Unterschiede zwischen den Traditionserlassen in Kontext und Inhalt

Der Text von 1965

Das Dokument aus dem Jahr 1965 wurde von ehemaligen Angehörigen der Wehrmacht verfasst. Diese waren sich der Defizite in der politischen Kontrolle früherer deutscher Armeen sehr bewusst. Zudem verfügten sie über unmittelbare persönliche Erfahrungen mit der zu einer reinen NS-Parteiarmee mutierten Wehrmacht. Auch wenn es sich quellenmäßig nicht klar belegen lässt, so gehen wir davon aus, dass das politische Denken dieser Autoren sich an der Weltsicht des konservativen Freiburger Historikers Gerhard Ritter orientierte. Dieser hatte mit seinem großen Werk über „Staatskunst und Kriegshandwerk" die Herausforderungen und politischen Defizite preußisch-deutscher Militärs trefflich beschrieben.[247]

Die Bundesrepublik Deutschland betrieb keine revisionistische Außenpolitik. Sie wollte zur westlichen Welt gehören. Gekoppelt mit erstens den Ängsten der westdeutschen Bevölkerung vor der sowjetischen Politik[248], sodann mit den tatsächlichen Erfahrungen vieler Deutscher mit Soldaten der Roten Armee bei deren Vordringen auf deutsches Gebiet 1944/45 und nicht zuletzt auf Grund des Schicksals der Deutschen in der DDR (Volksaufstand 1953 und Mauerbau 1961) drohte eine Haltung gegenüber der Sowjetunion bestehen zu bleiben, die die notwendige Auseinandersetzung mit dem Rasse- und Vernichtungskrieg an der Ostfront zwischen 1941 und 1944/45 verhinderte. Stattdessen beförderte sie eine schablonenhafte und vorurteilsbelastete Russlandpolitik. Das Dokument aus dem Jahre 1965 steht sinnbildlich für die Gründergeneration der Bundeswehr. Sie akzeptierte, so muss man sagen, den Primat der Politik. Sie wollte, dass die Bundesrepublik in ihrer Zivilität ein erfolgreiches Staatswesen wurde und zugleich der totalitären Bedrohung durch die Sowjetunion trotzte. Die Bundeswehr jedenfalls durfte demnach weder Nebenaußenpolitik wie die Reichswehr betreiben noch „Königsmacher" bei der Bestellung von Regierungen werden, wie es die Reichswehr in der Schlussphase der Weimarer Republik vorexerziert hatte. Also: die Bundeswehr nicht als „Staat im Staate" oder das Militär keinesfalls als eine Staatselite, welche die Defizite des Parlamentaris-

---

[247] Gerhard Ritter, Staatskunst und Kriegshandwerk, 4 Bde., München 1968.
[248] Siehe die Berlin-Krisen 1948/49, 1958 und 1961 sowie die Kuba-Krise von 1962.

mus qua eigener Machtvollkommenheit neutralisiert. Beides hatte ja seinerzeit zur fatalen Einbindung der Wehrmacht in den NS-Staat geführt.

Der Erlass von 1965 war auch ein Produkt des Wandels. Nach der über
mehr als 13 Jahre währenden Adenauer-Ära (1949-61/63) sowie der hoff-
nungsfrohen, aber letztlich in die Große Koalition (1966-1969) führenden
Kanzlerschaft von Ludwig Erhard (1963-1966) sollte Willy Brandt seine
sozial-liberale Regierung unter das Leitmotiv stellen, tatsächlich „mehr Demokratie [zu] wagen."[249] In dem Dokument von 1965 manifestierten sich
sowohl die Spannungen der Vergangenheitsbewältigung als auch die Suche
nach Bürgerlichkeit, gerade weil die Vorstellung vom selbstbewussten deutschen Bürgertum bereits durch den Wilhelminismus beschädigt und durch
die (Selbst-)Gleichschaltung im NS-Regime fast zerstört worden war. All
dies lief keineswegs auf ein Beschönigen der Wehrmacht im Nationalsozialismus hinaus, obgleich der von den Autoren praktizierte Sprachgebrauch
manchen Lesern zu Beginn des 21. Jahrhunderts archaisch vorkommen
mag. Das Dokument von 1965 verkörperte einen Kompromiss – den
„Kompromiss des Kalten Krieges", zum Ausdruck gebracht in der span-
nungsgeladenen Dialektik der Traditionsinhalte von Stauffenberg einerseits
und dem Erfahrungsschatz des loyalen deutschen Landsers andererseits.[250]
Dieser Kompromiss galt in den ersten Jahrzehnten der Bundesrepublik.
Trotz partiellem lautstarkem öffentlichen Widerwillen war es angesichts der
politischen Gesamtlage einfach notwendig, die gerade erst entwaffneten
Soldaten und die Jahrgänge der „skeptischen Generation" militärisch zu
aktivieren und zu organisieren.

Dies geschah nach den Prinzipien der Inneren Führung. Dieses Konzept
von Befehl und Gehorsam sowie Motivation und Führungsverantwortung
durchdringt den Traditionserlass von 1965 und nicht minder dessen Nach-
folgedokumente von 1982 und 2018. Das Dokument vom Jahre 1965 manifestierte den Reformimpuls der Inneren Führung gegenüber dem allgemeinen Unbehagen, ja auch Widerstand vieler konservativer (jedoch keineswegs
noch nationalsozialistisch gesinnter) Angehöriger der Streitkräfte gegen
dieses Konzept. Die abschließende Fassung des Dokuments von 1965 wurde auch zu einer Zeit erarbeitet, in der eine radikale rechte Strömung, die

---

[249] Regierungserklärung von Bundeskanzler Willy Brandt vor dem Deutschen Bundestag in
Bonn am 28. Oktober 1969.
https://www.willy-brandt.de/fileadmin/brandt/downloads/regierungserklaerung_willy
brandt 1969.pdf
[250] Letzterer wurde filmisch wiedergegeben in der Person des Gefreiten Asch aus Hans
Hellmuth Kirsts 08/15-Trilogie. Siehe auch Hans Speier, German Rearmament and Atomic
War, a.a.O., S. XXX; Donald Abenheim, Bundeswehr und Tradition, a.a.O., S. XXXX.

Nationaldemokratische Partei Deutschland (NPD)[251], im Alltag der Bundesrepublik nach einem Jahrzehnt der Ruhe unter den ökonomischen Vorzeichen der Rezession wieder in Erscheinung trat.

Das Traditionsdokument von 1982

Die Richtlinien von 1982 bilden ein Produkt ihrer eigenen Epoche. Als
solches sollten sie auch zu Beginn des 21. Jahrhunderts gewürdigt werden;
immer eingedenk der Überlegung, dass die lange Gültigkeit dieses Erlasses
von über 35 Jahren doch auch für dessen teilweise zeitlosen Charakter
spricht. Der damalige Erlass bekundet den Aufstieg des Ideals einer bundeswehreigenen Tradition im Gegensatz zu dem Gemisch aus alt und neu
als Kompromiss an die Zeit des Kalten Krieges, der mehr oder weniger den
Kern des Dokuments von 1965 bildete. Der Kontrapunkt des ersten Traditionserlasses war die These, dass soldatische Fertigkeiten und vorbildliches
Handeln im Gefecht in gewisser Weise von den politischen Zielen eines
solchen Kampfes trennbar sind, auch dann, wenn es sich um einen An-
griffskrieg handelte, der im Genozid und in Tausenden von Kriegsverbrechen, begangen von Offizieren, Unteroffizieren und Mannschaften, mündete. Genau diese Idee findet sich auch in den NATO-Armeen gefestigter
Demokratien. Diese verstehen den soldatischen Kodex als teilweise oder gar
völlig getrennt von verfassungsmäßigen Standards.

Der Schwenk zu neu entstehenden bundeswehreigenen Traditionen wurde
auch angesichts der Ereignisse im November 1989 zu schnell vergessen. Die
Entstehungsumstände des Dokuments von 1982 gerieten aus dem Blick.
Kurzum, wenn Kommentatoren in den Jahren 2017 und 2018 vorschnell
schrieben, der Erlass von 1982 sei von vornherein fehlerhaft gewesen,
spricht dies nicht für eine Einsicht in den historischen Hintergrund und das
geistig-politische Umfeld dieses Schriftstückes.

Der Kontext, in dem der Kalte Krieg in den 1970-er Jahren abklang und
dann plötzlich wieder auflebte, ist nicht so stark in Vergessenheit geraten
wie der Übergang von Adenauer über Erhard zu Kiesinger und schließlich
zu Brandt im Jahre 1969. Der Wandel von Helmut Schmidt zu Helmut
Kohl im Zeitraum 1982/83 ist erst eine Generation her und fand nicht bereits vor einem halben Jahrhundert statt, also nicht etwa zu einer Zeit, in der
die meisten heute Lebenden noch nicht geboren waren. Die Periode von

---

[251] Kurt Tauber, Beyond Eagle and Swastika: German Nationalism since 1945, Middletown
1967; Gideon Botsch, Wahre Demokratie und Volksgemeinschaft. Ideologie und Program-
matik der NPD und ihres rechtsextremen Umfelds, Wiesbaden 2017; Uwe Backes, Henrik
Steglich (Hrsg.), Die NPD. Erfolgsbedingungen einer rechtsextremistischen Partei, Baden-
Baden 2007; Richard Stöss, Rechtsextremismus im vereinten Deutschland, Berlin 2000.

1976 bis 1982 war durch Helmut Schmidts Krisenbewältigung in der Erwachsen gewordenen Bundesrepublik gekennzeichnet, angesichts von Energiekrisen, der Debatte um Ökologie, dem Aufstieg des Terrorismus und dem Wiederaufleben des Kalten Krieges, ganz zu schweigen von einer Öffentlichkeit, deren kritischer Blick auf das Dritte Reich wenig Toleranz für das "Schwamm drüber"-Prinzip aus der Mitte der 1950-er Jahre gestattete. Konkret wurde durch eine Welle neuer Ergebnisse der kritischen Geschichtsforschung die unter Veteranengruppen und einigen aktiven Soldaten kursierende Legende widerlegt, die Wehrmacht sei eigentlich ein Hort apolitischer Einstellungen und eine Oase des Anstands im nationalsozialistischen Staat gewesen. Darauf hatten wir schon hingewiesen. Das Dokument von 1982 entstand in derselben Ära wie der NATO-Doppelbeschluss zur Nachrüstung bzw. Begrenzung atomarer Mittelstreckenraketen, ein Moment, an dem der bisherige stillschweigende Konsens über Deutschlands Rolle in den Jahren 1933-1945 im Zuge der Umwälzungen in der Gesellschaft zerbrach.

Der Skandal um den Besuch Hans-Ulrich Rudels auf einem Fliegerhorst der Luftwaffe im Jahr 1976 sowie die Ablehnung soldatischer Symbole und Zeremonien in linken Kreisen während der Zeit des NATO-Doppelbeschlusses (1977-1983) führten im Herbst 1982 zur Revision des Erlasses von 1965. Teil der Zielsetzung für das neue Dokument war es, mit der Idee einer „bundeswehreigenen Tradition" auf den Linksaußen-Flügel der SPD zu reagieren und allen Traditionen aus den Jahren 1933-1945 jegliche Vorbildfunktion abzusprechen. Dieser lautstarke linke Flügel der SPD genauso wie die neu gegründete Partei der Grünen lehnten Helmut Schmidts Kurs der Ergänzung der Abschreckung um die Kategorie der eurostrategischen Waffen ab, insbesondere als der Kalte Krieg in den Jahren 1979-1981 wiederauflebte. Der angebliche Wehrmachtskult in der Bundeswehr, der in der Presse und der kritischen Öffentlichkeit in der zweiten Hälfte des Jahrzehnts stark übertrieben dargestellt wurde, entwickelte sich zum Schreckgespenst insbesondere bei denen, die sich der nuklearen Bewaffnung (z. B. Neutronen-Bombe, nukleare Mittelstreckenraketen) in der NATO widersetzten, aber es vorzogen, dies über Kritik an dem inneren Gefüge der Bundeswehr zu tun. Somit war das eigentliche Thema in den späten 1970-er Jahren die Sicherheitspolitik, und nicht die Tradition selbst. Man sprach von dem Einen und meinte eigentlich das Andere.

Diese Stellvertreterrolle oder Sündenbock-Funktion der Traditionsfrage gab es auch angesichts der sicherheitspolitischen Herausforderungen der Jahre 2014 bis 2017. Als Stichworte seien nur genannt der Syrienkonflikt und die Besetzung der Krim durch russische Truppen im Frühjahr 2014. Den Auslöser verkörperte dann der Fall Franco A. und die dadurch neu aufgeworfenen Fragen in Bezug auf innere Sicherheit und Wiederaufleben des politischen Rechtsextremismus im deutschen Staat und in der deutschen Gesellschaft. Ohne die Migrationsproblematik hätte dieser längst nicht diese Virulenz entwickelt.

Der Prozess der Selbstfindung in den späten 1970-er Jahren in Bezug auf die Wehrmacht und deren Erbe in der Bundeswehr war jedoch damals belastender für die demokratischen zivil-militärischen Beziehungen als im Jahr 2017. Die Traditionsdebatte über das soldatische Erbe im 21. Jahrhundert entstand aus einer Krise besonderer Art. Sie ist überwiegend geprägt durch einen Prozess der Beschleunigung und mehrere Trendwenden in der Bundeswehr, die nur noch ein Schatten dessen ist, was sie zu Zeiten des Kalten Krieges war. Sie ist stark beeinflusst durch unzureichende Verteidigungsetats über fast eine gesamte Generation hinweg bei gleichzeitiger Ausweitung ihrer Aufgaben und der Zahl ihrer Einsätze beispielsweise zur Aufstandsbekämpfung (*counterinsurgency*/COIN). Dies führte zu einer Erschütterung der Grundsätze von Führungsverantwortung, Befehlsgewalt, Disziplin und Motivation.

Der Prozess in der Ära von 1976 bis 1982 beinhaltete einen heutzutage oftmals vergessenen Generationswechsel. Mit Männern, die ausschließlich in der Bundeswehr gedient hatten, hielt ein veränderter Blick auf die Vergangenheit, die Gesellschaft und den Soldatenberuf Einzug. Darin manifestierte sich auch der Modernisierungsimpuls aus der Amtszeit von Helmut Schmidt als Verteidigungsminister, der später auch von den sozialdemokratischen Verteidigungsministern in dessen Kabinett mitgetragen wurde – trotz der traditionellen Spannungen zwischen der Sozialdemokratie und dem Militär. Sie absolvierten eine insgesamt effektive Amtsführung auf der Hardthöhe in Bonn. All dies steht hinter dem Text des Erlasses von 1982, der die Wehrmacht ausdrücklich als in die Verbrechen der Nationalsozialisten verstrickt und damit schuldig an diesen Verbrechen ächtete.

Der neue Traditionserlass von 2018

Der neue Erlass ist in mehrfacher Hinsicht bemerkenswert. Zunächst einmal: Er wurde in einer relativ kurzen Zeit erstellt. Nur zum Vergleich: Den ersten Traditionserlass veröffentlichte das Bundesministerium der Verteidigung 1965 nach einem überaus intensiven, mehr als fünfjährigen Diskussionsprozess. Dem zweiten Erlass von 1982 gingen Anlässe voraus, die weit in die 1970er Jahre zurückreichten. Die Entscheidung, diesen in die Jahre gekommenen Erlass grundlegend zu überarbeiten, deutete zwar das Weißbuch 2016 an, aber die Ministerin traf diese erst nach den dubiosen rechtsextremen Umtrieben des Oberleutnants Franco A. im Frühjahr 2017, die ihrerseits unbedingt tieferer Aufklärung bedürfen, damit keine Legenden und Mythen entstehen. Unmittelbar davor standen Dienststellen der Bundeswehr wegen des Vorwurfs schikanöser Behandlungen von Soldaten im Rampenlicht der Öffentlichkeit. Die Ministerin übte Kritik an der Führungskultur in der Bundeswehr und beklagte dabei insbesondere ein Haltungsproblem. Sie forcierte die Aufklärung der Vorwürfe und initiierte eine Traditionsdebatte, die in den Medien große Beachtung fand. Auch wenn die Überarbeitung des Erlasses länger als zunächst geplant dauerte, so konnten die Bearbeiter im Bundesministerium der Verteidigung diesen innerhalb von knapp einem Jahr unterschriftsreif vorlegen. Hilfreich war dabei nicht nur die weit verbreitete Auffassung in Politik, Gesellschaft und Bundeswehr, dass ein neuer Erlass längst überfällig war, sondern auch der politische Konsens, den Erlass aus dem Wahlkampf im Sommer 2017 herauszuhalten.[252] Die Bearbeiter des neuen Traditionserlasses waren sich schon seit Jahren der Tatsache bewusst, dass ein überarbeiteter Erlass längst fällig war. Mit diesem Zeitdruck wurde der Erlass dann auch geschrieben.

Im Vergleich zu den beiden Vorgängerdokumenten von 1965 und 1982 reflektiert der Traditionserlass von 2018 am wenigsten die gültigen Werte, Ereignisse und Symbole. Das heißt nicht, dass er das Nachdenken darüber vereitelt; aber ein theorieverliebtes Dokument möchte er gerade nicht verkörpern, obgleich er gewisse Schlaglichter setzt. Wie bereits gesagt, er wurde viel schneller erarbeitet als seine Vorgänger. Dies zeigt sich auch darin, dass er auf Vorarbeiten zurückgreifen konnte, die so weit gediehen waren, dass eine Neuerarbeitung bereits in den Jahren 2010 bis 2012 möglich gewesen wäre. Explizit nennt der Erlass jedenfalls folgende historische Ereignisse für seine Neuerstellung: die Wiedervereinigung, das Ende des Kalten Krieges, der volle Zugang von Frauen in die deutschen Streitkräfte, ein sich veränderndes Konfliktbild, angereichert um die Probleme mit der irregulären Kriegsführung, das weltweite Aufkeimen des jihadistischen Terrorismus' und die Rückkehr des Krieges in ein Europa, das sich „im ewigen Frieden der Jahre 1990 bis 2014" wähnte. Der überarbeitete Erlass kam auch deshalb zustande, weil sich das Thema ‚Wehrmacht' im Prozess der Historisierung, also des Erkenntnisgewinns infolge zunehmenden zeitlichen Abstands, zwangsläufig gewandelt hat und dabei noch immer eine Herausforderung unterschiedlicher Intensität für den Soldaten der heutigen Bundeswehr darstellt, so wie auch der militärische Widerstand gegen Hitler und das NS-Regime kein einfacher Baustein des Traditionsverständnisses der nun

---

252 Siehe Peter Andreas Popp, Tradition als Gegenwartsproblem und Zukunftsaufgabe. In: Donald Abenheim, Uwe Hartmann (Hrsg.), Tradition in der Bundeswehr, Berlin 2018, S. 263.

gesamtdeutschen Streitkräfte bleibt. Die Sprache des Textes von 2018 ist im Vergleich der drei Dokumente jedenfalls die nüchternste. Sie ist schlicht und zugleich emotionslos, vielleicht sogar blutleer, und entspricht damit der in der Bundeswehr dominierenden Führungskultur, die Prozesse in den Vordergrund rückt und Kontroversen vermeidet.

Die zentrale Botschaft des Textes enthält nicht weniger als die aktualisierte Formulierung der Kernideen des Dokuments von 1982. Allerdings zieht der neue Erlass klare Trennlinien in Bezug auf militärische Führung, Disziplin und Gehorsam. Sie sind ausdrücklich auf eine Weise abgesteckt, die definitiv nicht der Mentalität und der Einstellung der damaligen Autoren auf der Hardthöhe der Bonner Republik in der Zeit 1965-1982 entsprach. Dreh- und Angelpunkt ist – so deutlich war es in den beiden Vorgängerdokumenten nicht formuliert – die offizielle Erklärung, dass die Wehrmacht des Nationalsozialismus aufgrund der verbrecherischen Dimension dieses Regimes und den daraus resultierenden Auswirkungen auf den soldatischen Dienst nicht die Quelle eines gültigen Erbes des deutschen Soldaten sein kann und darf.

Ursache dafür ist der Kontext des Dokuments von 2018, der sich stark von dem seiner Vorgänger unterscheidet. Anders als zur Zeit des Kalten Krieges, in der die Texte von 1965 und 1982 verfasst wurden, entsteht der Kodex des Jahres 2018 in einer Phase der Neuformation der Bundeswehr. Nachdem diese infolge der Transformation zur Einsatzarmee die Fähigkeit zur Landesverteidigung im Bündnis erheblich vernachlässigt hatte, erfolgte seit 2014 eine strategische Wende zur stärkeren Betonung der Verteidigung des europäischen Kontinents. Der Text legt jedoch auch Zeugnis ab von dem ‚Business-Profil' deutscher militärischer Führungskultur zu Beginn des 21. Jahrhunderts. Diese erfasst die ernste Dimension des Soldatenberufs nur unzulänglich. Soldaten bilden darin allenfalls numerisch eine Rolle. Kurzum, ‚compliance' ist eben nicht dasselbe wie Innere Führung.

Das Bild des Krieges ändert sich, das heißt, die grundlegenden strategischen, aber auch innenpolitischen Annahmen über die Bundeswehr und deren Professionalität stehen zur Disposition angesichts multinationaler Bedrohungen durch jihadistischen Terrorismus, so genannte hybride Kriegsführung, nukleare Konflikte und klassische Militäroperationen innerhalb Europas. Ein Vierteljahrhundert der Verkleinerungen und Kürzungen im Verteidigungsbereich kollidieren mit den Härten des Afghanistaneinsatzes und später auch noch mit dem plötzlichen Wiederaufleben geopolitischer Konflikte in Europa, deren Fehlen es der Bundeswehr über Jahrzehnte erlaubt hatten, Größe und Kampfkraft in der Hoffnung auf ewigen Frieden in Würde schrumpfen zu lassen. Nichts von alledem lag in den Jahren 1965 und 1982 vor. Das bedeutet allerdings nicht, dass die strategische Lage der früheren Epochen irgendwie eindeutiger war als die heutige.

Das Dokument von 2018 geht auch auf die Forderungen einer jungen Generation kampferprobter Soldaten ein. Sie verlangen mehr, als ihnen die Richtlinien von 1982 und den daraus abgeleiteten Traditionslinien aus preußischer Reformbewegung der napoleonischen Zeit, militärischem Widerstand gegen Hitler und bundeswehreigener Tradition[253] zu bieten schienen. Dass diese Forderungen im Text des neuen Erlasses nicht deutlicher formuliert wurden, hat sicherlich auch mit der Berücksichtigung von wahrgenommenen Befindlichkeiten in Politik und Zivilgesellschaft zu tun. Viele militärische Vorgesetzte kommentieren den neuen Erlass nach Inkrafttreten so, dass er den Spielraum wieder herstellt, den das ursprüngliche Dokument von 1965 mit Blick auf die Kriegserfahrung der Jahre 1939 bis 1945 bot.

2.4   Folgerungen für die militärische Praxis

Nachdem wir im ersten Kapitel herausgearbeitet haben, warum Traditionen und deren Pflege so wichtig sind für die Bundeswehr und ihre Angehörigen, ging es in diesem Kapitel um den Kontext, in dem Traditionsdebatten geführt und Erlasse verfasst werden. Wir empfehlen, dass Vorgesetzte in ihrer Arbeit mit Tradition folgende Erkenntnisse berücksichtigen:

1)   Wichtig ist es, die jeweiligen Kontexte der Traditionsverständnisse und -streite sowie der daraus resultierenden Erlasse richtig zu verstehen. Dazu gehören die Außen- und Sicherheitspolitik eines Landes bzw. eines Bündnisses mit ihren jeweiligen Militärstrategien, die innenpolitischen Kräfteverhältnisse sowie gesellschaftliche Trends. Auch die Persönlichkeiten der verantwortlichen Akteure sowie die soziale Zusammensetzung des Personals und deren Prägung durch historische Ereignisse sind zu beachten. Zudem sind Traditionserlasse immer auch als Antwort auf Erwartungen von Alliierten und Partnern

---

[253] Zu den drei Traditionslinien siehe die Beiträge in der Spezialausgabe der if Zeitschrift für Innere Führung, Nr. 2/2018, S. 28-60; Loretana de Libero, Tradition in Zeiten der Transformation, a.a.O., S. 47-86; Uwe Hartmann, Innere Führung, a.a.O., S. 184-190; Ilya Zarrouk, Militärtradition in der Deutschen Bundeswehr und die Struktur der Streitkräfte im internationalen Kontext zwischen historischer Kontinuität und Diskontinuität, Norderstedt 2018, S. 77-123. Die Traditionslinien beruhen auf einer Rede des Bundesministers der Verteidigung, Rudolf Scharping, im Jahre 1999. Sie dienten wohl mehreren Zwecken: Zum einen sollte durch Fokussierung auf die drei durch die militärhistorische Forschung breit untersuchten Traditionslinien die Gefahr einer Belastung der demokratischen zivil-militärischen Beziehungen durch unkontrollierte Neustiftungen verringert werden; zum anderen ging es darum, Verhaltenssicherheit bei den Soldaten zu schaffen, weil sie Tradition vor allem als Last empfanden.

sowie auf Bedrohungen von außen zu verstehen. Dazu sind profunde historische Kenntnisse unverzichtbar. Die Beschäftigung mit Geschichte und das Bemühen um ein angemessenes Verständnis sind daher Teil soldatischer Professionalität und Führungsverantwortung.

2) Traditionserlasse richten sich an verschiedene Adressaten. Der Erlass von 1965 stellte die Erwartungen der ehemaligen Soldaten aus Reichswehr und Wehrmacht in den Vordergrund. Die Richtlinien aus dem Jahr 1982 zielten vor allem auf die Forderungen einer kritischen Zivilgesellschaft. Beim neuen Erlass stehen die Soldaten der Bundeswehr noch immer in der zweiten Reihe; ihre Bedürfnisse werden nun allerdings deutlich stärker gewichtet. Vorgesetzte sollten bei ihren Soldaten und Mitarbeitern Verständnis für die unterschiedlichen Zielgruppen und deren Interessen wecken. Verschiebungen in den Gewichtungen können die verschiedenen Akteure selbst herbeiführen. Denn Traditionsfragen werden über gesamtgesellschaftliche Debatten geklärt. Darin kann und soll die Stimme der Soldaten sich Gehör verschaffen. Sie müssen dabei ausloten, was für Politik und Gesellschaft akzeptabel ist. Zuvor sollten sie sich allerdings generationsübergreifend Klarheit über ihre eigenen Erwartungen verschaffen.

3) Ministerielle Traditionserlasse sind eine deutsche Eigentümlichkeit. Deren Existenz unterstreicht nicht nur, wie kontrovers Fragen der Tradition diskutiert werden, sondern auch, wie wichtig diese für die politische Kultur in Deutschland und insbesondere für vertrauensvolle zivil-militärische Beziehungen sind. Vorgesetzte sollten verdeutlichen, dass Tradition weniger eine Last als vielmehr ein Katalysator für gesamtgesellschaftliche Debatten und für die Anerkennung des Soldaten in Politik und Gesellschaft ist. Eine Gesellschaft, die über das Erbe des Soldaten debattiert, hat damit, auch wenn sie überaus kritisch zur Anwendung militärischer Gewalt eingestellt bleibt, bereits die Notwendigkeit des Soldatenberufs anerkannt.

4) Die Teilnehmer an Debatten sollten alle drei Traditionserlasse in chronologischer Reihenfolge sorgfältig lesen[254] und Vorsicht walten lassen bei deren Bewertung. Die zuletzt gezeigte öffentliche Kritik an den Erlassen von 1965 und 1982 vernachlässigte oftmals deren zeitgeschichtlichen Kontext und instrumentalisierte angebliche inhaltliche Schwachstellen für politische Zwecke. Vorgesetzte in der Bundeswehr sollten sich hüten, diesen intellektuellen Fehler zu begehen.

---

[254] Unsere Empfehlung lautet, auch das Kapitel über Tradition in dem bereits mehrfach angeführten „Handbuch Innere Führung" zu lesen.

5) Traditionsstreite sind oftmals Stellvertreterkonflikte. Bestimmte gesellschaftliche Gruppierungen kritisieren die Bundeswehr und deren Traditionspflege und meinen damit eigentlich die Sicherheitspolitik der jeweiligen Bundesregierungen. In einer Demokratie sind kontroverse Debatten über Sicherheitspolitik normal und auch wichtig für die politische Kultur und Strategiefähigkeit eines Landes. Soldaten sollten daher eine gewisse Gelassenheit in Debatten über Traditionsfragen an den Tag legen. Sie sollten jedoch auch deutlich darauf hinweisen, wenn die Bestimmung des soldatischen Erbes durch sicherheitspolitische Kontroversen und den damit verbundenen Emotionen überlagert wird.

6) Die Wehrmacht wird weiterhin das Traditionsverständnis der Bundeswehr in Form einer ‚negativen Abgrenzung' mitbestimmen. Anlass für künftige Überarbeitungen des Traditionserlasses wie überhaupt für die weitere Pflege des soldatischen Erbes sollten allerdings nicht Skandale im Umgang mit der Wehrmacht sein. Vielmehr muss es darum gehen, die künftigen Aufgaben der Bundeswehr zum Schutz von Recht und Freiheit in den Mittelpunkt zu rücken und daran die Auswahl von Werten und Vorbildern aus der Geschichte zu orientieren. Vorgesetzte sollten das Bewusstsein dafür in der Öffentlichkeit wie auch innerhalb der Bundeswehr schärfen.

7) Tradition sollte nicht mit historischer Bildung gleichgesetzt werden. Diese ist nur eine Voraussetzung für die Erarbeitung eines reflektierten Traditionsverständnisses und einer daran orientierten Traditionspflege.[255] Hinzu kommt, dass historische Bildung der Ergänzung durch andere Bildungsinhalte bedarf. Da es bei Traditionsinhalten um Werte und Vorbilder sowie Institutionen und Prinzipien geht, sollte Bildung neben Geschichtswissen und -bewusstsein immer auch Politik und Ethik mit umfassen.[256] Bildung sollte zudem nicht nur als kritische Auseinandersetzung mit der eigenen Geschichte verstanden werden. Auch wenn Mythen und Legenden entlarvt werden müssen und Streitigkeiten über die Deutung der Geschichte in Demokratien normal und oftmals nützlich sind, so kommt es doch immer wieder darauf an, einen möglichst breiten und starken Geschichtskonsens zu

---

[255] Der Traditionserlass von 2018, der die historische Bildung überaus stark betont, schreibt dazu: „Geschichtsbewusstsein und Kenntnis der eigenen Geschichte sind Voraussetzungen für das werteorientierte Traditionsverständnis der Bundeswehr und Grundlage für eine verantwortungsvolle Traditionspflege." (1.4) Weiter heißt es: „Historische Bildung ist Voraussetzung für eine werteorientierte Traditionspflege. Sie vermittelt Orientierungswissen, Identität sowie die Fähigkeit zur kritischen Auseinandersetzung mit der eigenen Geschichte." (4.1)
[256] Siehe Claus von Rosen, Tradition und Innere Führung, a.a.O..

begründen. Denn darin können Staaten genauso wie Streitkräfte ihr Selbstbild verankern und sich ihrer Identität vergewissern.[257] Dabei kommt es indessen darauf an, einen für die Soldaten angemessenen und brauchbaren Orientierungsrahmen zu schaffen. Historische, politische und ethische Bildung sollte also auch verständliche Leitbilder begründen, die den Soldaten in der Ausübung ihrer verschiedenen Rollen helfen. Wenn Vorgesetzte in enger Zusammenarbeit mit (Militär-)Historikern, Politologen und Ethikern bzw. Militärpfarrer dies nicht schaffen, werden sich nicht wenige Soldaten an dem, was die Medien mit ihrer Bilderflut bieten, orientieren.

8) Der neue Traditionserlass bietet Freiräume für die Pflege und Weiterentwicklung soldatischer Traditionen, die über die bisher offiziell gebilligten drei Traditionslinien hinausreichen. Aus allen Epochen der deutschen (Militär-)Geschichte können nun nach sorgfältiger Abwägung Ereignisse und Vorbilder in das Traditionsgut der Bundeswehr übernommen werden. Diese Freiräume bleiben jedoch ungenutzt, wenn die Innere Führung an Relevanz verliert und durch Technokratie und Managementmethoden überlagert wird. Es kommt nun darauf an, die Führungsphilosophie der Bundeswehr zu revitalisieren, um ihre Führungskultur zu verbessern und der Bestimmung des soldatischen Erbes Halt und Orientierung zu geben. Hier liegt eine wesentliche Aufgabe der Vorgesetzten aller Führungsebenen.

In all diesen Punkten gibt es Handlungsbedarf. Die im Zuge der Erarbeitung des letzten Traditionserlasses geführten Debatten zeugen von einer nur geringen Kenntnis der sicherheits- und gesellschaftspolitischen Hintergründe, unter denen die Traditionserlasse zustande kamen. Auch im Hinblick auf den neuen Erlass drängt sich der Verdacht auf, dass die seine Inhalte bestimmenden Einflussfaktoren wie beispielsweise der aufkeimende Populismus und Nationalismus, die Rückkehr der Verteidigung nach Europa oder die Erwartungen der ‚Generation Einsatz' zu wenig diskutiert wurden. Hier besteht also ein Aufklärungs- und Diskursdefizit.

Ein tieferes Verständnis ist jedoch nicht nur für die Qualität der öffentlichen Debatten und der daraus resultierenden Erlasse, sondern auch für Selbstverständnis und Führungskultur in der Bundeswehr selbst wichtig. Vorgesetzte aller Ebenen und dabei vor allem die Chefs und Kommandeure sollten sowohl die grundlegenden Funktionen von Tradition (siehe Kapitel 1) als auch deren Kontextabhängigkeit (Kapitel 2) kennen, um ihren Soldaten und zivilen Mitarbeitern, letztlich allen Gesprächspartnern, die gültigen Traditions-

---

[257] Reiner Pommerin, Weder Geschichte noch Brauchtum: Tradition, a.a.O., S. 79.

inhalte erläutern zu können. Die Kenntnis der Funktionen und Kontexte von Tradition ist unverzichtbar für die gemeinsame Pflege und Weiterentwicklung des Erbes des deutschen Soldaten innerhalb einer Einheit oder eines Verbandes. Es fällt den Angehörigen der Bundeswehr dann auch leichter, die im neuen Erlass eingeräumten Handlungsfreiräume zu erkennen und zu nutzen.

Wir hatten schon darauf hingewiesen, dass hinter der Frage nach dem gültigen Erbe des deutschen Soldaten die eigentliche ‚Gretchenfrage' nach dem Sinn soldatischen Dienens steht. Chefs und Kommandeure können Gespräche und Weiterbildungen über die gültige Tradition nutzen, um die grundsätzlichen Fragen des Soldatenberufes zu besprechen. Dazu könnten folgende Themen gehören:

1) der Primat der Politik mit Westbindung und Wertebekenntnis zu Menschenwürde, individueller Freiheit und Rechtsstaatlichkeit;

2) die Bedeutung gesellschaftlicher Integration für die politische Kultur eines Landes, seine Strategiefähigkeit sowie vertrauensvolle zivilmilitärische Beziehungen;

3) Defizite in der Führungskultur der Bundeswehr vor dem Hintergrund überlieferter Werte und Vorbilder.

Vorgesetzte sollten ihre Soldaten und zivilen Mitarbeiter auch zur kritischen Analyse des neuen Erlasses ermutigen. Auch wenn zwischen dem 1982-er und 2018-er Erlass mehrere Jahrzehnte liegen, so ist doch nicht ausgemacht, dass der neue Erlass ebenfalls so lange gültig bleiben wird. Die ausgebliebenen kontroversen öffentlichen Debatten dürfen nicht darüber hinwegtäuschen, dass dieser Traditionserlass „Verlierer" produzierte – was im Übrigen auch auf die Vorgängerdokumente zutraf. Unmut und vielleicht sogar ein wenig Aufbegehren löste vor allem die Bewertung der Nationalen Volksarmee (NVA) aus. Während der Erlass von 1965 Rücksicht auf die Befindlichkeiten von ehemaligen Reichswehr- und Wehrmachtssoldaten nahm, die nicht nur in der Bundeswehr, sondern auch in Staat und Wirtschaft wichtige Führungspositionen innehatten, ignoriert der neue Erlass die Erwartungen ehemaliger Soldaten der NVA (bzw. deren Söhne und Töchter, die in der Bundeswehr des Jahres 2018 dienen). Sie sind – im Vergleich zur Repräsentanz von ehemaligen Reichswehr- und Wehrmachtssoldaten in den 1960er Jahren – deutlich weniger zahlreich; und sie haben, wie neuere Untersuchungen zeigen, selbst im Osten Deutschlands – mit Ausnahme allenfalls des ländlichen Raumes – nur wenige Führungsfunktionen in Staat und Wirtschaft inne.

Enttäuschungen dürfte es auch in den Streitkräften, vor allem in den Kampftruppen, geben. Während der Workshops setzten sich Generale für die Betonung des bewaffneten Kampfes im neuen Traditionserlass ein. Da auch in der offiziellen Sprache des Verteidigungsministeriums die Bundeswehr als Einsatzarmee bezeichnet wird, wäre dies durchaus folgerichtig gewesen. Davon fand allerdings kaum etwas Eingang in den neuen Erlass. Dafür mag es gute Gründe geben. Vielleicht war es auch nur der Schnelligkeit des Vorhabens geschuldet. Eine stärkere Betonung des Kampfes hätte wahrscheinlich kontroverse Debatten ausgelöst und den bestehenden politisch-gesellschaftlichen ‚postheroischen Konsens' gefährdet. Denn damit wären die beiden Gretchenfragen der Traditionsdebatten in den Vordergrund gerückt worden: Wie hältst Du es mit der Wehrmacht und wofür soll der deutsche Soldat jenseits der Abschreckung im Rahmen der Landesverteidigung eigentlich dienen? Angesichts der kontrovers beurteilten und bislang doch weithin beschwiegenen Auslandseinsätze der Bundeswehr wäre ein baldiger Konsens in diesen Fragen nicht zu erwarten gewesen.

Der Erlass darf also nicht darüber hinwegtäuschen, dass Spannungen weiterhin bestehen, die bei seiner Implementierung berücksichtigt werden müssen. Es geht dabei auch um das vielschichtige Bild des Soldaten. Die Spannungen existieren zwischen Politik, Gesellschaft und Bundeswehr, aber auch innerhalb der Streitkräfte selbst. Das soldatische Selbstverständnis reibt sich an dem Wesenskern von Streitkräften als einer für die Gewaltanwendung zuständigen staatlichen Organisation und der nur geringen Zahl an Soldaten, die tatsächlich Gewalt ausüben (sollen). Es kommt nun darauf an, wie Spannungen in Politik, Gesellschaft und Bundeswehr im Zuge der Implementierung des Traditionserlasses ausbalanciert werden. Vorgesetzte haben die Aufgabe, für die notwendigen Sensibilisierungen zu sorgen, damit Fragen der Tradition nicht in Stammtischgerede enden und in eine einseitige Politik- und Gesellschaftskritik münden. Denn dies entfremdete die Soldaten von Politik und Gesellschaft und nützte Populismus und Nationalismus.

Es gibt also „Gewinner" und „Verlierer", was die Akzeptanz des Erlasses und dessen Umsetzung erschweren dürfte. Hinzu kommt, dass Maßnahmen wie die Durchsuchung von militärischen Liegenschaften nach Wehrmachtsdevotionalien dessen Implementierung immer noch belasten. Dass die Skandalisierung von eigentlich nüchtern zu betrachtenden Sachverhalten und eben nicht das stark veränderte sicherheitspolitische Umfeld eine Neuauflage veranlassten, wird dem Traditionserlass wohl für längere Zeit als Makel anhaften. Vor allem für die höhere militärische Führung kommt es darauf an, diesen Erlass in ein positives Licht zu rücken, die darin gewährten Gestaltungsfreiräume für die Truppe herauszustellen und bei der Pflege und Weiterentwicklung des soldatischen Erbes mit Beispiel voranzugehen.

3 Der Traditionsbegriff

3.1. Der spezifische Traditionsbegriff in der Bundeswehr

Die Bundeswehr benutzt den Traditionsbegriff in einer Art und Weise, die sich deutlich vom normalen Sprachgebrauch unterscheidet. Während die meisten Menschen darunter die oftmals unbewusste Weitergabe von Verhaltensweisen oder einfach nur ‚Geschichte' verstehen, definiert die Bundeswehr Tradition als „bewusste Auswahl" von Werten und Vorbildern. Ihre Angehörigen sollen sich in ihrem dienstlichen wie auch in ihrem außerdienstlichen Tun und Verhalten danach richten. Diese wertegebundene Definition des Traditionsbegriffs stellt eine wesentliche Kontinuitätslinie dar.

Die Tradition der Bundeswehr bilde sich, so hieß es im Traditionserlass von 1982, „... in einem Prozess wertorientierter Auseinandersetzung mit der Vergangenheit".[258] Auf der Kommandeurtagung im Jahr 2005 sagte der damalige Bundespräsident Horst Köhler dazu: „Die Bundeswehr .... pflegt die Tradition ihrer Vorgängerarmeen getreu dem Apostelwort ‚Prüfet alles! Das Gute behaltet!'".[259] Der neue Erlass von 2018 spricht auch von einem „werteorientierten Traditionsverständnis" und bindet dies an das „werteorientierte Selbstverständnis der Bundeswehr" insgesamt.[260]

Maßstäbe für die Prüfung und Auswahl sind „...neben den der Bundeswehr übertragenen Aufgaben und Pflichten vor allem die Werte und Normen des Grundgesetzes".[261] Sie sind also zutiefst politisch und unterstreichen, dass der Primat der Politik auch für das Traditionsverständnis der Bundeswehr gilt. Der Frieden als oberste politische Maxime in der Präambel des Grundgesetzes und die Beschränkung des Auftrags der Streitkräfte auf die Verteidigung im Art. 20 (4) verdeutlichen, dass die Bundeswehr mit ihrem Traditionsverständnis in einem kritischen, sich abgrenzenden Verhältnis zu ihren Vorgängern in Kaiserreich und Nationalsozialismus stehen muss und tatsächlich ja auch steht.

---

[258] BMVg Fü S I 4, Bonn 1982; siehe auch Winfried Heinemann, Militär und Tradition. In: Gareis, Sven Bernhard, Klein, Paul (Hrsg.), Handbuch Militär und Sozialwissenschaft, 2. Auflage, Wiesbaden 2006, S. 449. Zur Entstehungsgeschichte und zu den Inhalten des Traditionserlasses von 1982 und seinem Vorgänger von 1965 siehe Loretana de Libero, Tradition in Zeiten der Transformation: Zum Traditionsverständnis der Bundeswehr im frühen 21. Jahrhundert, Paderborn 2006, S. 36-42.
[259] Bundespräsident Horst Köhler, Rede auf der Kommandeurtagung der Bundeswehr am 10. Oktober 2005 in Bonn, a.a.O.
[260] Traditionserlass 2018, Nr. 1.1, 1.4.
[261] Traditionserlass 2018, Nr. 3.1.

Damit war von Anfang an klar, dass die deutsche Militärtradition bis 1945 nicht einfach fortgesetzt werden durfte. Welche Personen, Ereignisse und Haltungen der Geschichte für die Traditionspflege in der Bundeswehr genutzt werden dürften, dafür sollte das Grundgesetz der oberste Maßstab sein. Die ethischen Anforderungen des Grundgesetzes, vor allem das Friedensgebot und die Achtung der Menschenwürde als Verpflichtung allen staatlichen Handelns, dienten als Auswahlkriterium. Nur diejenigen Personen, Ereignisse und Haltungen, die zuvor dieses „Nadelöhr" passiert hatten, sollten für die Traditionspflege und d.h. vor allem für die soldatische Erziehung genutzt werden. Militaristische und nationalistische, letztlich alle für die Demokratie gefährlichen und ihrem Menschenbild zuwiderlaufenden „Traditionen" mussten gekappt werden. Soldaten sollten in ihnen nichts Positives sehen. Traditionspflege in der Bundeswehr steht daher im Zeichen eines bewusst herbeigeführten Bruchs mit der deutschen Militärgeschichte, vor allem mit den Vorgängerarmeen der Wehrmacht und der Reichswehr. Das was damals genauso gültig wie heute. Der neue Traditionserlass arbeitete dies, wie wir im letzten Kapitel gesehen haben, noch stärker heraus.

Aufgrund dieser Wertegebundenheit ist Tradition weder Geschichte noch Geschichtswissenschaft. Sie ist eine wertende Auswahl aus dem Gesamtbestand der Geschichte. Die Bundeswehr hat damit ein „wählerisches Traditionskonzept"[262] und verfolgt eine spezielle Form militärischer Geschichtspolitik: „Sie nimmt die Geschichte als einen Steinbruch, aus dem sie nur die wertvollen Stücke zu Tage fördert."[263] Dieses Verfahren weist allerdings auch Defizite auf. Es blendet nämlich gerade dort aus, wo Gesamtschau geboten wäre. Positiv kann man es natürlich auch formulieren: Tradition in der Bundeswehr ist auf eine umfassende historische Bildung angewiesen, um nicht als Ideologie missverstanden zu werden. Dies bestätigt auch der neue Traditionserlass, in dem historische Bildung als „Voraussetzung für eine werteorientierte Traditionspflege" erklärt wird.[264]

Deutlich wird auch, dass die Auswahl selbst ein eminent politischer Prozess ist. Dies fängt bei der Frage an, ob und inwieweit militärstrategische Überlegungen wie das Kriegsbild in seinem Facettenreichtum und die daraus möglicherweise erwachsenen Aufgaben der Bundeswehr in das Traditionsverständnis einbezogen werden sollen. Der Afghanistan-Einsatz ab 2010, der

---

[262] Jörg Echternkamp, Hans-Hubertus Mack, Europäische Militärgeschichte in zwei Jahrhunderten – transnationale Beziehungen, internationale Bündnisse und nationale Bilder. Eine Einführung. In: Jörg Echternkamp, Hans-Hubertus Mack (Hrsg.), Geschichte ohne Grenzen? Europäische Dimensionen der Militärgeschichte vom 19. Jahrhundert bis heute, Göttingen 2017, S. 12.
[263] Ebd.
[264] Traditionserlass 2018, Nr. 4.1.

militärstrategisch von den USA als umfassende Counterinsurgency-Operation geführt wurde, ist dafür ein anschauliches Beispiel. Die Bundeswehr hatte nicht zuletzt deshalb große Probleme mit dieser Militärstrategie, weil sie im deutschen Kriegsbild bisher kaum eine Rolle gespielt hatte.[265] Die politische Dimension von Tradition umfasst nicht zuletzt die Frage, inwieweit das Traditionsverständnis national geprägt ist oder auf europäisches Gut zurückgreift. Antworten darauf sind durchaus umstritten. Im Traditionsverständnis spiegelt sich daher ein mehr oder weniger brüchiger und akzeptierter Konsens über Sicherheitspolitik, das künftige Kriegs- und Konfliktbild sowie die Aufgaben von Streitkräften wider. Soldaten mögen dies als frustrierend empfinden. Statt als Nachteil kann man es allerdings auch positiv sehen: Da diese Fragen politisch beantwortet werden und der freien Meinungsäußerung unterliegen, können bei der Meinungsbildung auch die Soldaten als Staatsbürger in Uniform mitwirken.

Für die Auswahl wirkt die Geschichts*wissenschaft* als hilfreiche Instanz. Sie prüft kritisch, ob das, was Politiker sowie Bürger ohne und in Uniform weithin für gut halten, auch tatsächlich so gewesen ist. Sie entlarvt also Mythen und Legenden. Die Geschichtswissenschaften nicht nur in Deutschland haben maßgeblich dazu beigetragen, die Rolle des Militärs in den dunklen Seiten unserer Geschichte zu rekonstruieren.[266] Sie stellt damit die politische Debatte auf eine fundierte Erkenntnisgrundlage. Historiker des Zentrums für Militärgeschichte und Sozialwissenschaften der Bundeswehr (ZMSBw) in Potsdam zeigten in ihren Veröffentlichungen, dass großartigste Siege in der deutschen Militärgeschichte nicht allein auf das Genie oder Talent des obersten Feldherrn zurückzuführen sind.[267] Zufall und Glück waren für den Erfolg nicht selten ausschlaggebender als eine gute Planung. Deren hohen Stellenwert hatte übrigens bereits Carl von Clausewitz in seinem Werk „Vom Kriege" herausgearbeitet.[268] Er hatte auch festgestellt, dass Fehler der militärischen Führung durch das beherzte Ergreifen von Gele-

---

[265] Allerdings hatte bereits die Wehrmacht vergleichbare Erfahrungen in der Bekämpfung von Partisanen gemacht und dafür ein Merkblatt erarbeitet, in dem die Zusammenarbeit mit der Zivilbevölkerung in den Mittelpunkt gestellt wurde. Siehe dazu Peter Lieb, Die Wehrmacht und der „Kleine Krieg": Das Fallbeispiel der 1. Gebirgsdivision auf dem Balkan 1943/44. In: Jahrbuch Innere Führung 2010, herausgegeben von Helmut R. Hammerich, Uwe Hartmann, Claus von Rosen, Berlin 2010, S. 152-160.

[266] Siehe hierzu das MGFA-Reihenwerk „Das Deutsche Reich und der Zweite Weltkrieg", 10 Bde., München 1979 bis 2008.

[267] Siehe beispielsweise Gerhard P. Groß, Mythos und Wirklichkeit. Geschichte des operativen Denkens im deutschen Heer von Moltke d.Ä. bis Heusinger, Paderborn/München/Wien/Zürich 2012; Friederike Höhn, John Zimmermann, Tannenberg. Militärhistorische Exkursion 2015, Reader, Potsdam 2015.

[268] Clausewitz, Vom Kriege, a.a.O., S. 207.

genheiten der Truppe im Keim zunichte gemacht werden. Kriegstheorie genauso wie Geschichtswissenschaft sind jedenfalls gute Hilfsmittel bei Auswahl und Begründung von Traditionsinhalten.

Tradition in der Bundeswehr meint also eine politisch geleitete und wissenschaftlich überprüfte Auswahl aus der Geschichte. Historische Ereignisse, Personen, Institutionen und Prinzipien sollen überliefert werden, weil sie heute und morgen hilfreich für unser Denken und Handeln sind. Dieses Verständnis von Tradition darf jedoch nicht darüber hinwegtäuschen, dass Menschen immer schon in Traditionen stehen, oftmals ohne es zu wissen: Im Lauf der Zeit wird ihnen etwas übergeben. Das kann gut oder böse, richtig oder falsch sein. Es geschieht ganz automatisch durch unser Verstehen. Denn der Mensch ist ein historisches Wesen, keine *tabula rasa*. Indem er denkt, fühlt und handelt, nimmt er Traditionen auf und trägt sie weiter, ob er das will oder nicht.

Die deutsche Philosophie hat diese Bedeutung von Traditionen besonders stark herausgearbeitet und dafür den Begriff der Wirkungsgeschichte geprägt. Der Mensch steht in dieser Wirkungsgeschichte, und er weiß auch darum.[269] Diesen Gedanken wollen wir am Beispiel des Erziehungsbegriffs veranschaulichen. Der berühmte Theologe Friedrich Daniel Ernst Schleiermacher (1768-1834) begann seine an der neu gegründeten Berliner Universität gehaltene Vorlesung über Pädagogik mit der Aussage: „Was man im allgemeinen unter Erziehung versteht, ist als bekannt vorauszusetzen."[270] Die Menschen verfügen also über ein gewisses Verständnis von Erziehung. Wer in die Bundeswehr kommt, bringt dieses Vorverständnis mit. Es muss nicht mit einem ggf. vorhandenen offiziellen Verständnis des soldatischen Erziehungsbegriffs, wie es beispielsweise in Vorschriften niedergelegt ist, übereinstimmen. Der Soldat besitzt aber bereits ein mehr oder weniger reflektiertes Wissen darüber und wird, solange er nicht auf Widerstand stößt, der ihn zwingt, sein Verständnis zu ändern, sich danach orientieren. Der deutsche Philosoph Hans-Georg Gadamer (1900-2002) schrieb dazu: „Lange bevor wir uns in der Rückbesinnung selber verstehen, verstehen wir uns auf selbstverständliche Weise in Familie, Gesellschaft und Staat, in denen wir leben."[271]

Gleiches gilt auch für den Traditionsbegriff selbst. Wer in die Bundeswehr eintritt, bringt ein Traditionsverständnis mit. Dies muss nicht notwendigerweise ein normatives Verständnis, wie es die Bundeswehr vorgibt, sein. Da-

---

[269] Siehe Hans-Georg Gadamer, Wahrheit und Methode, Tübingen ⁴1975, S. XXIf.

[270] Friedrich D.E. Schleiermacher, Pädagogische Schriften, Bd. 1, herausgegeben von Erich Weniger, Frankfurt/M./Berlin/Wien 1983, S. 7.

[271] Gadamer, Wahrheit und Methode, a.a.O., S. 261.

her ist es so wichtig, dass die Bundeswehr ihren Angehörigen ihr spezifisches Verständnis von Erziehung und Tradition vermittelt, d.h. erklärt. Auch wenn im Allgemeinen davon ausgegangen werden kann, dass der Erziehungs- und Traditionsbegriff bekannt sind, darf die Bundeswehr nicht voraussetzen, dass dies auch für ihr spezifisches Verständnis dieser Begriffe gilt. Und selbst wenn es bekannt wäre, impliziert dies noch lange nicht, dass es auch Akzeptanz findet. Hier liegt auch ein Grund, weshalb manche Soldaten aus anderen Kulturkreisen Schwierigkeiten haben, die Wertegebundenheit des Erbes des deutschen Soldaten im 21. Jahrhundert und die daraus resultierende Abgrenzung vor allem zur Wehrmacht zu verstehen. Auch unseren Alliierten und Partnern müssen wir unser spezifisches Traditionsverständnis immer wieder erläutern. Dies ist ein weiterer Beleg für die zentrale Bedeutung der politischen, historischen und ethischen Bildung für die Traditionspflege in der Bundeswehr. Mit dem demographischen Wandel in Deutschland sowie der weiter zunehmenden multinationalen Zusammenarbeit wird deren Bedeutung weiter wachsen.

Wichtig ist auch die Einsicht, dass Verstehen immer *angewandtes* Verstehen ist. Es bezieht sich auf die konkrete Lebenswelt, wie der Einzelne oder Gruppen sie wahrnehmen. Tradition als Grundlage des Verstehens kann also eine praktische Entlastung sein; sie ermöglicht Orientierung und Handlungssicherheit in einer komplexeren Welt mit radikalem Wandel und zunehmender Beschleunigung. Tradition leistet daher, wie der Theologe Christian Walther in seinem Versuch einer Ethik für Soldaten schreibt, einen Beitrag für unsere „innere Gesundheit".[272] Wir hatten schon im ersten Kapitel auf diese Funktion von Tradition als Lebenshilfe und ‚Helfer-in-der-Not' hingewiesen.[273] Auch wenn der wertegebundene Traditionsbegriff der Bundeswehr von dem Alltagsverständnis abweicht und auch die deutsche Philosophie Tradition eher als ein Hineingestelltsein in die Geschichte versteht, so muss es immer auch darum gehen, dass die Auswahl des soldatischen Erbes als Hilfestellung für den einzelnen Soldaten genauso wie für Verbände und Dienststellen sowie die Bundeswehr als Ganzes dienen kann.

Diese Klarstellung ist allerdings nicht hinreichend. Im weiten Feld der Tradition tummeln sich noch andere Begriffe, die erklärungsbedürftig sind. Im Folgenden geht es darum, diese näher zu erläutern.

---

[272] Christian Walther, Im Auftrag für Freiheit und Frieden. Versuch einer Ethik für Soldaten der Bundeswehr, Berlin 2006, S. 103.
[273] In diesem Zusammenhang sollte auch der Frage nachgegangen werden, inwiefern Tradition hilft, sich vor psychischen Erkrankungen zu schützen. Hinweise darauf liefern Stefan Siegel, Jörn Ungerer, Peter Zimmermann, Wenn Werte wanken. Ethische Verwundungen von Soldaten nach Auslandseinsatz, a.a.O., S. 211-221.

3.2 Tradition, Geschichte und Geschichtswissenschaft

Tradition und Geschichte sind zwei ineinandergreifende Konzepte. Sie sind für die Bildung und Ausbildung von zentraler Bedeutung und bilden die Grundlage für Menschenführung, Führungsverantwortung, Gehorsam und Moral. Das Studium der Geschichte bildet zudem eine unverzichtbare Fachdisziplin für die militärische Entscheidungsfindung auf allen Ebenen der Kriegsführung und für die Strukturierung militärischer Führungsebenen als Teil des Staatsapparates. Diese Tatsache jedoch beunruhigt viele Offiziere und militärisches Zivilpersonal derart, dass sie diesem Fachgebiet, über das Clausewitz so viel zu sagen hatte[274], eine Reserviertheit entgegenbringen, die meist nur eine dürftige Bemäntelung ihrer Ignoranz und Inkompetenz ist. Sie akzeptieren nicht, dass ein Studium der Geschichte i.S. der Allgemeinbildung Teil der Führungsqualitäten des deutschen Offiziers ist. Dabei gehört historische Bildung zum Selbstverständnis hoch effizienter Streitkräfte von Alliierten und Partnern. Das Wesen des militärischen Berufsstandes, bezogen auf seinen Zweck und seine vielfältigen Herausforderungen in Krisen und Kriegen, bleibt ohne die Berücksichtigung von Tradition und Geschichte sinnentleert. Gerade um die Sinnfrage geht es: Geschichte und Tradition verweisen gleichermaßen auf die Notwendigkeit einer demokratischen Basis für die zivil-militärischen Beziehungen wie auch auf den Wesenskern des Soldatenberufes. Sie verdeutlichen die Maßnahmen, die für ein erfolgreiches und verantwortungsvolles Handeln in Konfliktsituationen verschiedenster Art notwendig sind.

Ohne wissenschaftliche Verankerung verkommen Tradition und Geschichte zu Legenden, Mythen und Dogmen. Dies hätte nicht nur schlimme Folgen für die Soldaten in diesem Staat, sondern beeinträchtigte auch deren Leistungsfähigkeit auf dem Gefechtsfeld und gefährdete sogar strategische Ziele auf höheren militärischen Führungsebenen. Und dies betrifft dann auch Staat und Gesellschaft, indem man auf die Idee kommt, den Einsatz der Geschichte als Waffe zuzulassen, um für eine Steigerung der Verteidigungsfähigkeit eines Landes historisch legitimiert massiv in die Rechte des Bürgers einzugreifen.[275] Die Betrachtung der Vergangenheit stellt also einen wesentlichen Teil militärischer Fachkompetenz dar und ist auch Teil des An-

---

[274] Siehe Peter Paret, Hans Delbrück, Krieg, Geschichte, Theorie. Zwei Studien über Clausewitz, herausgegeben von Peter Paret, Berlin 2018.

[275] Donald Abenheim, Geschichtserziehung, Traditionspflege, „lessons learned": Historische Bildung in den US Streitkräften unter dem Aspekt der neueren Kriege. In: Jörg Echternkampf, Wolfgang Schmidt, Thomas Vogel (Hrsg.), Perspektiven der Militärgeschichte: Raum, Gewalt und Repräsentation, München 2010, S. 343-362.

spruchs an den guten Staatsbürger. Die praktische Umsetzung dieser Anforderungen ist jedoch üblicherweise schwierig und anfällig für Rückschläge.

Geschichte verstehen wir hier als die fortwährende Aufzeichnung zeitlicher Abfolgen, von Ursache und Wirkung sowie die bewertende Beurteilung der Vergangenheit hinsichtlich für uns wichtiger Aspekte von Staat, Kultur und Gesellschaft. Tradition meint das gültige Erbe der Vergangenheit als Leitfaden für unser Denken und Handeln. Der deutsche Soldat muss sich mit der Tradition seines Berufsstandes inmitten eines rasanten politischen und gesellschaftlichen Wandels auseinandersetzen. In deren Folge scheint Tradition für alle Beteiligten leider allzu oft nur noch eine Last zu sein, die abgelegt und vergessen gehört.

Es gibt ein Spannungsfeld zwischen dem Bedürfnis des Soldaten nach klarer Zielansprache und der Notwendigkeit, die Reflexion über und die praktische Umsetzung von Tradition und Geschichte differenzierend zu bewerkstelligen, damit eben keine Legenden unter dem derzeit sehr beliebten Begriff des „Narrativs" entstehen. Bei der Vermittlung soldatischer Traditionen sind Wissenschaftler genauso wie Führungskräfte gefragt, die sich prägnant ausdrücken können, die Sache also auf den Punkt bringen, indem sie die Bedürfnisse der Soldaten nach Sinnstiftung ernst nehmen.

Schauen wir uns im Folgenden an, in welchen Bereichen Geschichte und Tradition in einen Konflikt geraten können. Lassen Sie uns auch dabei die Frage beantworten, wie das Verhältnis dieser beiden zum Wohle der demokratischen zivil-militärischen Beziehungen sowie des Soldaten selbst gestaltet werden sollten.

Tradition, Kampf und Kampfkraft

Die Traditionen einer Armee müssen aus politischer Verantwortung, strategischer Mission, taktischer Exzellenz und einem an ethische Grundsätze gebundenen Kodex für Menschenführung, Führungsverantwortung, Gehorsam und Moral erwachsen. In bestimmter Weise spielen Tradition und Geschichte auch in der Fähigkeit zum Kampf eine Rolle. Sie dürfen jedoch niemals dem „Kampf um des Kampfes willen" Vorschub leisten. Kampf darf niemals als wertvollstes Gut eines gültigen Erbes aufgefasst werden. Der verfassungsmäßige Zweck sowie die mit der Menschenwürde und der freiheitlichen demokratischen Grundordnung in Einklang stehende Existenz von Streitkräften haben Vorrang.[276]

---

[276] Siehe Traditionserlass 1965, Nr. 3, 17; Traditionserlass 1982, Nr. 12; Traditionserlass 2018, Nr. 3.3.

Ohne Traditionen gilt eine Armee gemeinhin langfristig als zum Scheitern verurteilt. Wenn politische und strategische Fehler sich auf die militärische Praxis negativ auswirken, wenn die Professionalität der Soldaten abnimmt und unethische Praktiken im Bereich von Befehl und Gehorsam um sich greifen, dann führt dies zum allgemeinen Versagen. Niederlagen resultieren aus Fehlern auf verschiedenen Ebenen der militärischen Führung. Sie sind vor allem durch deren Unfähigkeit bedingt, den Zufall zu beherrschen, den vorgegebenen politischen Zielen nachzukommen und dem Aufkeimen von ungezügelter Gewalt und Hass Einhalt zu gebieten. Solche Rückschritte und -schläge können mit der soldatischen Tradition in Zusammenhang stehen. In den Armeen der westlichen Demokratien ist die Quelle für derartige Fehlentwicklungen auch in den *management sciences* und einer zu starken Technologiegläubigkeit zu finden. Denn sie reduzieren die ethische Frage nach „gut" und „böse" auf die technokratische Alternative „erfolgreich" vs. „nicht erfolgreich". Es geht dann nur noch um an empirischen Kennzahlen orientierte Kriegführung, die politische Zwecke genauso aus den Augen verliert wie die Bedeutung von Zufall und Emotionen. Der Krieg, dargestellt in Erfolgszahlen, sagt noch lange nichts darüber aus, ob dieser auch zu einem nachhaltigen Frieden führt. Dies traf beispielsweise auf den Krieg der USA in Vietnam zu und findet sich auch in den internationalen Einsätzen im Irak und in Afghanistan wieder.

Doch es gibt Armeen, die ihre Feuertaufen nicht bestehen, wie es Aufzeichnungen aus der Vergangenheit eindrucksvoll belegen. Dazu gehören bspw. die Armeen des absolutistischen Frankreichs vor 1789 und Preußens 1806[277] oder die Armee des zaristischen Russlands bis 1917. Es gibt auch Armeen, die ihre Niederlagen als Quelle soldatischer Traditionen und Tugenden würdigen, z.B. die britische Armee (Stichwort: Rourke's Drift oder Dünkirchen 1940); ja sogar die US Armee, jedenfalls in Bezug auf den amerikanischen Bürgerkrieg (Stichwort: „Lost Cause") wie auch auf den Vietnam-Krieg.[278] All dies ist dem heutigen deutschen Umfeld fremd; es sagt jedoch viel aus über die zivil-militärischen Beziehungen als Bestandteil der Soldatentradition und über die Auffassung der Geschichte des Krieges und des Soldatentums als eigentlich unverzichtbare Teile eines Berufskodexes.

Ebenso gibt es Armeen ohne eine ausgeprägte Tradition und Traditionspflege. Diese kommen gleichwohl ihrem politischen Auftrag und ihren operativen und taktischen Aufgaben in Frieden und Krieg sehr erfolgreich

---

[277] Zu Preußen im Jahre 1806 siehe Peter Paret, The Cognitive Challenge of War. Prussia 1806, Princeton and Oxford 2018.

[278] Harry Summers, On Strategy, Novato 1977.

nach.[279] Die israelische Armee des 20. Jahrhunderts bildet hierfür ein treffendes Beispiel, ebenso die chinesische Volksbefreiungsarmee unter Mao oder der Vietcong im Vietnam-Krieg. Letztere kamen ohne pompöse Insignien aus, entwickelten jedoch eine hochgradig tödliche Kampfkraft, mit der sie die Supermacht USA durch irreguläre Kriegsführung besiegten. Die Sowjetarmee entwickelte sich zu einer hocheffektiven Streitmacht und übernahm später den dynastischen Kult der Zarenarmee, wiewohl zu Anfang eine beinahe vollständige Ablehnung der Grundsätze und Symbolik der alten Armee vorgeherrscht hatte. Als ursprüngliches Beispiel für den Bruch mit dynastischen Traditionen bei gleichzeitiger Entwicklung von Fähigkeiten zum Kampf dient natürlich die Revolutionsarmee Lazare Carnots und der Wohlfahrtsausschuss während der Terrorherrschaft von 1793.[280] In den ersten Jahrzehnten ihres Bestehens galt die Bundeswehr bei Kritikern in Westdeutschland und der NATO als der Wehrmacht unterlegen. Ursächlich dafür sei ihr „Bruch mit Traditionen", wobei in den meisten Fällen niemand so recht erklären konnte, welche Elemente der „Tradition" der Wehrmacht inmitten strategischen sowie politischen und ethischen Versagens des Oberkommandos und vieler weiterer Beteiligten die Fähigkeiten zum Kampf erhöht und zur Erzielung taktischer Erfolge beigetragen hätten.

In der Bundeswehr werden die „verwertbaren" Teile der Vergangenheit rigoroser selektiert als dies beispielsweise in den USA, in Großbritannien, Frankreich oder Polen praktiziert wird. In deren Armeen werden hingegen Traditionspflege und Verwertung der Geschichte als Grundlage militärischer Professionalität vermischt und dadurch ein ‚moderner Kriegerkult' produziert. So etwas ist in Deutschland (wie auch in Österreich) aufgrund des durch den Nationalsozialismus angerichteten Gesamtschadens gerade auch im kulturellen Selbstverständnis einfach nicht möglich und politisch bislang auch mehrheitlich absolut unerwünscht.

Natürlich kann Geschichte von totalitärer oder nationalistischer Politik als Waffe missbraucht werden. Soldatische Traditionen beispielsweise, die sich in Form von Traditionskulten oder -dogmen auf den Grundlagen eines Söldnertums manifestieren und im Widerspruch zu einer pluralistischen Staatsführung und Gesellschaft stehen, sind eine Waffe aus diesem Arsenal. Ein weiteres Beispiel bildet die Uminterpretation des Erbes des Soldatentums im Nationalsozialismus, was uns noch heute enorme Probleme bereitet. Folglich können bei einer Auseinandersetzung mit dem Wesen von Tradition und Geschichte diese Tatsachen kaum außer Acht gelassen werden.

---

[279] Martin van Creveld, The Training of Officers: From Military Professionalism to Irrelevance, New York 1990.
[280] Ulrich C. Kleyser, Lazare Carnot. "Le Grand Carnot". Ein Charakterbild, Berlin 2016.

Auch wenn heute in der Mitte Europas das grundsätzliche Bestreben besteht, diese Fehler zu vermeiden, sei gewarnt vor der Vorstellung, „Geschichte als Steinbruch" für die Traditionspflege unreflektiert zu handhaben. Die Dialektik von Geschichte und Tradition kann niemals aufgehoben werden, vor allem nicht durch eine neue Form des Traditionskultes.

Widerspruch von Denken und Handeln

Grundsätzlich gilt, dass einer der Hauptfehler beim Versuch, Inhalt und Charakter der Soldatentradition zu definieren, darin liegt, diese mit der wissenschaftlich neutralen Geschichte des Krieges und des Soldatentums gleichzusetzen, insbesondere im Hinblick auf die Rolle von Soldaten in Politik und Gesellschaft. Hier kommt es häufig zu großer Polemik: wenn nämlich der Soldat überzeugt ist, dass Zivilisten ihm nicht den gebührenden Respekt und die gebührende Ehre für seinen Beruf erweisen oder sie sich in Bereiche einmischen, die Soldaten als ihre gänzlich eigenen betrachten. Es gibt Soldaten, die eine anti-intellektuelle Attitüde an den Tag legen und jegliche Reflexion der Geschichte als Teil ihrer beruflichen militärischen Bildung ablehnen. Sie schaden damit wichtigen Bereichen des Militärdienstes, sowohl auf niedrigeren als auch höheren Führungsebenen. Auch gibt es diejenigen, die eine Unterscheidung zwischen Tradition und Geschichte nur unzureichend begreifen und oft willkürlich und unbedarft Beispiele aus der Vergangenheit anbringen, um bestimmte operative oder taktische Doktrinen zu untermauern oder um strategische Dogmen aufrechtzuerhalten, obwohl diese im Widerspruch zur Realität des soldatischen Dienstes und von Kriegen stehen. Sie verkörpern dann ein aus politischer, ethischer und gesellschaftlicher Sicht zu verachtendes Zerrbild eines uniformierten Gewaltmonopols, das von allen Beschränkungen losgelöst agiert (also einen Kriegerkult, wie er in der Vergangenheit existierte und auch heute mancherorts existent ist). Eine rein auf technische Aspekte beschränkte Waffenbeherrschung (strategische Bombardements und heutzutage Cyberkriege) erscheint dann als wünschenswerter beruflicher Selbstzweck, ohne Beachtung jeglicher verfassungsmäßiger, ethischer oder sozialer Grenzen. Diese Beschränkungen sind jedoch die zentralen Tugenden eines Soldaten, der seinen Eid auf eine Verfassung schwört und dessen Dienst auf Rechtsstaatlichkeit und der kohärenten Ausführung seines Dienstes zu einem verständlichen, politisch und ethisch legitimierten Zweck beruhen. Dieser Typus Soldat hat auch von Clausewitz nichts gehört oder verstanden.

Nun gibt es Historiker, die Soldaten auf der Suche nach einem Traditionskodex und im Streben nach geschichtswissenschaftlicher Aufklärung alle auch nur annähernd positiven Eigenschaften absprechen. Dies geschieht dann mit der Tendenz, den Militärdienst und die Geschichte des Krieges und der Soldaten als eine Form von Mord oder Völkermord darzustellen. In der frühen Zeit der Bundeswehr war diese gänzlich negative Haltung weniger verbreitet, da viele im Universitätsleben ein klares Verständnis für die Notwendigkeit hatten, Menschenführung, Führungsverantwortung, Gehorsam und Moral als Lehre aus der Epoche des totalen Krieges zu reformieren. Die vom damaligen Bundesministerium für Verteidigung herausgegebene sechsbändige Reihe „Schicksalsfragen der Gegenwart"[281] ist ein beeindruckender Beleg für dieses Engagement. Viele Geistesgrößen des deutschen Universitätslebens haben darin Beiträge veröffentlicht. Mit dem Aufkommen der These, dass die deutsche Staatsführung und Politik absichtlich und ausschließlich zivilen Charakter aufzuweisen hätten, sind diese Stimmen im 21. Jahrhundert in den Hintergrund getreten. Diese Ansicht hat sich in der Berliner Republik mit dem Anbruch des „Ewigen Friedens seit 1990" weit verbreitet. Zu der Zeit, als die Hauptstadt noch am Rhein lag, herrschte angesichts der Gefahr eines auch mit nuklearen Waffen geführten Krieges ein härterer Realismus vor.

Zu Beginn des 21. Jahrhunderts sollten Soldaten nicht überrascht sein, dass viele Historiker und andere Personen des öffentlichen Lebens dem Soldatenberuf kritisch gegenüber stehen. Mit der de facto Abschaffung der Wehrpflicht im Jahr 2011 hat sich die „Historikerzunft" in weiten Teilen geweigert, ihren Beitrag zu der schwierigen Aufgabe zu leisten, für den soldatischen Dienst und damit für die Sicherung der Grundlagen einer guten Regierungsführung in einer Demokratie auszubilden. Gleichzeitig behaupten Wissenschaftler, dass sie sich an die eng gefassten Normen ihrer Profession halten. Diese beruhen auf einer akademischen Exzellenz, welche der kritischen Prüfung ihrer Kollegen standhalten und im wissenschaftlichen Leben einer Universität erfolgreich sein kann. Die Situation wird auch dadurch nicht verbessert, dass andere Militärhistoriker mitunter ihre wissenschaftliche Position in sehr engstirniger Weise dazu nutzen, Doktrinen und Dogmen beispielsweise über eine erfolgreiche Strategie oder Taktik aufzustellen. Oder sie vertreten subtil auf andere Art eine einseitige, Effekt haschende Auffassung zu historischen Ereignissen. Zuletzt war dies bei der historisch nicht haltbaren öffentlichen Unterstützung für die *Counterinsurgency*-Strategie im Irak und in Afghanistan der Fall.[282]

---

[281] Bundesministerium für Verteidigung Innere Führung (Hrsg.), Schicksalsfragen der Gegenwart. Handbuch politisch-historischer Bildung, 6 Bde., Tübingen 1957ff. Siehe dazu Frank Nägler, Der gewollte Soldat und sein Wandel, a.a.O., S. 260-264.

[282] Siehe dazu kritisch Douglas Porch, Counterinsurgency: Exposing the Myths of the New Way of War, Cambridge 2013.

Alle oben beschriebenen Probleme werden gebündelt, wenn eine Regierungsbehörde versucht, auf etwa zehn Seiten einen Kodex für das Erbe des Soldatentums festzulegen. Den Autoren der Traditionserlasse aus den Jahren 1965, 1982 und 2018 ist es nie gänzlich gelungen, das Spannungsfeld zwischen den unterschiedlichen Polen aufzuheben. In der Presse, aber auch in der Gesellschaft und in den Streitkräften haben Menschen unbedarft Geschichte und Tradition miteinander vermischt und dabei kaum darauf geachtet, dass beides individuelle Konzepte sind, denen getrennte Aufmerksamkeit geschenkt werden sollte. Das Ergebnis sind gelangweilte oder genervte Soldaten, die sich darüber ärgern, dass sie mit akademischen Stilübungen abgespeist werden, während sie doch eigentlich ein Beispiel für Tapferkeit vor dem Feind suchen.

Vorfälle wie die Verehrung von Hans-Ulrich Rudel, dem Flieger-Ass des Zweiten Weltkrieges, oder die Einladung des Rechtsextremisten Manfred Roeder zu einem Vortrag an der Führungsakademie der Bundeswehr sind Belege für fehlende geschichtliche Gesamtbildung vor allem des Offizierskorps. Deren Mitglieder tragen die Verantwortung, wenn es Skandale im Umgang mit Geschichte und Tradition gibt. Die Folgewirkungen für das Ansehen der Bundeswehr und für das Vertrauen in die Streitkräfte und deren Führungspersonals sind dramatisch. Auch die zivil-militärischen Beziehungen leiden darunter. Besonders problematisch wird es, wenn Soldaten im Wunsch nach einer kämpferisch orientierten Tradition die Trennlinien zwischen demokratischer Loyalität und rechtsradikalem oder gar rechtsextremem Denken nicht mehr klar genug wahrnehmen.

Man kann nicht so weit gehen zu behaupten, dass die heutige Geschichtsschreibung auf der Suche nach der Tradition des Soldaten anti-heldenhaft sei, aber hinsichtlich Staat, Gesellschaft und Kultur wird die Geschichte des Krieges meist unter dem Gesichtspunkt von Tragik und Zweifel betrachtet. Deutschland ist alles andere als eine Nation der Selbstgewissheit. Bei den Hütern eines konventionellen Ideals vom Soldaten im Staat und einer dieser Rolle entsprechenden Geschichte fördert diese Tatsache die Tendenz, vermeintliche Ideale aus der Zeit vor 1945 als besondere Beispiele heranzuziehen und dabei das politische Umfeld auszublenden.

Um der Gefahr der Verführbarkeit vorzubeugen, sollten vor allem Berufssoldaten ein überdurchschnittliches Wissen über die Vergangenheit besitzen und mit den Herausforderungen der Geschichte an sich vertraut sein. Sie sollten sich über die Länge eines durchschnittlichen You-Tube-Videos hinaus mit den Haupttexten über die Geschichte von Soldaten, Streitkräften und Krieg in der Gesellschaft sowie dem Wesen von Schlachten und Waffen vertraut machen. Dabei sollten sie sich insbesondere mit Geschichte,

Tradition und Waffen als Problem der Staatsführung beschäftigen. Diese Forderung bleibt bislang im Grunde unerfüllt, obwohl das Ideal der Inneren Führung in der „Bonner Republik" diese Ziele verkörperte und oft genug tatsächlich anging. Diesem Anspruch wird heutzutage trotz unzähliger Bildungsangebote kaum Genüge getan.

Niemand erwartet ernsthaft, dass jeder Unteroffizier und Kompanieoffizier in der Bundeswehr einen Studienabschluss in Geschichte hat. Von Soldaten, die in Gefechten in Übersee oder zur Abschreckung für das Bündnis in Osteuropa eingesetzt werden, kann man nicht erwarten, dass sie im Deckungsloch reihenweise Bücher lesen, obwohl dies zu anderen Zeiten in Deutschland nicht ungewöhnlich gewesen war. Davon zeugen unzählige Feldpostbriefe, in denen sich die Lektüre anspruchsvoller Tornisterliteratur widerspiegelt. Da jedoch jeder Soldat in der Hierarchie der Bundeswehr in Führungs- und Leitungspositionen aufsteigen kann, brauchen insbesondere diejenigen in den höheren und höchsten Rängen mehr als einen Hochschulabschluss in Betriebswirtschaft oder Informationstechnologie, um sich den zivil-militärischen Herausforderungen stellen zu können, in denen sich das Selbstbild des Soldaten hinsichtlich Geschichte und Tradition immer wieder manifestiert.[283]

Doch die Probleme, die in den Jahren 2014 bis 2017 in der öffentlichen Diskussion über das innere Gefüge der Bundeswehr mit Blick auf gute Führung zu Tage traten, haben mit dem Umstand zu tun, dass der Alltag der Streitkräfte durch Unkenntnis der Geschichte bestimmt wird. Falsch verstandene Geschichte wird so zu einer Keule starrköpfiger Tradition für den Offizier als karriereorientierten Managertypus oder den Soldaten als bloßen Kämpfer. Sie zerschlägt die solide Grundlage für Menschenführung, Führungsverantwortung, Gehorsam und Moral.

3.3 Tradition, Symbole und Brauchtum

Im vorherigen Abschnitt haben wir begründet, warum Tradition und Geschichte zwei verschiedene Bereiche sind, die sorgfältig auseinandergehalten werden müssen. Ebenso sind die Symbole, Zeremonien und Bräuche des militärischen Lebens etwas anderes als die Tradition an sich. Aber auch diese Begriffe werden verwechselt und nicht fein säuberlich getrennt. Auf-

---

[283] Siehe dazu den Vorschlag der Einführung eines militärwissenschaftlichen Studienganges an den Universitäten der Bundeswehr von Uwe Hartmann, Wissenschaft im und für den Einsatz. In: Jahrbuch Innere Führung 2013. Wissenschaften und ihre Relevanz für die Bundeswehr als Armee im Einsatz, Berlin 2013, S. 290-303; siehe auch, mit anderer Perspektive, Jochen Bohn, Der Nachfolger des Staatsbürgers in Uniform. Annäherung an einen Soldaten jenseits bürgerlicher Funktionalität. In: Jahrbuch Innere Führung 2014, a.a.O., S. 266-284.

grund der jahrzehntelangen öffentlichen Diskussionen in Deutschland über das soldatische Vermächtnis belastet diese Begriffsunschärfe die öffentliche Debatte derart, dass alle anderen Facetten des soldatischen Erbes verdrängt werden. Es wird dann folglich nicht mehr unterschieden zwischen Ethos und Logos auf der einen Seite und dem Pathos mit seinen Ausdrucksformen wie beispielsweise Zeremoniell und Emblemen auf der anderen. Analyse, Logik und ethisch begründetes Berufsverständnis fallen damit unter den Tisch; an ihre Stelle tritt Pathetik, also letztlich falsches Pathos.

Folgende historische Beispiele mögen dies belegen: Die Waffen-SS adaptierte den Totenkopf von den Preußischen Husaren vor 1918; der Ehrenring der SS war ein Symbol-Diebstahl aus dem Christentum und wurde zum Kitschsymbol ihres Totenkultes.[284] Der Bedeutungswandel des Eisernen Kreuzes fällt in dieselbe Kategorie: die ursprünglich nicht standesgebundene Tapferkeitsauszeichnung der rechtsstaatlich orientierten preußischen Monarchie mutierte dank der politischen Rechten schon vor 1933 zu einer Art „Ersatzhakenkreuz" für diejenigen, die weder Demokraten sein noch Nazis werden wollten. Dass dies völlig konträr zur Stiftungsgeschichte des Eisernen Kreuzes stand, war letztlich unerheblich. Ähnlich erging es dem Stahlhelm in den Ausführungen von 1916 und 1935. Er wurde interpretiert als Symbol soldatischer Tugend, die nicht gebunden war an (demokratische) Verfassungsgrundsätze.

Ein weiteres klischeehaftes Beispiel bildet die weit verbreitete Überzeugung in der anglophonen Welt, die Bundeswehr habe keine Tradition, da sie in den 1950-ern Jahren im Gegensatz zur NVA die preußischen Parademärsche überhaupt nicht beibehalten habe. Und diese Verallgemeinerung ist auch vernehmbar im Osten Deutschlands mit einer gewissen Ähnlichkeit zu den Aussagen von ehemaligen Angehörigen der Wehrmacht im Westen Deutschlands in den 1950-er und 1960-er Jahren: Eine Armee ohne die Erfahrung des Schliffs auf Kasernenhof und Exerzierplatz sei nichts anderes als eine Armee von „Weicheiern".

Symbole sind jedoch selbst im Kern noch keine Traditionen. Symbole sind Ausdruck von Tradition, sie ersetzen diese aber nicht. Sie transportieren diese nur. Ein Wert, ein ethisches Ideal oder ein berufliches Selbstverständnis unterscheiden sich von einem Abzeichen an einem Fahrzeug, einer militärischen Blankwaffe oder einer Mütze. Bei dem einen handelt es sich um eine Abstraktion, die essentiell für den Bestand der Streitkräfte oder den Dienst des Soldaten ist, wohingegen das andere ein Gegenstand aus Metall oder Stoff ist, mit Gewicht und Textur, von dem allgemein angenommen

---

[284] Peter Longerich, Heinrich Himmler. Eine Biographie, München 2008.

wird, er verkörpere diese Werte und Normen der Institution und des Berufsstands.

Ebenso wie Geschichte nicht mit Tradition verwechselt werden darf, so sind dingliche Symbole von den nicht greifbaren Werten und Vorbildern zu unterscheiden. Sie sind allerdings durchaus wichtig für deren Veranschaulichung. In jedem Traditionserlass der letzten fünfzig Jahre wurde diese wichtige Unterscheidung getroffen. Gleichwohl, die Anerkennung dieser Tatsache in der Realität ist und bleibt schwierig.

Symbole sind also eine vereinfachte Darstellung eines abstrakten Konzepts oder eines Objekts. Sie sind überall in Staat, Gesellschaft, Wirtschaft und Kultur in wachsender Zahl und mit immer umfangreicherer Bedeutung vorhanden. Symbole sind bildliche Abstraktionen von Vorstellungen – Dinge, die gewährleisten, dass der Gedanke oder die Sache, für die sie stehen, allgemein erkannt wird. Beispiele hierfür sind das Kreuz als Symbol des Christentums, ein Herz für die Vorstellung von der menschlichen Liebe oder eine Flagge für einen Nationalstaat. Symbole sind in Staat, Gesellschaft und Kultur allgegenwärtig und können starke Emotionen wecken.

Militärische Symbole sind Ausdruck für Stärke einer Kultur und Gesellschaft – entweder im positiven oder im negativen Sinne. Diese Generalisierung gilt übrigens auch für Zivilisten, besonders in Krisenzeiten und im Falle bewaffneter Konflikte. Soldaten schätzen ihre Symbole, um ihr Zugehörigkeitsgefühl und ihren Dienstgrad vor sich selbst, also nach innen gerichtet, zu unterstreichen, aber auch, um nach außen zu zeigen, dass sie deutsche Heeres-, Marine- und Luftwaffensoldaten sind. Jedes Frühjahr tauschen katholische Soldaten aus aller Welt in Lourdes im Zeichen des Pilgergeistes sehr gerne ihre Abzeichen aus. Ein Außenseiter bleibt der, der es nicht tut. In Kriegszeiten hingegen sind Soldaten erpicht darauf, Erinnerungsstücke an bestimmte Gefechte zu finden. Sie sprechen diesen Trophäen dann eine besondere Bedeutung zu und erinnern sich damit an das Ereignis und die damit verbundenen Belastungen – ein Phänomen, das so alt ist wie der Krieger selbst. Diese Symbole sollen dann die Werte von Führung und Moral verkörpern, die für eine militärische Organisation unerlässlich sind. Sie stehen für Führungsebenen, Dienstgrade und Hierarchien, die sich aus den Anforderungen von Dienst und Gefecht ableiten.

Militärische Symbole unterscheiden sich von der Markenbildung für Konsumartikel oder Unternehmen und auch von den Symbolen und Bräuchen, die Nutzer der sozialen Medien gerne verbreiten. Dieser Unterschied rührt daher, dass die Streitkräfte seit ihrer Entstehung mehr oder weniger eigenständige Organisationen sind, wie sie schon früher in Staat und Gesellschaft existierten – vergleichbar der katholischen Kirche oder den Staaten in Europa vor 1789. Im Fall der Streitkräfte erfordert die soldatische Tradition Symbole, verschiedene Embleme und Zeremonien, um die ansonsten unbestimmten Vorstellungen und Konzepte von Dienst und Zusammenhalt greifbar, sprich konkret zu machen. In den Zeiten der dynastischen Ordnung im Europa des Mittelalters bis in die frühe Neuzeit gab es viele solcher Symbole, Embleme und Zeremonien, die über die Jahre zum Symbolkanon des Militärdienstes in Europa und der inneren Struktur der deutschen Streitkräfte geworden sind. Im Sinne einer gewissen Dialektik gibt es jedoch auch Teile der Gesellschaft, für die diese Symbole und Embleme sehr negative Gedanken und Gepflogenheiten verkörpern. Sie widersetzen sich diesen mit aller Kraft. Als Beispiel hier seien die Abgrenzungsbestrebungen der demokratischen Linken zum Begriff der Nation oder der Non-Konformismus der Achtundsechziger genannt. Diese Abgrenzung schließt jedoch keinesfalls aus, dass stattdessen eigene fragwürdige Symbole, Kultfiguren und Zeremonien wie beispielsweise die sozialistische Faust, Che Guevara oder linke Kampflieder zelebriert werden.

Tradition darf auch nicht mit Brauchtum verwechselt werden.[285] Die beiden letzten Traditionserlasse wiesen darauf hin, dass viele Rituale, Zeremonien und Gepflogenheiten des Truppenalltags Brauchtum und eben nicht Tradition sind. Bräuche haben sich oft schon vor langer Zeit herausgebildet. Ihr Sinn und Zweck ist den Soldaten nicht immer bewusst. Sie sind aber überaus nützlich, weil sie Verhaltenssicherheit im Umgang miteinander schaffen. Deren Bedeutung sollte in der Aus- und Weiterbildung erklärt und wachgehalten werden.[286]

Man kann gar nicht genug betonen, dass viele Formen, Bräuche und Sitten sich sowohl in theoretischen als auch in praktischen Aspekten von der Traditionspflege selbst unterscheiden. Viele der Abzeichen, Rituale und Riten der militärischen Bräuche sind Überbleibsel dynastischer Ordnung, ebenso wie Rituale und Symbole in anderen Berufsständen wie beispielsweise in Kirchen oder an Universitäten und sogar bei Kaufleuten und Handwerkern. Im eigentlichen Sinne stehen militärische Symbole und Abzeichen für die Ordnung in den Streitkräften, mit Dienstgraden und Hierarchien, Befehl und Gehorsam, und für eine Institution, deren Hauptaufgabe der Kampf in bewaffneten Konflikten ist. Militärische Symbole rufen sowohl bei Soldaten als auch bei Zivilisten immer eine psychologische Reaktion hervor. Clausewitz würde hier vom Wechselspiel von Furcht und Hass sprechen. Einige Menschen assoziieren militärische Symbole und Gebräuche als Belege für „staatlich sanktionierte Kriminalität bis hin zum Mord". Andere hingegen

[285] Reiner Pommerin, Weder Geschichte noch Brauchtum: Tradition, a.a.O., S. 73-75.
[286] Siehe dazu die Traditionserlasse 1982, Nr. 10 und 23; 2018, 4.6.

betrachten sie mit Wertschätzung, als Ausdruck von Stolz, Freude, Ehre und Hingabe zu den soldatischen Tugenden. Militärische Symbole bereitwillig sich zu eigen zu machen betrachten diejenigen, die Soldaten in Staat und Gesellschaft als störend empfinden, als schlagenden Beweis für Militarismus und Gift im menschlichen Zusammenleben. Sie glauben, dadurch würden die Werte der Bürgerlichkeit ausgehöhlt. Für die Kritiker der Streitkräfte sind solche Symbole Utensilien mit tieferer Beweiskraft, wie es 2017 mit dem Wehrmachtshelm und der Nachbildung einer Maschinenpistole lehrbuchmäßig vorgeführt wurde. Dieses Beispiel stimmt alles andere als hoffnungsfroh: In einem 21. Jahrhundert, das in einer digitalen Bilderflut von unvorstellbarem Ausmaß bereits erstickt, verdrängen Symbole und die damit verbundenen Emotionen im öffentlichen Leben das klare Denken womöglich immer mehr.

Symbole sind ein Schlüsselelement bei der Pflege von Traditionen. Somit spielen Symbole, Zeremonien, Bräuche und Sitten auch im Militärdienst eine wichtige, vielleicht sogar tragende Rolle. Zu diesen Symbolen, Emblemen und Zeremonien gehören beispielsweise die Nationalfarben Schwarz, Rot und Gold, die sich aus der Zeit der Befreiungskriege gegen Napoleon im frühen 19. Jahrhundert und der Revolution 1848 herleiten und ein Zeichen für die deutsche Nation und ihr liberales Erbe sind. Auch der Text der deutschen Nationalhymne aus der Zeit unmittelbar vor dem Revolutionsjahr 1848/49 stammt aus dem frühen 19. Jahrhundert, als das deutsche Nationalgefühl langsam erwachte. Dessen Zeilen unterstreichen die Einheit der deutschen Nation, die vor 1848 wie vor 1990 alles andere als gewiss war. Das Symbol des Adlers stand bereits im 1806 untergegangenen Heiligen Römischen Reich Deutscher Nation (HRRDN) für Souveränität und den Dienst für Staat und Nation im Rahmen der Rechtsstaatlichkeit. Hinzu kommt ein dynastisches Symbol, aus dem ein nationales Symbol wurde: das Eiserne Kreuz als Staatswappen sowie als Zeichen des Mutes, der Freiheitsliebe und der Ritterlichkeit. Es steht auch für das liberale Ideal, Standesgrenzen und die Unterscheidung zwischen Zivilisten und Soldaten niederzureißen. Eidesformel und Vereidigung verkörpern in ihrer dualen Form die Verpflichtung, Dienst unter der Fahne zu tun und der Bundesrepublik Deutschland treu an der Waffe zu dienen sowie Freiheit und Rechtsstaatlichkeit tapfer zu verteidigen. Diese soldatische Grundpflicht ist in Paragraph 7 des deutschen Soldatengesetzes kodifiziert und bildet die Formal für Eid und Gelöbnis. Der große Zapfenstreich steht an der Spitze der Riten und Zeremonien in der Bundeswehr und wird zu feierlichen Anlässen abgehalten. Dabei werden die Trommeln und Flöten der frühen modernen Landsknechte gespielt, also der Söldner der Renaissance und der Religionskriege, sowie die Trompeten und Trommeln der berittenen Truppen aus derselben Ära. Sie sind Teil der Militärmusik, die auch eine weit verbreitete Form der Volkskultur war, nicht nur ein Mittel der militärischen Führung im Gefecht.

Für die Teile der Gesellschaft, die der Existenz des Soldaten weiterhin kritisch begegnen, bedeuten diese Symbole, Abzeichen und Rituale nicht eine legitime Ausdrucksform der staatlichen Schutzmacht nach außen, sondern eine Bedrohung der Freiheit im Innern. Sie liefern für sie den Beweis für Militarismus. Kritiker oder Gegner militärischer Institutionen bedienen sich folglich der Symbole des Soldaten im innenpolitischen Kampf als Negativfolie. Bei einer solchen Verallgemeinerung bleibt die Tatsache unbeachtet, dass lebendige Demokratien in Europa und Nordamerika über sehr komplexe Sammlungen militärischer Symbole, Rituale und Abzeichen verfügen, ohne dass von diesen die geringste Gefahr für Verfassungen oder bürgerliche-Freiheiten ausginge. Tatsächlich vermögen diese Nationalstaaten, bei denen der Sinn für den Bürgersoldaten gut entwickelt ist, diese sehr differenzierten soldatischen Symbole und kriegerischen Zeremonien mit einer Begeisterung anzunehmen, die die Kritiker in ihrer Unwissenheit und Ignoranz zum Schweigen bringen müsste.

Andererseits: Wieder einmal zeigt sich die Problematik der Symbole, Zeremonien und Rituale als Gesprächs- und Konfliktgegenstände innerhalb der demokratischen zivil-militärischen Beziehungen. Soldaten sollten dies verstehen anstatt reflexartig immer und überall zu glauben, die Gesellschaft sei ihnen gegenüber gleichgültig oder gar ablehnend. In der Zeit vom 18. Jahrhundert bis ins 20. Jahrhundert wurde die militärische Symbolik in den jeweiligen deutschen Staaten und in der deutschen Gesellschaft zu einem wesentlichen Bestandteil der dynastischen Ordnung und anschließend des Nationalstaates erhoben; dies führte nach 1945 zu einer Ablehnung dieser Symbole, Zeremonien und Abzeichen, die so heftig war, dass sie schon als historisch bemerkenswert bezeichnet werden muss. Als ein Mittel zur Integration der Bundesrepublik Deutschland in die westliche Welt, die weithin aus Ländern bestand, die von Wehrmacht und Waffen-SS wenige Jahre zuvor im Kampf besiegt und dann besetzt worden waren, hat sich die Bundeswehr für einen modernen und relativ emotionslosen Weg entschieden, was ihre Symbole, Zeremonien und Rituale angeht. „Armee ohne Pathos" und „Der Stechschritt ist verboten" waren konsequenterweise die Mottos der 1950-er und 1960-er Jahre. Heute dagegen, in der jungen „Generation Einsatz", wird ein Bedürfnis nach Emotionen und Wertschätzung immer stärker artikuliert. Auch dies ist Teil der Realität der demokratischen zivil-militärischen Beziehungen, in denen Spannungen vor allem auch vom militärischen Führungspersonal ausbalanciert werden müssen.

154

3.4 Folgerungen für die militärische Praxis

Die praktische Arbeit mit dem neuen Erlass setzt umfangreiche Kenntnisse voraus. Dazu gehört vor allem Hintergrundwissen über

1) die drei bisherigen Traditionserlasse in der Geschichte der Bundeswehr sowie deren Kontinuitäten und Diskontinuitäten;

2) die sicherheitspolitischen und gesellschaftspolitischen Kontexte, die deren Erarbeitung beeinflusst haben und unser heutiges Verstehen leiten;

3) die darin enthaltenen zentralen Begriffe, die in der Alltagssprache durchaus anders und nicht immer klar voneinander unterschieden verwendet werden.

Wir wollen nun gerade diesen letzten Punkt in seinen Folgerungen für die militärische Praxis näher erläutern. Zuvor seien noch einmal die wichtigsten begrifflichen Abgrenzungen wiederholt:

Geschichte verstehen wir als die fortwährende Aufzeichnung zeitlicher Abfolgen, die Analyse von Ursache und Wirkung sowie die bewertende Beurteilung der Vergangenheit als für uns bedeutsame Aspekte von Staat, Kultur und Gesellschaft. Tradition dagegen meint die wertende Auswahl des gültigen Erbes der Vergangenheit als Leitfaden für das soldatische Denken und Handeln. Symbole sind im eigentlichen Sinne keine Tradition, sondern nur ihr Transportmedium. Sie veranschaulichen und konkretisieren abstrakte Werte. Diese Unterscheidungen sind vielen so nicht bewusst. Es kommt daher für Vorgesetzte darauf an, in den Veranstaltungen zur politischen, historischen und ethischen Bildung sowie in öffentlichen Debatten immer wieder darauf hinzuweisen. Dabei sollten sie die Wertegebundenheit des Traditionsverständnisses erklären. Erneut zeigt sich hier die Notwendigkeit einer umfassenden Bildung vor allem der Chefs und Kommandeure, aber auch derjenigen, die Reden und Artikel für Verteidigungspolitiker und hohe Generale bzw. Admirale schreiben. Ohne eine fundierte geisteswissenschaftliche Bildung fällt bereits die Begründung für die Wertegebundenheit des Traditionsbegriffes sowie für die Auswahl des Traditionsgutes schwer. Bildung hilft auch dabei, den Missbrauch von Geschichte als Waffe in der politischen Auseinandersetzung zu erkennen und den Versuchungen eines Traditionskultes, die über krude Geschichtsvorstellungen in die naive Konstruktion „heroischer Gemeinschaften" münden, zu widerstehen. Permanente Weiterbildung, die weit über die jeweiligen militärischen Fachgebiete hinausgeht, ist daher unverzichtbar für gute Führung. Für das Selbstverständnis der Soldaten, insbesondere für Berufssoldaten, bedeutet dies: Sie sind Pfleger und Hüter (*stewards*) für den richtigen Umgang mit der (Militär-) Geschichte. Dazu gehört, dass sie selbst ein Vorbild abgeben, dass sie verstehen, erläutern und begründen sowie mitdiskutieren und aushandeln. Wie bereits mehrfach angesprochen, ist dazu Bildung erforderlich, und auch eine gehörige Portion Mut.

Für ihre Weiterbildung können Soldaten auf die Veröffentlichungen des ZMSBw und die Expertise ihrer Mitarbeiter zurückgreifen. Bei der Formulierung ihrer Erwartungen an deren Unterstützungsleistungen sollten sie unbedingt deren Auftrag berücksichtigen. Dieser besteht darin, Grundlagenforschung zu betreiben. Dazu gehört u.a. die Dekonstruktion von Mythen und Legenden. Sie bildet auch ein unverzichtbares Gegengewicht zur Bilderflut in den (sozialen) Medien, die eine ausgewogene und kritische Meinungsbildung oftmals verhindert. Vorgesetzte, die sich um eine Auswahl von Ereignissen und Vorbildern für ihren jeweiligen Verantwortungsbereich bemühen, mögen dies als Erschwerung ihrer Aufgabe verstehen. Gleichwohl ist diese Grundlagenarbeit auch für sie unerlässlich; denn sie hilft ihnen dabei, nicht zu blauäugig Vorbilder zu konstruieren, die es so in Wirklichkeit nicht gibt.

Bei der Entscheidung über die Auswahl von Traditionsinhalten, über das, was geht und was nicht geht, kann die Militärgeschichtsforschung nur bedingt helfen. Letztlich ist dies von dem Aushandlungsprozess abhängig, den Klaus Naumann beschrieben hat, als er von einem Gegensatz zwischen einer militärischen und einer gesellschaftlichen Perspektive auf das Traditionsproblem sprach. Seine Frage „Was könnte unter einer integrationsfähigen, was könnte unter einer einsatzfähigen Traditionsbildung verstanden werden?"[287] unterstreicht, dass es hier um einen dialogischen Prozess geht, in dem die Soldaten ihre Stimme einbringen müssen. Eine erste Orientierung an dem, was für die Gesellschaft akzeptabel ist, liefern dabei die Studien der sozialwissenschaftlichen Forschung in der Bundeswehr.[288]

Allerdings sollten Vorgesetzte ihren Wunsch nach militärhistorischer Unterstützung bei ihrer Traditionsarbeit durchaus stärker artikulieren. Denn zum Auftrag des ZMSBw gehört auch die Bildung. Mit seiner Arbeit soll das ZMSBw auch einen Beitrag zur Sinnstiftung leisten, nicht nur negativ, indem es die Schattenseiten der deutschen Geschichte historisch aufarbeitet

---

[287] Klaus Naumann, Der Wald und die Bäume, a.a.O., S. 64-65.

[288] Das ehemalige Sozialwissenschaftliche Institut der Bundeswehr (SOWI) wurde im Zuge der letzten Reform in das ZMSBw eingegliedert. Gerade für die Erarbeitung eines gesellschaftspolitisch akzeptablen Traditionsverständnisses der Bundeswehr ist diese Integration hilfreich. Neben den bereits angesprochenen Meinungsumfragen, die auch Fragen des Traditionsverständnisses umfassen, sind besonders die Untersuchungen zur strategischen Kultur in Deutschland hilfreich. Siehe dazu Heiko Biehl u.a., Strategische Kulturen in Europa. Die Bürger Europas und ihre Streitkräfte, Forschungsbericht 96 des Sozialwissenschaftlichen Instituts der Bundeswehr, September 2011.

oder Mythen und Legenden entlarvt, sondern auch konstruktiv, indem es in Traditionsfragen berät und darüber hinaus selbst Vorschläge unterbreitet, wie Soldaten ihren Bedarf nach Sinnstiftung stillen können. Vorgesetzte sollten also den engen Schulterschluss mit dem ZMSBw (oder anderen einschlägigen Institutionen) suchen. Die Entscheidung über deren konkreten Inhalte des soldatischen Erbes (bzw. über Anträge für deren Genehmigung) bleibt allerdings bei den Chefs und Kommandeuren sowie den Inspekteuren.

Lassen Sie uns nun noch etwas zur Bedeutung des Kampfes für das Erbe des deutschen Soldaten sagen. Kampf gewinnt seine Bedeutung erst durch politische Ziele. Er darf nicht getrennt davon betrachtet werden. Zudem steht bei vielen Soldaten Kampf nicht im Vordergrund ihres Selbstverständnisses, zumindest nicht allein. Wie sollten Vorgesetzte vor allem in den Kampftruppen damit umgehen? Konkret: Wie reagieren sie auf die ‚Generation Einsatz', die sich aufgrund ihrer Kampferfahrung von den Angehörigen der älteren Soldatengenerationen in der Bundeswehr abgrenzt? Ihnen gegenüber wäre der Hinweis auf den Zweck von Tradition, Soldatengenerationen zu verbinden, wahrscheinlich nur wenig hilfreich. Kritisch sollte ihnen entgegengehalten werden, dass die Bereitschaft und Fähigkeit zum Kämpfen gerade auch in der Aufbauphase der Bundeswehr offensichtlich war; denn die Gründungsväter der Bundeswehr verfügten allesamt über Kampferfahrungen im Zweiten Weltkrieg. Dass sie die politische Verantwortung und strategische Ziele nach ganz oben stellten und auch als maßgebliche Orientierungspunkte für die Tradition vorgaben, hat auch etwas mit ihren Lehren aus der Geschichte zu tun. Zu ihren traditionswürdigen Lehren gehört auch, dass Kampf seine Sinnhaftigkeit und Zweckbestimmung erst durch eine gute Strategie erfährt, die legitime politische Ziele u.a. mit militärischen Wegen und Mitteln ausbalanciert. Kampf und militärisches Handwerk allein dürfen niemals als das wertvollste Gut aufgefasst werden. Im neuen Traditionserlass steht daher: „Die Bundeswehr ist freiheitlichen und demokratischen Zielsetzungen verpflichtet. Für sie kann nur ein soldatisches Selbstverständnis mit Wertebindung, das sich nicht allein auf professionelles Können im Gefecht reduziert, sinn- und traditionsstiftend sein."[289] Dies verdeutlichen nicht zuletzt die Symbole wie beispielsweise die schwarz-rot-goldenen Nationalfarben und das Eiserne Kreuz. Sie zieren die Uniformen des deutschen Soldaten sowie die Waffensysteme der Bundeswehr und transportieren damit die Botschaft, dass diese für Recht und Freiheit dienen und der Tapferkeit, Freiheitsliebe und Ritterlichkeit verpflichtet sind.[290]

---

[289] Traditionserlass 2018, Nr. 3.3.
[290] Traditionserlass 2018, Nr. 4.6.

Im nächsten Kapitel werden wir den bereits am Anfang dieser Einführung angesprochenen Perspektivenwechsel vollziehen. Wir geben freimütig zu, dass in den ersten Entwürfen dieser Einführung sowohl der Untertitel dieses Bandes als auch die Überschrift des vierten Kapitels von Deutschland als einem „schwierigen Vaterland" sprach. Dies ist sozusagen die alte Brille gewesen, durch die wir die deutsche Geschichte als auch die soldatische Tradition betrachtet haben. Die neue Brille, die wir aufsetzen, verdrängt weder Schuld noch Verantwortung der Deutschen für die Vergangenheit. Gleichwohl stellt sie den Stolz auf dieses Deutschland, wie wir es nach 1945 aufgebaut und entwickelt haben, in den Vordergrund. Dieser Perspektivenwechsel führte zu dem neuen Untertitel dieser Einführung „Das soldatische Erbe in dem besten Deutschland, das es je gab". Und er findet sich auch in der Überschrift des nächsten Kapitels wieder. Ob dieser hier vorgeschlagene Perspektivenwechsel sich verfestigt, zu einem Leitfaden, ja sogar zu einer ‚Leitkultur' und damit zu einem Paradigmenwechsel wird, das liegt nicht zuletzt an den Angehörigen der Bundeswehr selbst.

4 Das soldatische Erbe für das beste Deutschland, das es je gab

In diesem Kapitel geht es um den angekündigten Perspektivenwechsel. Es geht um Stolz auf *dieses* Deutschland – auf den demokratischen Staat, seine liberale Gesellschaft, die Aufbauleistung der Ehemaligen und die Einsatzbereitschaft der Soldaten heute. Es ist *dieses* Deutschland, das die Soldaten der Bundeswehr gedanklich mitnehmen, wenn sie ihren Dienst gerade auch im Auslandseinsatz leisten. Auf dieser Grundlage können Bürger in und ohne Uniform „mit Stolz Tradition stiften".[291]

Lassen Sie uns zuvor jedoch auf die weit verbreitete Bewertung Deutschlands als eines „schwierigen Vaterlandes" eingehen. Wir haben bereits darauf hingewiesen, dass „...es kaum ein schwierigeres Terrain als die deutsche Militärgeschichte..."[292] gibt. Andere Staaten haben weniger Probleme mit ihrer Militärgeschichte, auch wenn deren Armeen in kriegerischen Auseinandersetzungen nicht immer gesiegt haben, ihre Siege manchmal ungewollte politische Folgen mit sich brachten oder manche ihrer Angehörigen in Kriegsverbrechen[293] verwickelt waren. Daher ist es auch nicht verwunderlich, dass die Armeen unserer Alliierten und Partner in der Regel nicht über einen Traditionserlass verfügen. Dass die Deutschen dagegen ein solches politisches Dokument für ihre Armee benötigen und darüber bisweilen heftig streiten, scheint Beleg genug für die These zu sein, dass Deutschland ein „schwieriges Vaterland" ist.

Für unser Verständnis von Tradition als werteorientierte Auswahl aus der Geschichte ist es nun wichtig zu fragen, warum unser Vaterland schwierig ist und was es uns an positiven Ereignissen und Personen oder Institutionen und Prinzipien überhaupt noch übrig lässt. Es stellt sich auch die Frage, ob wir unsere Schwierigkeiten im Umgang mit unserer Geschichte nicht dadurch verschärfen, dass wir Tradition als eine werteorientierte Auswahl definieren und damit immer auch die dunklen Seiten unserer Geschichte herausstellen. Wäre es nicht leichter, Tradition ganz allgemein als eine Re-

---

[291] Traditionserlass 2018, Nr. 3.2. Siehe auch Helmut R. Hammerich, Mit Stolz Tradition stiften. Die Geschichte der Bundeswehr als Füllhorn für die Umsetzung der neuen Richtlinien zum Traditionsverständnis und zur Traditionspflege. In: Donald Abenheim, Uwe Hartmann (Hrsg.), Tradition in der Bundeswehr. Zum Erbe des deutschen Soldaten und zur Umsetzung des neuen Traditionserlasses, Berlin 2018, S. 245-260.

[292] Herfried Münkler, Traditionspflege ermöglicht Modernität. In: Frankfurter Allgemeine Zeitung vom 21. Februar 2018, S. 8.

[293] So stellte beispielsweise Winston Churchill angesichts der strategischen Bombardierung Deutschlands im Zweiten Weltkrieg die Frage: „Are we monsters?" siehe dazu Tami Davis Biddle, Rhetoric and Reality in Air Warfare. The Evolution of British and American Ideas about Strategic Bombing, 1914-1945, Princeton 2002.

flexion über Geschichte zu verstehen?[294] Liegen die Schwierigkeiten mit der soldatischen Tradition nicht auch darin begründet, dass wir die militärischen Niederlagen in den beiden Weltkriegen des 20. Jahrhunderts falsch beurteilen? Deutschland hat die Kriege verloren. Aber boten diese Niederlagen nicht die Chance für die Befreiung von den deutschen Sonder- und Irrwegen aus der Zeit vor 1945? Und haben wir diese Chance nicht ausgezeichnet genutzt? Wie sollten wir also in Zukunft mit unserem Vaterland umgehen?

Um diese Fragen zu beantworten, möchten wir zunächst daran erinnern, dass die Gründungsväter der Bundeswehr Deutschland weitaus stärker als ein schwieriges Vaterland betrachteten als wir es heute tun. Manchen Soldaten erscheint Deutschland heute vor allem deshalb als ein schwieriges Vaterland, weil Politik und Gesellschaft mit der Militärgeschichte hadern, dem Einsatz militärischer Mittel skeptisch gegenüberstehen und unbefangene soldatische Traditionen nicht zulassen. Dass die aktuelle materielle und personelle Lage der Bundeswehr so beklagenswert ist, macht die Angelegenheit noch schwieriger. Aber wäre all das Grund genug, um das Vaterland weiterhin als schwierig anzusehen und blind gegenüber den großen Erfolgen seit 1949 zu sein?

Damals, in der Aufbauphase der Bundeswehr, waren die zerstörten Städte, die Besetzung Deutschlands und die Teilung in Ost und West Beweis genug, dass der militärische Dienst für das Vaterland in eine politische und moralische Katastrophe geführt hatte. Dieses Bewusstsein machte den Weg frei für einen radikalen Neuanfang in der Außen-, Sicherheits- und Militärpolitik. Parallel zu den Vorarbeiten für die Neuaufstellung deutscher Streitkräfte setzte sich die Bundesregierung unter Konrad Adenauer für die politische, wirtschaftliche und militärische Integration Europas ein. Zwar wollte auch Adenauer die Wiedererlangung der Souveränität Deutschlands; diese sollte jedoch über die vorherige Integration in den Westen und seine demokratische Verfasstheit erfolgen. Hier sah der erste deutsche Bundeskanzler den Schlüssel nicht nur für die Wiedererlangung der Souveränität Deutschlands als gleichberechtigter Partner in der Völkergemeinschaft, sondern auch für den Frieden in Europa. Frieden in Europa durch Versöhnung, Zusammenarbeit und Integration ist seither das erklärte Ziel deutscher Regierungen, auch wenn die dazugehörige „Meistererzählung" mehr und mehr an Zugkraft und Eindeutigkeit für die Menschen heute verloren hat.[295]

---

[294] Heiko Biehl, Nina Leonhard, Bis zum nächsten Mal?, a.a.O., S. 49.

[295] Herfried Münkler, Auf der Suche nach einer neuen Europaerzählung. In: Grit Straßenberger, Felix Wassermann (Hrsg.), Staatserzählungen. Die Deutschen und ihre politische Ordnung, Berlin 2018, S. 169-196.

Trotz der Streite über Sicherheitspolitik und soldatische Tradition, welche die Geschichte der Bundesrepublik Deutschland bis heute kennzeichnen, bestand jedoch von Anfang an ein grundlegender gesellschaftlicher Konsens: So etwas wie der Nationalsozialismus darf sich nicht wiederholen. Das Beispiel „Weimar" zeigt: Die Demokratie der Weimarer Republik ist nicht deshalb gescheitert, weil sie zu viele Feinde hatte, sondern weil es zu wenige gab, die die ja durchaus vorhandenen demokratischen Politiker und liberalen gesellschaftlichen Kräfte unterstützten.[296]

Die Demokratie ist auf Unterstützung auch durch die Soldaten angewiesen – und vielleicht sogar gerade durch die Soldaten. Diese Überzeugung findet ihren deutlichsten Ausdruck im soldatischen Leitbild vom Staatsbürger in Uniform und der gesetzlich geregelten Beibehaltung ihrer staatsbürgerlichen Rechte. Was in den 1950er-Jahren galt, hat seine Bedeutung nicht verloren: Die deutschen Soldaten sollen die Demokratie nicht untergraben, sondern stärken und loyal auch gegen innere Feinde mit freilich politischen Mitteln verteidigen. Die von der damaligen Bundesregierung unter Konrad Adenauer mit Nachdruck verfolgte Integration der jungen Bundesrepublik Deutschland in die politische Kultur des Westens, d.h. in ein demokratisches System, das die Freiheit des Individuums schützt und Rechtsstaatlichkeit gewährt[297], sollte sich auch in Selbstverständnis und Selbstbild der Streitkräfte und ihrer Angehörigen spiegeln.

Für die Bindung der Bundeswehr an die Idee des Friedens in Europa und die Werte, die den Westen ausmachen, steht die Führungsphilosophie der Inneren Führung. Sie wurde in den fünfziger Jahren unter Federführung des ehemaligen Majors im Generalstab und späteren Generalleutnants Wolf Graf von Baudissin erarbeitet. Sie beruht auf drei gerade auch für Fragen der Tradition wesentlichen Bezugspunkten: (1) Dem Lernen aus der europäischen Geschichte, (2) der Auswahl der richtigen Werte und Vorbilder, die das Soldatsein in einer Demokratie und einem Bündnis westlich geprägter Staaten leiten, und (3) der Widerstandsfähigkeit gegenüber den Versuchun-

---

[296] Siehe dazu auch die Rede des Bundespräsidenten Walter Steinmeier am 9. November 2018 im Deutschen Bundestag. Er sagte am Schluss: „Lassen sie uns nicht länger behaupten, dass die Weimarer Republik eine Demokratie ohne Demokraten war! Diese mutigen Männer und Frauen (wie Friedrich Ebert, Hermann Mülls Erzberger, Gustav Stresemann, Matthias Erzberger, Marie-Elisabeth Lüders und viele andere, die der Bundespräsident anführt; U.H.) standen viel zu lange im Schatten der Geschichte vom Scheitern der Weimarer Demokratie. Ich finde, wir schulden ihnen Respekt, Hochachtung und Dankbarkeit." (https://www.sueddeutsche.de/politik/Steinmeier-rede-wortlauf-1.420375-2)
[297] Was den Westen heute ausmacht, beschreibt der Historiker Heinrich August Winkler, Zerbricht der Westen? Über die gegenwärtige Krise in Europa und Amerika, München ²2017, S. 13-22.

gen anti-demokratischer Beeinflussung – sei es in Form der damaligen sowjetischen Propaganda oder wieder erstarkender nationalistischer Umtriebe innerhalb Deutschlands.

Allerdings zeigt uns die Geschichte, dass die Menschen selbst in Zeiten des Umbruchs so manches vom Alten mit in Gegenwart und Zukunft übernehmen. Daher ist es nicht verwunderlich, dass auch die neuen deutschen Streitkräfte trotz des guten Willens für einen Neuanfang manch altes Denken und Handeln als oftmals gar nicht so richtig wahrgenommenes Marschgepäck mit sich schleppten. Heute verstehen wir die frühe Geschichte der Bundeswehr als Streit zwischen Reformern und Traditionalisten. Denjenigen, die etwas ganz Neues wollten, standen also diejenigen gegenüber, die noch so einiges mehr aus der deutschen Militärgeschichte mit in die Bundeswehr übernehmen wollten oder ganz einfach auch nicht anders konnten, als ihr althergebrachtes Soldatenbild wieder mit Leben zu füllen. Umso wichtiger ist es, sich vor dem Hintergrund der langjährigen Verwässerung der Reformideen der Inneren Führung[298] diesen wieder zu nähern und zu fragen, welche ihrer Vorbilder, Werte und Denkansätze für uns heute, für unser Soldatsein in einem veränderten sicherheitspolitischen Umfeld, weiterhin geeignet sind und welche, weil wir sie so stark vernachlässigt haben, dringend wiederbelebt werden sollten – nicht zuletzt durch das Traditionsverständnis und (neue) Formen der Traditionspflege. Die Innere Führung ist damit ein wichtiges Traditionsgut; gleichzeitig ist sie das Gedankengebäude, innerhalb dessen das Traditionsverständnis erarbeitet und soldatische Traditionen gepflegt werden sollen. Es ist also überaus sinnvoll, sich mit der Inneren Führung zu beschäftigen, auch um das soldatische Erbe für uns heute und morgen zu bestimmen.

Ein Wort sei noch zu den Verächtern der Inneren Führung gesagt, die bereits ihren Abgesang angestimmt haben: Offensichtlich steht sie kurz davor, das gleiche Schicksal wie die Weimarer Republik zu erleiden. Mutige Männer hatten sie begründet, aber der illiberale Geist setzte ihr stark zu. Enorme personelle und materielle Defizite bei einem starken Aufrüstungsdruck gaben der Führungskultur damals wie heute kaum Freiräume für eine kreative Entfaltung. Sollten wir heute in Zeiten, in denen, wie Bundespräsident Walter Steinmeier am 9. November 2018 im Bundestag sagte, „die liberale De-

---

[298] Geschichte, Erfolge und Defizite der Inneren Führung sind in folgenden Büchern beschrieben: Helmut W. Ganser (Hrsg.), Technokraten in Uniform, Hamburg 1980; Uwe Hartmann, Innere Führung. Erfolge und Defizite der Führungsphilosophie für die Bundeswehr, Berlin 2007; Elmar Wiesendahl (Hrsg.), Innere Führung für das 21. Jahrhundert. Die Bundeswehr und das Erbe Baudissins, Paderborn 2007. Neuerdings Marcel Bohnert, Innere Führung auf dem Prüfstand. Lehren aus dem Afghanistan-Einsatz der Bundeswehr, Hamburg 2017.

mokratie wieder unter Druck gerät, in denen ihre Gegner lauter und selbstbewusster werden", uns nicht stärker an die Innere Führung in ihrer ursprünglichen Konzeption erinnern, auf ihren Reformideen aufbauen und auch aus ihren Defiziten vor allem in der praktischen Umsetzung lernen? Sollten wir das geistige Vermächtnis von Männern wie Wolf Graf von Baudissin, Ulrich de Maiziére, Johann Adolf Graf von Kielmansegg, Erich Weniger und Günther Will nicht „klug und wachsam pflegen"?[299]

Was Deutschland als schwieriges Vaterland für den Soldaten heute bedeutet und wie wir es überwunden haben, dies soll in dem nun folgenden Kapitel an zentralen Fragen geklärt werden. Zunächst beschäftigen wir uns mit der Bedeutung von militärischen Niederlagen für das Traditionsverständnis. Hier widerlegen wir die häufig anzutreffende Meinung, dass militärische Niederlagen soldatische Traditionen be- oder sogar verhindern. Im Anschluss daran geht es um die Frage der Einzigartigkeit der deutschen Kriegsverbrechen im Zweiten Weltkrieg, insbesondere des Holocausts. Wir stellen den ‚Historikerstreit' dar und zeigen, dass diese mit großer Vehemenz in den 1980-er Jahren ausgetragenen Kontroversen und die darin ausgetauschten Positionen zur deutschen Geschichte, Erinnerungskultur und (Sicherheits-)Politik noch heute aktuell sind und weiterhin diskutiert werden. Daran schließt sich dann ein kurzer Abriss über die Innere Führung an, die zu Wehrmacht, Holocaust und Niederlage Stellung nehmen musste. All diese Kapitel weisen uns den Weg in Richtung eines Perspektivenwechsels: weg vom „schwierigen Vaterland" als der bisherigen Grundannahme für unser Traditionsverständnis und die Pflege des soldatischen Erbes im 21. Jahrhundert hin zum Stolz auf dieses Deutschland und seiner Streitkräfte. Wir möchten dazu beitragen, dass dieser Perspektivenwechsel zu einem Paradigmenwechsel wird, der unsere Suche nach dem und unsere Sicht auf das Erbe des deutschen Soldaten im 21. Jahrhundert leitet. Zum Schluss dieses Kapitels werden wir erneut Empfehlungen für die Führungspraxis von Chefs und Kommandeuren geben.

---

[299] Einen wichtigen Vorstoß in diese Richtung unternahm der Parlamentarische Staatssekretär bei der Bundesministerin der Verteidigung Peter Tauber in seiner Rede anlässlich des 60. Jahrestages des Bestehens des Beirats für Fragen der Inneren Führung. Der Wortlaut der Rede befindet sich unter http://blog.petertauber.de.

4.1. Geschichte und Niederlage im totalen Krieg: Tradition und Deutschlands Rolle in zwei Weltkriegen

Geschichte bildet die Grundlage für Tradition. Diese Tatsache haben wir mehrfach in diesem Buch begründet. Welche Rolle spielen jedoch die Niederlagen in zwei Weltkriegen für das Erbe des deutschen Soldaten? Siegreich aus einem Krieg hervorzugehen, das ist doch das angestrebte Ziel. Und führen Siege dann nicht auch zu politischen Erfolgen, wie bei den Siegen deutscher Armeen in den Jahren 1864, 1866 und 1871, die den Weg ebneten für das zweite deutsche Reich? Ein Blick in die Geschichte zeigt allerdings, dass militärische Siege schnell zu Niederlagen werden können. Dazu zählen beispielsweise die erfolgreichen Blitzkriege der Wehrmacht zwischen 1939 und 1941, die den Entschluss für den Überfall auf die Sowjetunion begünstigten und wenige Jahre später zur endgültigen Niederlage führten. Jüngstes Beispiel dafür ist der Sieg der US-geführten Koalition 1991 im Krieg zur Befreiung Kuwaits, der zu dem Irak-Krieg von 2003 führte und anschließend in ein Fiasko mündete. Ebenso kann eine Niederlage doch noch in einen Sieg umgewandelt werden. Die Art und Weise, wie das besiegte Deutschland nach 1945 innerhalb eines Jahrzehnts erneut zu einem wichtigen Akteur in Europa wurde und heute die Geschicke Europas entscheidend mitbestimmt, ließe sich als Beispiel anführen. Diese historischen Beispiele zeigen die Komplexität der Thematik und verlangen, dass Geschichte in ihren großen Zusammenhängen erfasst wird, um nicht einem Kult um die Wehrmacht und deren Leistungsfähigkeit, der heute Tausende von Internetseiten füllt, zu verfallen.

Im Kontext der vorliegenden Einführung zum Vermächtnis des deutschen Soldaten stellt sich die Frage: Verhindern Niederlagen die Schaffung einer nachhaltigen Tradition? Wir werden zeigen, dass dies nicht der Fall ist. Niederlagen können im selben Maße Quelle für Traditionen sein wie Siege auf dem Schlachtfeld. Ein gutes Beispiel dafür ist die preußische Heeresreform in der Zeit von 1807 bis 1813, die aufgrund der katastrophalen Niederlage in der Doppelschlacht von Jena und Auerstedt 1806 unumgänglich wurde. Aus gutem Grund nahm die Bundeswehr diese Reform und deren wichtigste Akteure wie den Freiherr von und zum Stein sowie die von uns schon mehrfach erwähnten Generale Gerhard von Scharnhorst und Carl von Clausewitz mit in ihr Traditionsverständnis auf. Wie lässt sich die Geschichte des deutschen Soldaten von 1914 bis heute vor diesem Hintergrund einordnen? Verwehren die Niederlagen von 1918 und 1945, die am Ende ,totaler Kriege' mit dem Einsatz aller staatlichen und gesellschaftlichen Ressourcen standen, den deutschen Soldaten eine brauchbare Kriegstradition?

Ein gängiges Narrativ über die Bedeutung von Niederlagen im totalen Krieg und deren Auswirkungen auf das Erbe des deutschen Soldaten lautet wie folgt: Deutschland habe eine „gebrochene Tradition". Grund dafür seien die militärischen Niederlagen in beiden Weltkriegen sowie der rasche Wandel von Staat, Regierung und Gesellschaft vom Ende des zweiten deutschen Reiches bis zur jüngsten deutschen Wiedervereinigung im Jahr 1990. Deshalb unterscheide sich die Tradition des deutschen Soldaten erheblich von der anderer Armeen in Europa und Nordamerika. Die militärischen Niederlagen erlaubten Deutschland keine Traditionspflege, wie sie beispielsweise in Frankreich, Großbritannien oder den Vereinigten Staaten, aber auch in der Tschechischen Republik und Polen vorzufinden sind. Historisch ist dieses Narrativ allerdings kaum haltbar; denn auch in Frankreich, Polen und der Tschechischen Republik kam es in der Vergangenheit zu drastischen Umbrüchen in Staat und Gesellschaft, ohne dass diese klar erkennbare Auswirkungen auf das Traditionsverständnis und die Traditionspflege hatten. Dies führt automatisch zu der Frage, welche Auswirkungen die Niederlagen auf die deutsche politische Kultur heute immer noch haben und wie in Politik und Gesellschaft und vor allem in der Erinnerungskultur damit umgegangen wird.

Schauen wir uns die beiden Weltkriege etwas näher an. Wie es zum Ersten Weltkrieg im Sommer 1914 kam und wer dafür verantwortlich und mitverantwortlich ist, wird seit nunmehr einem Jahrhundert kontrovers diskutiert. Dies gilt sowohl für die nationale als auch für die internationale geschichtswissenschaftliche Forschung. Einigkeit besteht darin, dass die Niederlage der Mittelmächte im Herbst 1918 ein großer Schock für die deutsche Gesellschaft war. Sie läutete das Ende der dynastischen Ordnung mit einem Kaiser an der Spitze von Staat und Militär ein und markierte den plötzlichen Beginn einer Republik, in der große Teile der alten Eliten nicht heimisch wurden. Die deutsche Kriegsgesellschaft wurde 1914 in eine Zweckgemeinschaft („Burgfrieden") umgewandelt. Im Verlauf des Krieges nahm sie großes Leid auf sich. Am Ende, als sich die militärische Niederlage abzeichnete, spaltete sie sich in erbitterten gegenseitigen Anschuldigungen. Mit der Entstehung der neuen Republik ging der Aufbau eines neuen Militärs, der Reichswehr, einher. Deren Angehörigen glaubten, sie hätten ihre soldatische Ehre bewahrt, indem sie sich aller politischen und auch professionellen Konsequenzen der Niederlage entzogen hatten. Die mangelnde Bereitschaft, die Ursachen für die Niederlage genauer zu ergründen, und der Versuch, die Schuld lieber anderen zuzuweisen, gipfelte in ihrer extremsten Form in der von der Obersten Heeresleitung (OHL) unter Paul von Hindenburg und Erich von Ludendorff lancierten Dolchstoßlegende. Sie sollte der Ehrenrettung des Militärs und dabei insbesondere des Generalstabs dienen. Diese fehlende Selbstkritik machte sich der Nationalsozialismus zunutze. Er griff den Kult des Frontsoldaten auf, um eine neue, in eine totalitäre Bewegung eingebettete Form von Tradition, Ehre und Pflicht zu schaffen.

In den 1960er-Jahren stellte eine neue Schule innerhalb der geschichtswissenschaftlichen Forschung die gängige Meinung, dass die Großmächte in den Ersten Weltkrieg „hineingeschlittert" seien, in Frage.[300] Sie legte damit nah, dass das Kaiserreich Wilhelms II. und insbesondere die drei OHL nach 1916 frühe Verfechter der nationalsozialistischen Pläne einer Neuordnung Europas durch Eroberungskriege und Völkermord gewesen seien. Dieser Ansatz rief weit verbreitete Empörung und Unmut unter anderem bei konservativen Historikern hervor, die an der Vorstellung festhielten, dass Deutschland und Österreich-Ungarn nicht mehr Verantwortung trugen als andere Großmächte auch. Eins scheint aber klar zu sein: Die geistigen Strömungen, die in der Nachkriegszeit die Weimarer Republik untergruben, bildeten schließlich die Rechtfertigung für den Zweiten Weltkrieg und den darin vollzogenen Völkermord.

Entscheidend für unsere Frage nach dem gültigen Erbe des deutschen Soldaten im 21. Jahrhundert ist auch der Umgang der Reichswehr sowohl mit der militärischen Niederlage als auch mit der Weimarer Republik. Er äußerte sich u.a. in der Übernahme von in Garderegimentern des wilhelminischen Deutschlands gepflegten Traditionen. Dies führte zu einer symbolischen Barriere bei repräsentativen Veranstaltungen der noch jungen Republik. Ihr gelang es nicht, die Soldaten in das Gefüge der Republik und deren demokratische zivil-militärische Beziehungen zu integrieren, wie dies in entwickelten westlichen Demokratien der Fall war.

Dagegen war die Niederlage der Wehrmacht im Nationalsozialismus 1945 so umfassend und von solch überwältigender Zerstörungskraft, dass – ganz im Gegensatz zum Niedergang 1918 – danach keine Dolchstoßlegenden oder sonstige Mythen und Legenden mehr entstehen konnten. Niemand blieb von der Erbarmungslosigkeit dieser Niederlage verschont. Hinzu kamen die unmenschlichen Verbrechen des NS-Regimes, die – trotz größtmöglicher, wenn auch kaum überzeugender Bemühungen einiger, diese von sich zu weisen – für alle Welt deutlich sichtbar waren. Es ist also nicht verwunderlich, dass die Deutschen eine Abscheu gegenüber Aggressionskriegen und eine tiefe Skepsis gegenüber der militärischen Macht im Staat entwickelten.

---

[300] Fritz Fischer, Krieg der Illusionen. Die deutsche Politik von 1911-1914, Düsseldorf 1978; ders., Juli 1914: Wir sind nicht hineingeschlittert. Das Staatsgeheimnis um die Riezler-Tagebücher. Eine Streitschrift, Hamburg 1983. Vgl. auch die differenziertere Analyse von Christopher Clark, Die Schlafwandler: Wie Europa in den Ersten Weltkrieg zog, München 2013.

Erneut stellt sich die Frage, ob und wie die Niederlage von 1945 mit althergebrachten soldatischen Traditionen brach. In der 1949 gegründeten Bundesrepublik Deutschland markierten die vier D (Denazifizierung, Demokratisierung, Demilitarisierung, Dekartellisierung) den entscheidenden Bruch mit der Vergangenheit. Die damit verbundenen Veränderungen waren, verglichen mit der Zeit von 1918 bis 1923, radikal. Auch in Ostdeutschland, wo Vorstellungen und Traditionen aus der Zeit nach 1919 möglicherweise noch Bestand hatten, war der Wandel deutlich sichtbar. Jeglicher Versuch, wie in den frühen 1920er-Jahren einen neuen Militärkult zu etablieren, war nicht zuletzt aufgrund der Skepsis der Bevölkerung – darunter Millionen von Kriegsveteranen, die die Niederlage unmittelbar miterlebt hatten – zum schnellen Scheitern verurteilt.

In Westdeutschland führten die militärische und moralische Niederlage zur Entstehung einer neuen soldatischen Tradition, die Anerkennung und sogar Bewunderung verdient, wenngleich beides in diesem Bereich seit jeher zu kurz kommt. Die Bundeswehr wurde ab 1955 als eine „Armee ohne Pathos" aufgebaut. In ihr sollten eine nüchterne, rationale Auffassung von Befehlsgewalt, Führung, Disziplin, Gehorsam und Moral vorherrschen. Die Innere Führung lieferte dafür den geistigen Überbau. Darauf werden wir im weiteren Verlauf dieses Kapitel noch eingehen. Von Anfang an wurde diese Nüchternheit gepflegt. Im Unterschied zu den Feierlichkeiten im März 1933 in Potsdam, die eine Verbindung zwischen dem Preußen Friedrichs des Großen und Hitlers Deutschland herstellen sollten, gab es bei der Aufstellung der Bundeswehr in Bonn-Andernach nahezu keine Fahnen, keinen Parademarsch und kaum Teilnehmer in Uniform.

Wir können also feststellen, dass die Niederlage von 1945 zu einem allgemeinen Umdenken hinsichtlich der Rolle des Soldaten in Staat und Gesellschaft führte. Der aufgeblähte Traditionskult aus der Zeit vor 1945 sollte endgültig ein Ende haben. Soldatische Traditionen galten weiterhin als erforderlich; sie sollten jedoch auf ein sinnvolles Maß beschränkt werden. Dies galt in gewisser Weise auch für die Nationale Volksarmee der DDR. Zwar bediente diese sich, ermuntert durch die Sowjetunion, durch Wiedereinführung der grauen Felduniform von 1936 (ohne das Hoheitszeichen) einer ursprünglich preußischen Tradition. Dies blieb aber eine bloße äußerliche Traditionspflege; sie hatte keine nachhaltigen Auswirkungen auf Struktur und inneres Gefüge der NVA im SED-Staat.

Junge Menschen, die sich heutzutage für den Dienst als Soldat entscheiden, gelangen zu leicht zu der Schlussfolgerung, dass eine militärische Niederlage Soldaten ihrer Ehre und ihres Ruhmes beraubt und Traditionspflege unmöglich macht. Dies ist selbst in Frankreich oder im Vereinigten Königreich eine verbreitete Auffassung. Rechtsradikale Propaganda macht sich dies auch in Deutschland zunutze. Für Soldaten als Staatsbürger in Uniform sollte klar sein: das Vermächtnis der Niederlage von 1945 kann in keiner Weise mit jenem von 1918 gleichgesetzt werden. Der radikale Neuanfang auch in der Tradition und ihrer Pflege war unabdingbar. Es musste darum gehen, diese auf die Zukunft hin auszurichten. Und diese war gekennzeichnet durch die Blockkonfrontation zwischen Ost und West.

Der politische, wirtschaftliche und militärische Erfolg der Bundesrepublik Deutschland basiert mehrheitlich auf dem Erfolg ihrer Gründergeneration der späten 1940er- und frühen 1950er-Jahre. Diese hatte mit großer Nüchternheit und Gründlichkeit darüber nachgedacht, was in der Vergangenheit falsch gelaufen war und daraus die Konsequenzen auch für den Aufbau neuer westdeutscher Streitkräfte und ihre Integration in das westliche Bündnis gezogen. Kürzlich wies Bundespräsident Walter Steinmeier in einer Rede vor dem Deutschen Bundestag darauf hin, dass die Väter und Mütter der Bundesrepublik Deutschland auf Erfahrungen in der Weimarer Republik zurückgreifen konnten und aus deren Irrtümern lernten. Er zitierte dabei eine Aussage des Historikers Heinrich August Winkler: „Dass Bonn nicht Weimar wurde, verdankt es auch der Tatsache, dass es Weimar gegeben hat." So können Niederlagen zweifellos auch eine verdienstvolle Wirkung entfalten, wenn die richtigen Schlussfolgerungen daraus gezogen wurden, diese tatsächlich auch politisch umgesetzt und durch Tradition auf Dauer gestellt werden.[301]

4.2.   Der Historikerstreit als Traditionsstreit

Der Streit über die deutsche Geschichte, deren Bewertung und damit auch über die Auswahl von Personen und Ereignissen für die Traditionspflege ist keine spezifische Angelegenheit der Bundeswehr. Die beiden Weltkriege sind ja nicht nur von den deutschen Armeen allein, sondern als totale Kriege unter Einbeziehung aller Kräfte und Ressourcen geführt worden.

Wie Institutionen und Organisationen mit ihrer Vergangenheit umgehen, stößt auf Interesse in der Öffentlichkeit. Nicht nur der Umgang der Bundeswehr mit ihren Vorgängerarmeen, sondern auch die Aufarbeitung der Vergangenheit des Auswärtigen Amtes oder von großen Wirtschaftsunternehmen wird in den Medien kritisch begleitet.[302] Darüber hinaus gibt es

---

[301] Darauf hatte schon der französische Religionswissenschaftler und Schriftsteller Ernest Renan hingewiesen. In den aktuellen deutschen Debatten über Identität und Erinnerungskultur spielt Renan eine große Rolle. Sowohl Thea Dorn (deutsch, nicht dumpf, a.a.O.) als auch Aleida Assmann (Der lange Schatten der Vergangenheit, a.a.O.) greifen auch seine Argumente zurück.

[302] Siehe beispielsweise Eckhart Conze, Norbert Frei, Peter Hayes, Moshe Zimmermann, Das Amt und die Vergangenheit: Deutsche Diplomaten im Dritten Reich und in der Bundesrepu-

Debatten, die die deutsche Erinnerungskultur als solche betreffen. Ein sehr interessantes Beispiel dafür ist der „Historikerstreit" um die Einzigartigkeit der nationalsozialistischen Judenvernichtung in der Mitte der 1980-er Jahre, der auch international Beachtung fand.[303] Diesen Streit, der wenige Jahre nach Veröffentlichung des zweiten Traditionserlasses der Bundeswehr von 1982 stattfand, werden wir im Folgenden näher darstellen. Aus gutem Grund: Unsere Analyse zeigt, dass die Themen, die in der Bundeswehr kontrovers diskutiert wurden und nicht nur zu Auseinandersetzungen, sondern manchmal zu Skandalen führten, auch in der Gesellschaft virulent waren und oftmals immer noch sind. Die Bundeswehr ist also kein Sonderfall und auch keine von der Gesellschaft abgeschiedene Subkultur. Der Kompromiss in der Anfangsphase des Kalten Krieges, der es ermöglichen sollte, dass ehemalige Reichswehr- und Wehrmachtssoldaten zusammen mit jungen Männern ohne Kriegserfahrung in den neuen Streitkräften dienen konnten, war nur eine kurze Episode. Seitdem bewegen Fragen nach dem Umgang mit der Vergangenheit nicht nur die Soldaten, sondern auch die intellektuelle Elite sowie die interessierte Öffentlichkeit Deutschlands.

Im Historikerstreit wurden viele grundsätzliche Fragen zur deutschen Erinnerungskultur diskutiert. Die darin vertretenen Positionen und geäußerten Thesen sind heute noch anzutreffen. Im Kern ging es dabei um die Westbindung und den Vorrang der Werte des Westens über das, was im Mittelpunkt der deutschen Geschichte davor stand. Es ging also um den Primat von Pluralismus und Zivilität gegenüber politischer Romantik und Militarismus. Denn der neue deutsche Weg der Westbindung hing, so seine Protagonisten, „... entscheidend davon ab, dass der Nationalsozialismus als singuläres Menschheitsverbrechen verbindlich anerkannt blieb." Dementsprechend ging es in diesem Streit „... nur vordergründig um Deutungen der NS-Geschichte, im eigentlichen Sinne aber um die ideelle Westbindung der westdeutschen Gesellschaft...".[304] Diese Frage ist auch heute wieder hochaktuell. Da die transatlantischen Beziehungen schon seit längerer Zeit belastet sind und mit Großbritannien die Mutter der modernen Demokratie die Europäische Union verlassen will (BREXIT), erscheint Deutschland als

blik, München 2010; Ingo Müller, Furchtbare Juristen. Die unbewältigte Vergangenheit unserer Justiz, München 1987; Harold James, Die Deutsche Bank im Dritten Reich, München 2003.

[303] James Knowlton, Forever in the Shadow of Hitler. Original Documents of the Historikerstreit, the Controversy concerning the Singularity of the Holocaust, Prometheus Books 1993.
[304] Gabriele Metzler, Vom Zerfasern der großen Erzählungen. Westdeutsche Zeithistoriker und ihr Staat. In: Staatserzählungen. Die Deutschen und ihre politische Ordnung, a.a.O., S. 159-160.

wichtigste Bastion einer liberalen Werte- und Weltordnung. Gleichzeitig gibt es Stimmen, welche die Westbindung Deutschlands schon immer für falsch hielten und nun Morgenluft wittern für eine Rückkehr zu einer Schaukelpolitik zwischen Ost und West. Der Historikerstreit verfügt also über eine frappierende Aktualität. Damals wie heute geht es darum, das, was Deutschland seit 1949 geschafft hat, nicht zu verspielen.

Historiker der Bundeswehr haben sich an dem Streit nicht direkt beteiligt.[305] Dabei war er für die Bundeswehr und ihr Selbstverständnis durchaus relevant – denn im Kern ging es darum, ob das grundsätzlich neue Denken aus der Aufbauphase der Bundesrepublik Deutschland und ihrer Streitkräfte weiterhin Bestand haben sollte. Die kurze Darstellung der unterschiedlichen Positionen im Historikerstreit wird gleich zeigen, dass viele Fragen bereits im Zuge der Erarbeitung der Inneren Führung und des neuen Traditionsverständnisses thematisiert worden waren. Der Historikerstreit ist also im Kern ein Traditionsstreit. Und umgekehrt gilt: Der Traditionsstreit in der Bundeswehr der 1950- bis 1960-er Jahre ist ein vorweggenommener Historikerstreit.

Die Bezeichnung der über mehrere Jahre öffentlich ausgetragenen Debatte als „Historikerstreit um die Einzigartigkeit der nationalsozialistischen Judenvernichtung" ist verkürzend und vielleicht sogar irreführend. Sie ist verkürzend, weil es in diesem Streit um mehr ging als um den Holocaust. Gestritten wurde auch über die Bewertung der Wehrmacht sowie über Sinnstiftung in Deutschland. Sie ist irreführend, weil nicht nur Historiker, sondern auch Intellektuelle wie beispielsweise der Philosoph Jürgen Habermas dabei eine wesentliche Rolle spielten. Der Streit war damit keine rein historische, sondern eine zutiefst politische Angelegenheit. Er forderte eigentlich jeden einzelnen Bürger in und ohne Uniform zur persönlichen Stellungnahme heraus. Auch hier sehen wir wieder Parallelen zu den Traditionsstreiten in der Bundeswehr, bei denen immer die Frage nach dem Wofür des soldatischen Dienens mitschwang. Aufgrund der Allgemeinen Wehrpflicht ging diese Frage eigentlich jeden Staatsbürger an.

An dieser Stelle können wir nicht in die gedankliche Tiefe des Historikerstreits eintauchen. Wir wollen jedoch die wichtigsten Argumente vorstellen und nachweisen, dass es viele inhaltliche Parallelen mit den Auseinandersetzungen über die gültige soldatische Tradition gab und immer noch gibt. Unsere These lautet: Auseinandersetzungen über das soldatische Erbe wird es immer wieder geben, weil die diesen zugrunde liegenden Fragen auch in der Gesellschaft weiterhin kontrovers diskutiert werden. Die Debatten ge-

---

[305] Andras Hillgruber, einer der Hauptprotagonisten der konservativen Seite, war von 1968 bis 1970 Leitender Historiker des MGFA.

hen weiter, und sie ziehen sich durch die Soldatengenerationen genauso wie die Parteienlandschaften, die Wissenschaften und die veröffentlichten Meinungen. Ein Ende ist nicht abzusehen, weder mit einem Historikerstreit noch mit einem Traditionserlass. Zudem wird es immer wieder historische Forschungsergebnisse oder politische Meinungsäußerungen geben, die vermeintlich bereits bestehende Konsense in Frage stellen oder alte Streite wiederaufleben lassen.

Für die Soldaten ist dies eine schwierige Situation. Manche der im Historikerstreit aufgeworfenen Fragen sind wichtig für die Erarbeitung eines reflektierten soldatischen Selbstverständnisses. Wenn es darüber keine Einigkeit in Politik und Gesellschaft gibt, woran können die Soldaten sich dann orientieren? Wie können sie den wünschenswerten Zusammenhalt erreichen, wenn es in wesentlichen Fragen der deutschen Geschichte unterschiedliche Auffassungen gibt? Besteht dann nicht die Gefahr einer Verführung durch Parteien und Interessengruppen, die ihnen eine Identität versprechen, welche ihren Erwartungen nach einer eindeutigen und einfachen Bestimmung des soldatischen Erbes und dessen Wertschätzung entspricht?

Ein inhaltlich prall gefülltes Traditionsverständnis zu erarbeiten, das vollkommen konsensfähig in Politik, Gesellschaft und Militär ist, scheint kaum möglich zu sein. Unterschiedliche Auffassungen bestehen selbst innerhalb der Bundeswehr. Umgekehrt nehmen auch Soldaten, wenn auch meistens in Form von Verlautbarungen des Deutschen Bundeswehrverbandes, am öffentlichen Leben und seinen Debatten teil. Soldaten benötigen also ein ausgeprägtes demokratisches Selbstbewusstsein, um mit dieser Pluralität umzugehen. Sie müssen den Versuchungen einer selbst gewählten Abschottung ihrer militärischen Lebenswelt von Politik und Gesellschaft genauso widerstehen wie den Verführungen von Meinungsmachern, die ihnen nach dem Munde reden.

Rufen wir uns kurz den gesellschaftspolitischen Hintergrund des Historikerstreits in Erinnerung. Die Stimmung im Lande war damals aufgeheizt durch die Kontroversen über die atomare NATO-Nachrüstung als Reaktion auf die Bedrohung durch neue sowjetische Mittelstreckenraketen. Bundeskanzler Helmut Schmidt hatte die NATO-Alliierten darauf aufmerksam gemacht. Er konnte den linken Flügel seiner Partei jedoch nicht hinter sich einen und verlor schließlich sein Amt. Die neue Regierung unter Bundeskanzler Helmut Kohl setzte Schmidts sicherheitspolitischen Kurs fort. Die Folge waren die größten Demonstrationen, die die Bundesrepublik bis dahin gesehen hatte. Darüber hinaus versprach Bundeskanzler Helmut Kohl eine „moralische Wende", die alle Lebensbereiche umfassen sollte. Als erstes sollte der erst kurz vor dem Regierungswechsel von dem SPD-Verteidigungsminister Hans Apel unterzeichnete Traditionserlass einkassiert werden.[306]

Diese kurze Skizze soll zunächst als Hintergrundwissen genügen. Kommen wir nun zu dem Streit, seinen Protagonisten und ihren wichtigsten Thesen. Am Anfang des Historikerstreits stehen die Argumente des Historikers Ernst Nolte. Dieser genoss aufgrund seiner vergleichenden Faschismusstudien höchstes Ansehen in der deutschen Geschichtswissenschaft. Er stellte „im Blickwinkel des Jahres 1980" die „… fundamentale Frage: … Bedarf auch die Geschichte des Dritten Reiches heute, 35 Jahre nach dem Ende des Krieges, einer Revision, und worin könnte eine solche Revision bestehen?"[307] Damit wollte er nicht den innersten Kern des negativen Bildes des Dritten Reiches in Frage stellen, aber doch beispielsweise den Holocaust in seiner Einzigartigkeit zumindest teilweise relativeren. Dazu dienten ihm die Vorgänge im Russland der 1930-er Jahre als Beleg. Er stellt dann die rhetorische Frage, ob der Archipel GULag nicht ursprünglicher war als Auschwitz. Auschwitz wäre dann also nicht das Original, sondern eine Reaktion gewesen. Für die Bewertung der Wehrmacht bedeutete dies: Sie hätte letztlich einen Präventivkrieg und damit einen gerechten Abwehrkampf geführt. Und der Holocaust wäre nicht einzigartig, sondern einzuordnen in einen globalen Zusammenhang von Verbrechen gegen die Menschlichkeit.[308]

Andreas Hillgruber, ebenso wie Nolte ein ausgewiesener Experte der Geschichte im 20. Jahrhundert, versuchte ebenfalls, die Wehrmacht positiv zu bewerten. Er stellte die Auffassung in Frage, dass Deutschland 1945 *befreit* worden wäre. Die Alliierten, so Hillgruber, verfolgten im Zweiten Weltkrieg vielmehr Kriegsziele, die sie schon lange vor Beginn der Kampfhandlungen und ohne Kenntnis der Kriegsverbrechen im Osten festgelegt hätten. Die Verteidigung im Osten war, auch wenn dadurch der Holocaust weiter durchgeführt werden konnte, legitimiert, um „… das Schlimmste zu verhindern: die drohende Orgie der Rache der Roten Armee an der deutschen Bevölkerung für all das, was in den Jahren 1941 bis 1944 in den von deutschen Truppen besetzten Teilen der Sowjetunion … an Verbrechen begangen worden war."[309] Daraus resultierte dann eine durchaus abqualifizierend

---

[306] Zur Kritik der CDU an dem Erlass siehe Loretana de Libero, Tradition in Zeiten der Transformation, a.a.O., S. 42-44.

[307] Ernst Nolte, Zwischen Geschichtslegende und Revisionismus. In: Historikerstreit, München 1987, S. 18.

[308] Ernst Nolte, Zwischen Geschichtslegende und Revisionismus, S. 32-34; ders., Vergangenheit, die nicht vergehen will. In: Historikerstreit, München 1987, S. 45.

[309] Andreas Hillgruber, Der Zusammenbruch im Osten 1944/45 als Problem der deutschen Nationalgeschichte und der europäischen Geschichte. In: Andreas Hillgruber, Zweierlei

gemeinte Bewertung des deutschen Widerstandes um Oberst Claus von Stauffenberg. Dieser habe „gesinnungsethisch", d.h in einer Phase heftigster Abwehrkämpfe vor allem im Osten ohne Rücksicht auf die Folgewirkungen, das Attentat gewagt. Dagegen hätten die Befehlshaber, Landräte und Bürgermeister „verantwortungsethisch"[310] gehandelt. Sie hätten versucht, den Menschen tatsächlich in ihrer Not zu helfen und beispielsweise die Flucht ermöglicht. Die Wehrmacht erscheint nunmehr in einem anderen Licht – nicht als verbrecherische Angriffsarmee, sondern als aufopferungsvolle Verteidigungsarmee.[311]

Beide Historiker stellten mit ihren Beiträgen das damals im linksliberalen Spektrum vorherrschende Geschichtsverständnis in Frage. Sie wollten eine Wende in der Beurteilung der jüngsten Vergangenheit. Dies unterstützte der Historiker Michael Stürmer, der in seinen Beiträgen die Bundesrepublik Deutschland als ein geschichtsloses Land beschrieb und die Notwendigkeit von Identitätsstiftung sah. Durch selektive Auswahl aus der deutschen Nationalgeschichte sollte, so Michael Stürmer, eine Sinnstiftung hin zu einem elementaren Patriotismus, zu einer konventionellen Identität erfolgen. Denn ohne Identität und Erinnerung verlöre Deutschland innere Kontinuität und außenpolitische Berechenbarkeit. Stürmer sah sogar die Gefahr eines sozialen Bürgerkriegs.[312]

Diese Positionen wurden heftig von Linksintellektuellen, vor allem von Jürgen Habermas, als Revisionismus kritisiert. Sie wiesen darauf hin, dass die neuen Fragestellungen von politischen Zielsetzungen, nämlich einer konservativen Wende, geleitet wurden. Habermas und die ihn unterstützenden Historiker beharrten darauf, dass Deutschland weiterhin ein kritisches Selbstverständnis und keine konventionelle Identität benötige; dass statt einer Revision der Geschichte des Dritten Reiches eine „behutsame Diffe-

---

Untergang – Die Zerschlagung des Dritten Reiches und das Ende des europäischen Judentums, Berlin 1986, S. 48.

[310] Zu dieser Begrifflichkeit siehe Max Weber, Der Beruf zur Politik. In: ders., Soziologie, Universalgeschichtliche Analysen, Politik, Stuttgart 1973, S. 172-185.

[311] Andreas Hillgruber, Der Zusammenbruch im Osten 1944/45, a.a.O., S. 18-25. Diese Argumente tauchten kürzlich in der Debatte über die Umbenennung der Lent-Kaserne in Rothenburg/W. auf. Gegner der Umbenennung argumentierten, der Jagdflieger Helmut Lent hätte die fliegende Festungen der alliierten Luftwaffen im Zweiten Weltkrieg bekämpft und damit deutsche Städte beschützt.

[312] Michael Stürmer, Deutsche Fragen oder die Suche nach der Staatsräson, München 1988, S. 72; ders., Kein Eigentum der Deutschen: die deutsche Frage. In: Werner Weidenfeld (Hrsg.), Die Identität der Deutschen, München 1983, S. 82. Siehe auch den Sammelband Bundeswehr im geschichtlichen Niemandsland? Zum Verhältnis der Bundeswehr zu Wehrmacht und Reichswehr, herausgegeben vom Studienzentrum Weikersheim e.V., Stuttgart 1986.

renzierung zwischen dem Verstehen und dem Verurteilen einer schockierenden Vergangenheit" erforderlich sei; dass historische Bildung kein Religionsersatz sei, sondern eine „… kritische Aneignung mehrdeutiger Traditionen, das heißt, … die Ausbildung eines Geschichtsbewusstseins, das mit geschlossenen und sekundär naturwüchsigen Geschichtsbildern ebenso unvereinbar ist wie mit einer vorreflexiv geteilten Identität."[313] Dabei weist Habermas auch auf die politisch aus guten Gründen vollzogene Westbindung der Bundesrepublik Deutschland hin. Daher müsse Deutschland, so der Philosoph, „… in erster Linie mit westlichen Ländern verglichen, an den politischen Normen, den rechts- und verfassungsstaatlichen Traditionen, den Werten des Christentums, des Humanismus und der Aufklärung – kurz: an dem mühsam erreichten zivilisatorischen Evolutionsniveau des okzidentalen Kulturkreises, dem es angehört, gemessen werden."[314] Statt eine konservative nationale Identität zu begründen, die die deutschen Kriegsverbrechen relativiere, komme es darauf an, einen Verfassungspatriotismus zu stärken, der gerade auch die Integration Europas zum Ziel habe.[315] Ein geschlossenes, von oben verordnetes Geschichtsbild könne und dürfe es in einer demokratischen Gesellschaft nicht geben.

Der Historiker Eberhard Jäckel wiederum argumentierte mit historischen Fakten. Er verwies darauf, dass die Thesen der Revisionisten nicht durch Tatsachen gestützt werden könnten. Hitler habe schon vor und unabhängig vom GULag über die Vernichtung des europäischen Judentums gesprochen. Die Präventivkriegsthese sei wenig glaubwürdig, da Hitler die Sowjetunion als einen „wehrlosen Koloss auf tönernen Füßen" beurteilte, gerade auch wegen der vielen dort lebenden Juden.[316]

Eine weitere Kritik richtete sich gegen den Versuch, die Deutschen, die ohne Zweifel gelitten hätten, in den gleichen Opferstatus zu überführen wie die Opfer des nationalsozialistischen Deutschlands. Damit wäre es zu dem paradoxen Phänomen der „Tat ohne Täterschaft" gekommen.[317] Der Geschichtsrevisionismus verfolge, so lautete die Kritik, offensichtlich ein politisches Ziel: die moralische Sensibilität gegenüber der eigenen Vergangenheit

[313] Jürgen Habermas, Eine Art Schadensabwicklung. In: Historikerstreit, München 1987, S. 72-74.

[314] Jürgen Habermas, Eine Art Schadensabwicklung, a.a.O., S. 75.

[315] Siehe dazu Jürgen Habermas, Eine Art Schadensabwicklung. In: Historikerstreit, München 1987, S. 74. Der Begriff des Verfassungspatriotismus geht auf den Politikwissenschaftler und Publizisten Dolf Sternberger zurück. Siehe dazu Thea Dorn, Deutsch, nicht dumpf, a.a.O., S. 281ff.

[316] Eberhard Jäckel, Die elende Praxis der Untersteller. In Historikerstreit, München 1987, S. 121.

[317] Dan Diner, Perspektivenwahl und Geschichtserfahrung. In: W. H. Pehle (Hrsg.), Der historische Ort des Nationalsozialismus, Frankfurt/M. 1990, S. 99.

zu ersetzen und den bisherigen Konsens über Verfassungspatriotismus und selbstkritischen Umgang mit Geschichte auszuhebeln.

Die Inhalte des Historikerstreits vor über 30 Jahren werden auch heute noch kontrovers diskutiert. Studien und Dokumentationen stellten im Anschluss an den Historikerstreit noch deutlicher heraus, wie stark die Wehrmacht an Kriegsverbrechen beteiligt war. Die These, dass die meisten Soldaten der Wehrmacht nicht wussten, was hinter den Fronten, die sie aufopferungsvoll hielten, passierte, ist empirisch nicht haltbar. Nicht nur ein Teil der deutschen Soldaten, die an der Ostfront kämpften, sondern die überwiegende Mehrheit wusste von den Verbrechen. Der größte Vernichtungsfeldzug in der Menschheitsgeschichte wurde nicht nur durch Befehle höherer Truppenführer, sondern auch durch das Mitmachen oder tatenlose Zusehen der militärischen Führungsstäbe wie auch des sog. einfachen Soldaten unterstützt und erst ermöglicht. Das Bild der „sauberen Wehrmacht" gehörte nun endgültig in den Bereich der Legenden.[318]

Wir haben schon mehrfach auf den Kompromiss des Kalten Krieges hingewiesen. Das Narrativ von der „sauberen Wehrmacht" wurde aus politischen Gründen von der damaligen Bundesregierung unter Konrad Adenauer „erzählt". Wichtiger als die Suche nach der historischen Wahrheit war es damals, die ehemaligen Wehrmachtssoldaten zur Mitarbeit im Staat und dabei vor allem in seinen Streitkräften, aber auch in Wirtschaft und Gesellschaft zu gewinnen. Die Streitigkeiten, die schließlich deutlich verspätet in den 1980-er Jahren stattfanden und durch den gesellschaftspolitischen Wandel („68"; sozialliberale Regierungskoalition 1969) forciert wurden, hatte man in den 1950er-Jahren um jeden Preis verhindern wollen. Angesichts des umfassenden Wiederaufbaus sowie drohender Spaltungen aufgrund der sowjetkommunistischen Propaganda und Subversion hätte die Zerstörung der Legende von der „sauberen Wehrmacht" den Aufbau der Demokratie in West-Deutschland gefährdet.

Allerdings gibt es auch heute noch Versuche von Intellektuellen nicht nur aus dem rechten Spektrum, das Bild der Wehrmacht reinzuwaschen. Ein wesentliches Argument ist dabei, die historische Forschung zur Wehrmacht gänzlich in Frage zu stellen. Das Argument der Kritiker um Habermas wird heute quasi umgedreht: Nun sind es die kritischen Historiker, denen vorgeworfen wird, aus politischen Gründen Fakten so zu beugen, dass die Wehrmacht als eine verbrecherische Organisation erscheint.[319] Dass es auch bei

---

[318] Vgl. Christian Hartmann, Johannes Hürter, Ulrike Jureit (Hrsg.), Verbrechen der Wehrmacht. Bilanz einer Debatte, München 2005.

[319] Ein Beispiel dafür ist das Buch von Stefan Scheil, 707. Infanteriedivision: Strafverfolgung, Forschung und Polemik um einen Wehrmachtsverband in Weißrussland, Aachen 2016.

der Wehrmachtsausstellung zu Verfälschungen kam, verstärkt einmal mehr die These, dass es nicht nur um die Frage geht, wie es damals eigentlich gewesen war (Droysen), sondern um politisch motivierte Interessen aus der Gegenwart, bei denen es um die Zukunft Deutschlands geht.

Eine politische Zielrichtung verfolgt auch die Bewertung des Zweiten Weltkrieges als eines Präventivkrieges gegen Russland. Sie wurde in den letzten Jahren vehement von Gerd Schultze-Rhonhoff, einem ehemaligen General der Bundeswehr, in Veröffentlichungen sowie in Auftritten beispielsweise bei Buchmessen vertreten.[320] Noch heute gibt es zahlreiche Publikationen, die sich explizit als Versuch verstehen, unser Verständnis der Geschichte zu revidieren. Man sollte sich allerdings davor hüten, so zu tun, als gebe es derartige Positionen nur oder vor allem unter (ehemaligen) Soldaten.

Wo liegen nun die Gemeinsamkeiten zwischen dem Historikerstreit und den die gesamte Geschichte der Bundeswehr durchziehenden Streitigkeiten über ihr Traditionsverständnis? Wir hatten ja zuvor bereits darauf hingewiesen, dass der Historikerstreit ein mit intellektueller Schärfe, aber auch mit umso größerer Polemik geführter Traditionsstreit ist. Schauen wir uns dazu den Streit zwischen Wolf Graf von Baudissin und seinem schärfsten Widersacher im Bundesministerium der Verteidigung, den späteren Brigadegeneral Heinz Karst, an. Beide stimmten noch darin überein, dass der Soldat wissen müsse, wofür er kämpft. Während Baudissin universalistische Verfassungswerte wie Freiheit, Menschenwürde und Frieden als Orientierungspunkte für die soldatische Motivation setzt und den Wehrdienst als Teil der politischen Verantwortung des Staatsbürgers für die Demokratie definiert, fordert Karst eine nationale, an der deutschen Nation ausgerichtete Identitätsstiftung, in der Begriffe wie das Vaterland und die Pflicht zum Dienen im Mittelpunkt stehen. Die durch Autoritäten vermittelte Pflicht für das Vaterland sei eine wesentliche Bestimmungsgröße der Kampftüchtigkeit des Soldaten, so Karst. Baudissin glaubt, dass die Integration des Soldaten in die Gesellschaft behindert würde, wenn die Bundeswehr die zeitlosen soldatischen Tugenden pflegte, während sich gleichzeitig in der offenen und liberalen Gesellschaft Werte und Einstellungen wandelten. Auch müsse kritisch gefragt werden, wie Traditionsinhalte, die in der Gesellschaft keine oder nur eine untergeordnete Rolle spielten, die Soldaten, vor allem die Grundwehrdienstleistenden, motivieren könnten. Karst dagegen beurteilt die deutsche Gesellschaft als überpluralisiert und geschichtsfern. Der erschreckende Mangel an geistig-politischer Führung in Staat und Gesellschaft führe

---

[320] Gerd Schultze-Rhonhoff, 1939. Der Krieg, der viele Väter hatte: Der lange Anlauf zum zweiten Weltkrieg, München 2003.

schließlich zur „Sinnentleerung des militärischen Auftrages".[321] In dieser bundeswehrinternen Auseinandersetzung wird die Kontroverse zwischen Habermas (Westbindung, universalistische Verfassungswerte, Verfassungspatriotismus) auf der einen und Michael Stürmer (nationale Sinnstiftung durch ein vorgegebenes Geschichtsbild, Identität) auf der anderen Seite vorweggenommen. Während Baudissin sich mehr an den Widerstandskämpfern und deren Bindung an Recht und Freiheit orientiert und damit die Habermassche Diktion vorwegnimmt, stellt Karst wie bei Hillgruber die Pflicht in den Vordergrund. Das pflichtgemäße Handeln der Soldaten und Landräte wird dann sogar ethisch höher bewertet (verantwortungsethisch) als das Handeln der Männer und Frauen des Widerstandes (gesinnungsethisch). Karst wie später Stürmer begründen die Notwendigkeit einer von oben geleiteten und über Erziehung vermittelten Identitätsstiftung durch die Vorbereitung auf den Ernstfall bzw. die Verhinderung der Spaltung des Gemeinwesens, die zum Bürgerkrieg führen könne. Um das Gemeinwesen zu stabilisieren, sei daher die Reduzierung der Meinungspluralität durch die Stiftung einer allgemein verbindlichen Sinngrundlage sowie eines gültigen Ahnenkatalogs[322] erforderlich. Baudissin dagegen setzt auf die politische Bildung, den partnerschaftlichen Diskurs sowie die Qualität der Argumente. Statt Sinnstiftung von oben geht es um die Anerkennung, dass der Umgang mit der Geschichte letztlich eine eigenverantwortliche Entscheidung des Einzelnen ist.

Diese kurze vergleichende Darstellung unterstreicht, dass im Historikerstreit viele kontrovers diskutierte Themen der Traditionsstreite in der Bundeswehr wie in einem Brennglas zusammenkommen. Daraus lassen sich nun mehrere Schlussfolgerungen ziehen:

- Diskussionen über die politische Kultur Deutschlands, die deutsche Geschichtspolitik und Erinnerungskultur sowie über das Selbstverständnis seiner Streitkräfte sind miteinander vernetzt. In diesem Sinne steht die Bundeswehr mit ihren Traditionserlassen mitten in der Gesellschaft und deren Debatten. Streite über das Traditionsverständnis der Bundeswehr eignen sich daher in besonderer Weise als Stellvertreterstreite. Es geht in ihnen, wie wir bereits festgestellt haben, um die Außen-, Sicherheits- und Innenpolitik der Bundesregierung. Zu ihrem Kontext gehören auch die jeweilige Geschichtspolitik und Erinnerungs-

---

[321] Heinz Karst, Soldatische Tradition in geschichtsferner Gesellschaft? Erweiterte Fassung eines Vortrages, den Brigadegeneral a.D. H. Karst am 3. Februar 1977 in der Hermann-Ehlers-Akademie in Kiel gehalten hat, S. 7-16. Siehe auch Heinz Karst, Das Bild des Soldaten. Versuch eines Umrisses, Boppard a.Rh. 1964.
[322] Heinz Karst, Die Wehrmacht im Urteil ehemaliger Gegner. In: Studienzentrum Weikersheim e.V. (Hrsg.), Bundeswehr im geschichtlichen Niemandsland?, Mainz 1986, S. 16.

kultur. Sie sind eine Fortsetzung der Politik unter Beimischung geschichtswissenschaftlicher Mittel. Politische, historische und ethische Bildung sind daher für Soldaten keine Verpflichtung, die ihrem Verteidigungsauftrag fremd sind. Ganz im Gegenteil: Sie gehören unmittelbar dazu.

- Solche Streitigkeiten werden wohl nie ein Ende haben. Dies liegt nicht nur daran, dass geschichtswissenschaftliche Forschungen neue Erkenntnisse generieren und mit neuen Fragestellungen historische Ereignisse analysieren. Dies liegt auch daran, dass Parteien, Interessengruppen und Meinungsmacher die politische Kultur und soldatische Tradition für ihre Zwecke nutzen und dabei Geschichte als Waffe einsetzen. Auch unter den Soldaten gibt es wohl einige, die versuchen, die Traditionsdebatte für ihren Wunsch nach einer Separierung von der als dekadent beurteilten Gesellschaft zu nutzen. Ihnen schwebt die Umwandlung der Bundeswehr in eine „heroische Gemeinschaft"[323] vor, die sich geschichtspolitisch von der offenen Gesellschaft und vielleicht auch vom liberalen Westen absondert.

- Versuche zur Relativierung des Holocausts, zur Neubewertung der Wehrmacht als einer Armee, die Präventiv- und Verteidigungskriege führte oder die Forderung nach Identitätsbildung mittels eines vorgegebenen Geschichtsbildes wird es immer wieder geben. Derartige Versuche untergraben das Erbe des deutschen Soldaten im 21. Jahrhundert. Die Angehörigen der Bundeswehr müssen sich davor schützen, indem sie die dahinter stehenden politischen Absichten entlarven. Hier zeigt sich erneut die hohe Bedeutung politischer, historischer und ethischer Bildung in der Bundeswehr. Neuerdings kommt noch die Herausforderung hinzu, dass Soldaten mit Migrationshintergrund über noch weniger Kenntnisse der deutschen Geschichte verfügen und nicht selten auch den Holocaust anders bewerten.

- Die intensive mediale Darstellung der Wehrmacht als einer leistungsfähigen Armee ohne Berücksichtigung ihrer Einbindung in das nationalsozialistische Gewaltregime und ihrer aktiven Beteiligung am Holocaust fördert ein Bild der Wehrmacht als einer für Kampfkraft, Professionalität und Zusammenhalt beispielhaften Organisation. Junge Menschen, die in die Bundeswehr eintreten, bringen daher oftmals falsche Vorstellungen über die Wehrmacht mit. Die für das soldatische Selbstverständ-

---

[323] Zu dem Begriff der „heroischen Gemeinschaft" siehe Herfried Münkler, „Neue Kriege" und „Postheroische Helden". In: Eberhard Birk, Winfried Heinemann, Sven Lange (Hrsg.), Traditionsdebatte für die Bundeswehr, Berlin 2012, S. 71-82. Siehe auch ders., Kriegssplitter. Die Evolution der Gewalt im 20. und 21. Jahrhundert, Berlin 2015, S. 143-187. Siehe auch Uwe Hartmann, Der gute Soldat, a.a.O., S. 88.

nis so wichtige Gretchenfrage „Wie hältst Du es mit der Wehrmacht?" wird also weiterhin virulent bleiben. Die Didaktik der Bildung in der Bundeswehr muss dies berücksichtigen.

- Ein Traditionserlass ist zunächst nicht viel mehr als ein Stolperstein für den Soldaten, der über sein berufliches Selbstverständnis nachdenkt. Es kommt darauf an, dass die Soldaten der Bundeswehr sich mit den in dieser Einführung aufgeworfenen Fragen so beschäftigen, dass sie innehalten und sich eine eigene, fundierte Meinung bilden, mit der sie die bundeswehrinterne Diskussion genauso wie die gesellschaftliche Debatte bereichern. Sie sollten sich auch ein reflektiertes Verständnis über den Begriff des Patriotismus' erarbeiten; denn dieser verfügt über das intellektuelle Potential, dem Soldaten politische Orientierung zu geben. Eins dürfte klar sein: Auch Soldaten müssen dazu beitragen, dass der Patriotismusbegriff nicht rechten Verführern überlassen wird. In diesem Zusammenhang kommt es auch darauf an, die Grenzen des Begriffs des Verfassungspatriotismus' herauszuarbeiten. Dieser gibt zwar klare Zielsetzungen für das Handeln des Staates und seiner Institutionen vor und ist auch der Kern einer Leitzivilität[324] innerhalb der Gesellschaft. Er gilt allerdings als emotionsarm. Er benötigt eine Ergänzung, die ans Herz geht. Andere Begriffe wie ,aufgeklärter' oder ,demokratischer' Patriotismus bringen stärker zum Vorschein, *worauf* wir stolz sein können. Es ist der Stolz auf *dieses* Deutschland, das wir ohne Vorbild geschaffen und uns selbst zum Vorbild gemacht haben. Damit gewinnt auch der Begriff der Nation wieder eine größere Relevanz für uns. Aleida Assmann und Thea Dorn greifen in ihren Büchern zur deutschen Erinnerungskultur und Identität auf diesen Begriff zurück. Beide beziehen sich auf einen älteren programmatischen Artikel von Ernest Renan, der darauf hinwies, dass Trauer für die Tradition wichtiger ist als eine heroische Vergangenheit mit großen Männern und militärischen Triumphen – zumindest dann, wenn es den Bürgern gelingt, daraus Pflichten abzuleiten und diese in gemeinsamen Anstrengungen umzusetzen.[325] Zu Recht

---

[324] Thea Dorn, Deutsch, nicht dumpf. Ein Leitfaden für aufgeklärte Patrioten, München [3]2018, S. 50-57.

[325] Aleida Assmann, Der lange Schatten der Vergangenheit, a.a.O., S. 64-65. Dass der junge Führungsnachwuchs der Bundeswehr aus Trauer und Tragik der deutschen Geschichte im 20. Jahrhundert gelernt hat, zeigt Sarah Katharina Kayß in der bereits angesprochenen empirischen Untersuchung auf. Siehe Sarah Katharina Kayß, Tradition und Identität: Die Vergangenheit der Bundeswehr als Motivationsimpuls für die Gegenwart des zukünftigen Offizierskorps der Bundeswehr, a.a.O.

sieht Thea Dorn im Nationenbegriff das Potential eines „Solidaritätsgenerators".[326]

- Wer den weithin anerkannten Slogan „Wir.dienen.Deutschland." versteht als: Wir dienen *diesem* Deutschland, wie wir es *gemeinsam* geschaffen haben, findet darin Identität und einen klaren Auftrag für die Zukunft: Wir wollen dahinter nicht mehr zurück. Wir sind stolz auf das beste Deutschland, das es je gab – und dürfen dies auch in der Meinung unserer Verbündeten und Partner sein. Daraus leitet sich dann folgerichtig auch unsere Bereitschaft ab, diese Errungenschaften notfalls auch mit militärischer Gewalt zu verteidigen. ‚Vulgärpazifismus' passt also nicht dazu. Es ist vielmehr ein ‚demokratischer Patriotismus', der die deutsche Identität am besten beschreibt. Daraus leitet sich dann auch, wie Thea Dorn schreibt, allerhöchster Respekt für diejenigen ab, die bereit sind, für die Verteidigung des Erreichten ihr Leben aufs Spiel zu setzen.[327] Als demokratische Patrioten, die für die Demokratie kämpfen, stellen wir uns selbst in eine Tradition, welche die Väter der Bundesrepublik Deutschland sowie der Bundeswehr begründet haben. Heute, im Angesicht vielfältiger äußerer und innerer Bedrohungen, bedeutet sie ‚Verantwortung zur Freiheit'[328].

4.3. Die Bundeswehr als etwas „grundsätzlich Neues"

Am 8. Mai 1945 kapitulierte das Deutsche Reich. Die Niederlage war total. Politisch, militärisch, moralisch. Die deutschen Städte waren größtenteils zerstört, sowjetische und alliierte Truppen besetzten ganz Deutschland. Kaum fünf Jahre später, die Bundesrepublik selbst zählte gerade einmal ein gutes Jahr, kam die Frage nach einem deutschen Beitrag für die Verteidigung Westeuropas auf. Sie wurde äußerst dringlich, als im Juni 1950 der Krieg in Korea ausbrach. In dem ebenfalls geteilten südostasiatischen Land griff das kommunistische Nord-Korea das westlich orientierte Süd-Korea an. Stand gleiches auch Westdeutschland bevor? Die Regierung unter Konrad Adenauer verstärkte nun ihre politischen Aktivitäten, die junge Bundesrepublik Deutschland wiederzubewaffnen. Die letztlich pragmatisch orientierten Regierungen der westlichen Nachbarn Deutschlands sahen die Angelegenheit nicht anders. Allerdings waren weite Teile der (west-)deutschen Bevölkerung skeptisch bis ablehnend. Viele stimmten jedoch dahingehend überein, dass, wenn ein Aufbau neuer deutscher Streitkräfte unvermeidlich

---

[326] Thea Dorn, deutsch, nicht dumpf, a.a.O., S. 291.
[327] Thea Dorn, deutsch, nicht dumpf, a.a.O., S. 324.
[328] Siehe dazu das in der Endphase des Kalten Krieges erschienene Buch des Theologen Christian Walther, Verantwortung zur Freiheit. Eine sozialethische Studie zur Frage nach dem Sinn soldatischer Existenz, Herford und Bonn 1989.

war, es dabei kein unbefangenes Anknüpfen an die Wehrmacht und deren militärische Traditionen geben dürfte. Man wollte das Alte nicht mehr und, dies spielte auch eine Rolle, man durfte das Alte auch nicht mehr wollen. Denn die Besatzungsmächte wachten mit Argusaugen darüber, dass die Deutschen aus sich etwas anderes machten als sie es bisher waren. Auch die Reichswehr als Staat im Staate taugte nicht als Vorbild für eine Armee in der westdeutschen Demokratie. Die feste Absicht, die Aufstellung der deutschen Streitkräfte besser zu machen als 1919 und 1935, führte dazu, dass Personen, die der Wiederbewaffnung gegenüber ablehnend eingestellt waren, sich dennoch aktiv an der Ausgestaltung des Neuen beteiligten.[329]
Die Radikalität des gewollten Bruchs mit der Vergangenheit kommt besonders deutlich in der Himmeroder Denkschrift zum Ausdruck. Eine von Bundeskanzler Konrad Adenauer eingesetzte Expertenkommission tagte im Oktober 1950 eine Woche lang diskret im Eifelkloster Himmerod. Am Ende legten die Experten eine „Denkschrift über die Aufstellung eines Deutschen Kontingents im Rahmen einer übernationalen Streitkraft zur Verteidigung Westeuropas" vor. Sie enthält grundsätzliche Aussagen zur Legitimation des Wehrdienstes, zur Einbindung der Streitkräfte in die Demokratie, zum Selbstverständnis und zur Führungskultur sowie zur pädagogischen Praxis. Darin spiegeln sich der Eindruck der beiden Niederlagen in den Weltkriegen, die gesellschaftliche Skepsis über militärische Gewaltmittel, die Angst vor einer Rückkehr des Militarismus, aber auch die erhöhten Anforderungen an den Soldaten aufgrund des neuen Kriegsbildes wider.
Im Inneren Gefüge, so die Himmeroder Denkschrift, sollte der neue soldatische Geist seinen deutlichsten Ausdruck finden. Daher heißt es darin: „Bei der Aufstellung des Deutschen Kontingents für die Verteidigung Europas kommt ... dem inneren Gefüge der neuen deutschen Truppe große Bedeutung zu. Die Maßnahmen und Planungen auf diesem Gebiet müssen und können sich auf dem gegenwärtigen Notstand Europas gründen. Damit sind die Voraussetzungen für den Neuaufbau von denen in der Vergangenheit so verschieden, dass ohne Anlehnung an die Formen der alten Wehrmacht heute etwas grundlegend Neues zu schaffen ist. (...) Dabei ist es wichtig, dass Geist und Grundsätze des inneren Neuaufbaues von vornherein auf lange Sicht festgelegt werden und über etwa notwendige Änderungen der Organisation ihre Gültigkeit behalten."[330] Es ging also darum, das neue soldatische Selbstverständnis und die Grundsätze für den Umgang mitein-

---

[329] Auf die sechsbändige Ausgabe der „Schicksalsfragen der Gegenwart" hatten wir bereits hingewiesen. Auch heute noch lohnt sich die Lektüre der Reihe des BMVg (Hrsg.), Schicksalsfragen der Gegenwart, 6 Bde., Tübingen 1957ff.
[330] H.J. Rautenberg und N. Wiggershaus, Die „Himmeroder Denkschrift" vom Oktober 1950, Karlsruhe 1977, S. 53.

ander sowie mit Politik und Gesellschaft an ausgewählten Werten auszurichten und diese auf Dauer zu stellen. Quelle und Maßstab dafür war das 1949 verabschiedete Grundgesetz, vor allem die Verpflichtung des Staates auf die Wahrung des Friedens und die Achtung der unveräußerlichen Menschenrechte.[331] Die dauerhafte Verankerung sollte vor allem über vom Parlament verabschiedete Wehrgesetze erfolgen. Auch das Traditionsverständnis und die Traditionspflege in den neuen deutschen Streitkräften sollten dabei helfen.[332] Tradition als Vermittlung neuer Wertorientierungen stand daher in einem engen Zusammenhang mit der Erziehung des Soldaten.

Die Führungsphilosophie der Inneren Führung ist aus diesem in der Himmeroder Denkschrift verankerten selbstgegebenen Auftrag entstanden.[333] Sie ist der in eine Konzeption und später in eine Dienstvorschrift verankerte Anspruch, etwas grundsätzlich Neues zu schaffen und dieses auf Dauer zu stellen. Als Maßstab dafür diente ihr das Grundgesetz. Zu Recht wird sie daher kurz und bündig als Umsetzung des Grundgesetzes in den Streitkräften definiert.[334] Für die Soldaten der neuen deutschen Streitkräfte war sie ein „Leitfaden", ja sogar eine „Leitkultur"[335]. Der Weg nach vorne sollte nicht durch altbekanntes Terrain führen, sondern in Gebiete vorstoßen, die ziemlich neu waren. Wie für die Bundesrepublik Deutschland, so galt auch für ihre noch aufzubauenden Streitkräfte, dass sie, wie Josef Joffe schreibt, „… auf ihrem Weg das alte Gepäck stehen lassen…, durchstarten, Neues entwerfen und ausprobieren" konnten.[336]

Bleiben wir kurz bei Josef Joffe. Er weist uns in seinem Buch „Der gute Deutsche" darauf hin, dass die Väter der Bundesrepublik Deutschland „… in der Vergangenheit weder ein Fundament noch ein Vorbild finden…" konnten.[337] Diese Aussage trifft auf die Bundeswehr allerdings nur bedingt zu. Auch wenn Josef Joffe als Beleg für seine These anführt, dass deren

---

[331] GG Präambel und Art. 1.

[332] Das Kapitel zur Tradition ist das längste im 1957 erstmalig herausgegebenen Handbuch Innere Führung.

[333] Dabei half, dass Wolf Graf von Baudissin, der die diesbezüglichen Formulierungen in der Himmeroder Denkschrift mitverfasste, später der verantwortliche Referatsleiter im neugegründeten Amt Blank und im späteren Bundesministerium für Verteidigung war.

[334] Uwe Hartmann, Innere Führung. Erfolge und Defizite der Führungsphilosophie für die Bundeswehr, Berlin 2007, S. 70-85.

[335] So bezeichnen der Journalist Karl Feldmeyer und der Historiker Georg Meyer die Innere Führung in ihrer Kielmansegg-Biographie. Siehe Karl Feldmeyer, Georg Meyer, Johann Adolf Graf von Kielmansegg 1906-2006. Deutscher Patriot, Europäer, Atlantiker, Bonn 2007, S. 52.

[336] Josef Joffe, Der gute Deutsche. Die Karriere einer moralischen Supermacht, München 2018, S. 223.

[337] Josef Joffe, Der gute Deutsche, a.a.O., S. 221.

Rekruten bei der ersten Vereidigung 1955 US-Helme aufsetzen mussten, weil die „… Stahlhelme der Wehrmacht … nicht infrage (kamen). Sie symbolisierten eine schreckliche Vergangenheit, an welche die Republik keinesfalls anknüpfen durfte"[338], so darf doch nicht vergessen werden, dass die Reformer um Baudissin bei ihrer Suche nach einem Fundament und Vorbild fündig wurden, indem sie Bezug auf die preußischen Reformen nach 1806 und den Widerstand gegen Hitler nahmen.[339] Diese Ereignisse, vor allem die Werte der handelnden Personen, sollten Orientierung geben für den Aufbau der Bundeswehr.

Das Wissen über ihren historischen Kontext erleichtert uns das Verständnis der Grundsätze der Inneren Führung. Es ist daher richtig und gut, dass die aktuell gültige Vorschrift zur Inneren Führung mit einer kurzen historischen Herleitung beginnt.[340] Das bedeutet allerdings nicht, dass sie aufgrund ihrer Entstehung in einer besonderen historischen Situation an Relevanz für unsere Zukunft verloren hätte. Manche der heutigen Bedrohungen für unsere Freiheit und Sicherheit bestanden auch damals, vielleicht sogar in noch schärferer Form. Dazu gehört das, was heute unter der Bezeichnung ‚hybride Bedrohungen' bzw. ‚hybride Kriegsführung' verstanden wird, nämlich Propaganda, Desinformation, Subversion, Schüren von Spannungen innerhalb der Bevölkerung sowie wirtschaftlicher Druck und Einschüchterung durch die Androhung von militärischen Gewaltmitteln.[341] Und auch im Inneren war die Demokratie damals genauso gefährdet wie heute – sei es durch Ewiggestrige oder rechte Parteien, die in den 1950-er Jahren wieder entstanden, oder einfach nur durch politische Indifferenz. Wir wiesen bereits darauf hin, dass nicht zuletzt aufgrund der Ähnlichkeit der 1950-er Jahre mit der heutigen Zeit die Innere Führung uns wieder wichtige Denkanstöße und praktische Hilfen geben kann.

Blicken wir nun „auf das Neue", auf das, was die Väter der Bundeswehr erarbeiteten und was die neuen deutschen Streitkräfte *dauerhaft* auszeichnen sollte. Was sind die Lehren aus der Geschichte, die die Grundsätze der Inneren Führung bestimmten und für uns heute noch wichtig sind? Welche Konsequenzen erwachsen daraus für das soldatische Erbe und damit für unsere Zukunft?

---

[338] Josef Joffe, Der gute Deutsche, a.a.O., S. 222.
[339] Wolf Graf von Baudissin, Grundwert Frieden in Politik – Strategie – Führung von Streitkräften, Berlin 2014, S. 173-190.
[340] Bundesministerium der Verteidigung, Innere Führung. Selbstverständnis und Führungskultur der Bundeswehr – A-2600/1, Stand Oktober 2015, S. 9-11.
[341] Siehe dazu Uwe Hartmann, Hybrider Krieg als neue Bedrohung von Freiheit und Frieden, a.a.O., S. 11-12.

1. *Außen- und sicherheitspolitisch*: Die neuen deutschen Streitkräfte folgen der politisch bereits vollzogenen Westbindung der Bundesrepublik Deutschland. Sie werden in die Wertewelt des Westens integriert. Der Weiterführung des deutschen Sonderweges mit einer Neutralität oder Schaukelpolitik zwischen Ost und West erteilt die bundesdeutsche Politik eine klare Absage. Als das ambitionierte und von der französischen Regierung vorgeschlagene Vorhaben einer Europäischen Verteidigungsgemeinschaft (EVG) mit integrierten Truppenkörpern weit unterhalb der Divisionsebene an der französischen Nationalversammlung 1954 scheitert, bedeutet Westbindung die Integration der neuen deutschen Streitkräfte in die NATO.[342] Damit ist neben dem Grundgesetz noch eine *internationale* Wertebasis Orientierungspunkt für das Selbstverständnis der neuen deutschen Streitkräfte: nämlich das westliche Verständnis von Zivilisation, das auf den Prinzipien der Demokratie, auf der Freiheit des Einzelnen und den Grundsätzen des Rechts beruht.[343] Diese Wertebasis wurde durch die deutsche Wiedervereinigung eindrucksvoll bestätigt. Von einem Austritt aus der NATO war in der Zeitenwende 1989/90 keine Rede. Gerade Deutschland und seine Vertreter in der NATO wie beispielsweise der damalige Oberst i.G. Klaus Wittmann leisteten wesentliche geistige Vorarbeiten, um das transatlantische Verteidigungsbündnis strategisch auf veränderte sicherheitspolitische Rahmenbedingungen einzustellen.[344] Die NATO erfreut sich heute trotz belasteter transatlantischer Beziehungen hoher Wertschätzung sowohl in der deutschen Parteienlandschaft als auch in der Öffentlichkeit.[345] Gleichwohl belegen Bevölkerungsumfragen, dass einige Deutsche (wieder) hin- und hergerissen sind zwischen einer Orientierung an dem liberalen Westen oder dem mehr autoritären Osten. Der britische Historiker James Hawes zeigt uns in seiner historischen Studie über Deutsch-

[342] Zur EVG siehe die Beiträge in Anfänge deutscher Sicherheitspolitik 1945-1956, Band 2, herausgegeben vom Militärgeschichtlichen Forschungsamt, München 1990.

[343] Nordatlantikvertrag vom 4. April 1949 (www.staatsvertraege.de/natov49.htm). Zum Unterschied zwischen den Begriffen der Zivilisation und Kultur siehe Thea Dorn, deutsch, nicht dumpf. Ein Leitfaden für aufgeklärte Patrioten, München ³2018, S. 40-49.

[344] Siehe hierzu Rob de Wijk, NATO on the Brink of the New Millenium, London 1997, S. 13-16.

[345] Siehe dazu die Bevölkerungsumfragen des SOWI bzw. ZMSBw. Zuletzt erschien Markus Steinbrecher, Heiko Biehl, Timo Graf, Sicherheits- und verteidigungspolitisches Meinungsbild in der Bundesrepublik Deutschland. Erste Ergebnisse der Bevölkerungsumfrage 2018, Potsdam 2018. Siehe auch Koerber-Stiftung, The Berlin Pulse. German Foreign Policy in Perspective. Zuletzt erschien die Ausgabe 2018/2019. https://koerber-stiftung,de/fileadmins/user_upload/koerber-stiftung/redaktion/the-berlin-pulse/pdf/2018/The-Berlin-Pulse-2018.pdf.

land, dass die Ursprünge dieser Zerrissenheit weit in die europäische Geschichte zurückreichen.[346] Wenn sich Deutschland vom Westen und seinen Werten abwendet, dann stürzt dies ganz Europa zurück in die gefährlichen Zeiten von Nationalismus und kriegerischen Konflikten. Umso wichtiger ist die Fortsetzung der politischen und wertefundierten Westbindung gerade auch im soldatischen Selbstverständnis heute.

2. *Gesellschaftspolitisch*: Die demokratischen zivil-militärischen Beziehungen gründen auf dem Primat der Politik, dem öffentlichen Interesse an Zustand und Aufgaben der Streitkräfte sowie der Integration des Soldaten in die Gesellschaft. Damit wird dem Denkmuster eines „preußisch-deutschen Militarismus" eine klare Absage erteilt. Entscheidungsautonomie der militärischen Elite und gesellschaftliche Sonderstellung vor allem des Offizierkorps sollte es nicht mehr geben. Der Vorrang des Militärischen in Politik und Gesellschaft hat keinen Platz in der demokratischen westdeutschen Gesellschaft. Diese klare Grenzziehung bedeutet allerdings nicht, dass „Preußen" ganz in Ungnade gefallen ist. Den preußischen Staat hatten die Alliierten 1945/47 aufgelöst. Diese Maßnahme schloss nicht aus, dass die Reformer typisch preußische Tugenden wie ‚Freiheit im Gehorsam' betonten; denn, wie der Widerstand des 20. Juli bestätigte, konnten diese Tugenden zum Schutz der neuen demokratischen Ordnung dienen. Wenn, wie manch berufene Stimmen heute warnen, der Westen scheitern könnte, dann wären auch die über Jahrzehnte gewachsenen demokratischen zivil-militärischen Beziehungen und mit ihnen die Westbindung in Gefahr.

Das Militär führt kein Eigenleben. Es ist keine von der aus nachvollziehbaren Gründen militärskeptischen Gesellschaft getrennte „heroische Gemeinschaft", die die traditionellen soldatischen Tugenden wie Tapferkeit, Disziplin und Gehorsam pflegt und sich dabei weder für Politik noch für gesellschaftliche Trends interessiert. Das Militär ist auch nicht gegen gesellschaftliche Kritik immunisiert. Ganz im Gegenteil: Es ist in hohem Maße legitimations- und unterstützungsbedürftig. Dafür stehen viele Kennzeichen der neuen deutschen Streitkräfte wie beispielsweise ihre Einbindung in den Staat als ‚Parlamentsarmee' oder auch das Recht des Soldaten, sich öffentlich zu äußern und am politischen Geschehen aktiv teilzunehmen. Nicht nur die Regierung, sondern auch das Parlament und damit letztlich jeder Bürger tragen Mitverantwortung für den Zustand sowie den Einsatz der Streitkräfte. Diese Mitverantwortung kommt in besonderer Weise in Stellung, Auftrag und Aufgaben des Wehrbeauftragten des Deutschen Bundestages zum Aus-

---

[346] James Hawes, Die kürzeste Geschichte Deutschlands, Berlin 2018.

druck. Die Streitkräfte unterliegen auch der öffentlichen Kontrolle bei-spielsweise durch die Medien. Sie sind nicht gegen Kritik gefeit.[347] Sogar plakative Aussagen wie „Soldaten sind Mörder" sind von der Meinungs-freiheit geschützt. Und auch die Soldaten selbst dürfen sich in der Öf-fentlichkeit äußern und sollen sogar den Dialog mit der Gesellschaft su-chen. Die Art und Weise, wie die Militärreformer um Baudissin in den 1950-er Jahren die vertrauensvolle Zusammenarbeit mit der Gesell-schaft gestalteten, ist geradezu idealtypisch für die neuen demokrati-schen zivil-militärischen Beziehungen. Auf Tagungen kamen Persön-lichkeiten aus allen gesellschaftlichen Bereichen zusammen, um über die Streitkräfte und deren Aufbau zu diskutieren. Damals war die Mehrheit der Deutschen gegen die Wiederbewaffnung. Ehemalige Soldaten der Wehrmacht mussten motiviert werden, die neuen Streitkräfte mit auf-zubauen. Die dafür Verantwortlichen haben sich also nicht allein auf die Regierung verlassen, um die Unterstützung der Bevölkerung zu gewin-nen. Sie sind selbst mit bestem Beispiel vorangegangen und verlangten von ihren Soldaten, es ihnen gleichzutun. Bis heute sind Gesprächsbe-reitschaft und Beispielgeben wesentliche Charakteristika der Inneren Führung. Dieser Tradition folgte auch das BMVg, als es die Erarbei-tungsprozesse des Weißbuches 2016 genauso wie des Traditionserlasses 2018 auf eine inklusive Basis stellte. Wenn der deutsche Außenminister im Spätsommer 2018 die Deutschen auffordert, „vom Sofa herunterzu-kommen und aus dem diskursiven Koma aufzuwachen",[348] dann gilt dies in besonderer Weise auch für die Soldaten. Sollten sich diese davon nicht angesprochen fühlen, wäre dies ein deutlicher Beleg dafür, dass das Erbe des deutschen Soldaten in Gefahr steht, in Re-Nationalisierungstendenzen, politischer Indifferenz und heroischen Gemeinschaften verloren zu gehen.

3. *Führungskultur*: Damals wie heute erwarten die Alliierten in der NATO von Deutschland, die Hauptlast der konventionellen Verteidigung in der Mitte Europas zu leisten. Im Kalten Krieg bedeutete dies: Das deutsche

---

[347] Wie negativ sich eine Immunisierung vor Kritik auf die US-Streitkräfte heute auswirkt, zeigen Donald Abenheim und Carolyn Halladay sowie Andrew Bacevich in ihren Schriften. Siehe Donald Abenheim/Carolyn Halladay, Soldiers, War, Knowledge and Citizenship: German-American Essays on Civil-Military Relations, Berlin 2017; Andrew Bacevich, the New American Militarism. How Americans are Seduced by War, New York 2013.

[348] „Mal vom Sofa hochkommen und den Mund aufmachen": Außenminister Maas hat den Deutschen vorgeworfen, im Kampf gegen Rassismus zu bequem zu sein. Sie müssen sich mehr engagieren, um die Demokratie zu verteidigen. In: ZEIT online vom 2. September 2018.
https://ww.zeit.de/politik/Deutschland/2018-09/chemnitz-heiko-maas-rassismus-deutschland-forderung

Heer stellt zwölf Divisionen. Ein derart umfangreicher Beitrag erforderte nicht zuletzt aus finanziellen Gründen die Einführung der Wehrpflicht. Damit wollte die Politik allerdings noch weitere Ziele erreichen. Der ständige Austausch von Grundwehrdienst Leistenden sollte gesellschaftspolitische Veränderungen in die Bundeswehr hineintragen und diese vor geistiger Erstarrung und Isolation schützen. Militaristische Tendenzen oder der Rekurs auf überholte soldatische Anschauungen sollten also auch dadurch verhindert werden, dass immer neue Generationen von jungen Männern in die Streitkräfte eintreten und Vorgesetzte sich mit deren politischen Meinungen und Werten auseinander setzen müssen. Sie sollten permanent abwägen zwischen dem Beharren auf funktionalen Notwendigkeiten und einer Veränderung tradierter militärischer Erscheinungsformen und Verhaltensweisen.[349] Nicht zuletzt aus diesem Grunde wurde die Innere Führung als eine dynamische Konzeption verstanden.[350] Und soldatische Erziehung umfasste immer auch die Persönlichkeitsentwicklung von Vorgesetzten, also deren Selbsterziehung.

Der Gehorsamsanspruch ist gesetzlich geregelt. Klare Grenzen werden gezogen, vor allem auch im Hinblick auf das soldatische Selbstverständnis. Unterrichte und Gespräche darüber unterliegen nicht dem Prinzip von Befehl und Gehorsam. Gefordert sind vielmehr partnerschaftliche Diskussionen auf Augenhöhe, unabhängig davon, welchen Rang und Status die Gesprächspartner besitzen. Wenn es um Fragen ihres Selbstverständnisses geht, treten Soldaten gewissermaßen in einen Raum der Freiheit jenseits des Herrschaftsbereichs der militärischen Hierarchie. Dieses neue Denken fand im Traditionserlass von 1982 einen besonders eindrucksvollen Beleg. Darin steht geschrieben, dass Tradition auch eine persönliche Entscheidung des einzelnen ist.[351] Alle Gesprächspartner sind aufgefordert, sich mit informierten, d.h. durch wissenschaftliche Aufklärung und politisch, historisch und ethisch begründeten Argumenten zu beteiligen. Weder Stammtischgerede noch politische Korrektheit werden diesen Ansprüchen gerecht. Man muss sich diesen Bruch mit der Vergangenheit deutlich vor Augen führen: Das Militär hatte keine Überlegenheit über den Bürger mehr. Was jedoch vielleicht manchem als noch größerer Bruch erschien: Auch unter Soldaten gab es in Bezug auf das Selbstverständnis keine an den Dienst-

---

[349] Der Hart- und Barttrachterlass ist dafür ein gutes Beispiel. Siehe dazu die Darstellung mit Bildern in Rudolf J. Schlaffer, Marina Sandig, Die Bundeswehr 1955 bis 2015: Sicherheitspolitik und Streitkräfte in der Demokratie, Freiburg i.Br./Berlin/Wien 2015, S. 110-111.
[350] Siehe dazu vor allem Ulrich de Maizière, In der Pflicht, Herford 1989.
[351] Traditionserlass 1982, Nr. 3.

grad gebundene Unterordnung mehr. Erziehung im Sinne einer „Entpersönlichung"[352] oder einer weltanschaulichen Indoktrination sollte es nicht mehr geben. Vielleicht liegt darin auch eine der Ursachen für die bereits früh einsetzende Diffamierung der Inneren Führung als Verweichlichung. Hier war ein empfindlicher Nerv des traditionellen soldatischen Selbstverständnisses getroffen. Die Kritiker der Inneren Führung gingen in ihren Diffamierungskampagnen sogar so weit, dass sie die Einsatzbereitschaft der Bundeswehr aufs Spiel setzten.[353] Besonderes Gewicht wurde auch dem Gewissen des Soldaten beigemessen. Es ist das Trauma der Verstrickung der Wehrmacht in einen Eroberungs- und Vernichtungskrieg, weshalb die Soldaten der Bundeswehr *gesetzlich* dazu verpflichtet wurden, Befehle und Weisungen auf ihre Rechtmäßigkeit und vor ihrem Gewissen zu prüfen. Wer sieht, welch große Schwierigkeiten beispielsweise die US-amerikanischen Streitkräfte noch heute damit haben, Anstand, Moral und internationales Recht gegenüber den Ansprüchen von Befehl und Gehorsam zur Geltung zu bringen, der darf zu recht Stolz auf unsere klare Gesetzeslage sein. Daraus erwächst allerdings auch ein hoher moralischer Anspruch an jeden Einzelnen. Durch die Würdigung des Widerstands gegen den Nationalsozialismus als Traditionslinie wurde dieser Anspruch im Kern des soldatischen Selbstverständnisses verankert und auch als moralische Selbstverpflichtung nach außen hin kommuniziert.[354] Weiterhin musste der Umgang von Vorgesetzten mit den ihnen unterstellten Soldaten ein anderer sein als das Führungsverhalten, welches in den Zerrbildern preußisch-deutscher Armeen vor 1945 widergespiegelt wurde. Menschenunwürdige Behandlung durfte es genauso wenig geben wie Duckmäusertum. Die Erziehung zur Verantwortung mit der Förderung

---

[352] Dieses Konzept vertrat Generalmajor Friedrich Altrichter in seinem 1935 veröffentlichten Buch „Das Wesen der soldatischen Erziehung" (Oldenburg i.O./Berlin).
[353] Helmut R. Hammerich, >>kerniger Kompromiss<< oder >>weiche Welle<<? Baudissin und die kriegsnahe Ausbildung in der Bundeswehr. In: Wolf Graf von Baudissin 1907-1993. Modernisierer zwischen totalitärer Herrschaft und freiheitlicher Ordnung, herausgegeben von Rudolf J. Schlaffer und Wolfgang Schmidt, München 2007, S. 127-137.
[354] Kommunikation nach außen meint zum einen in die deutsche Nachkriegsgesellschaft hinein, die dem Widerstand durchaus ambivalent gegenüberstand, aber auch in Richtung der Alliierten in der NATO. Baudissin wies früh darauf hin, dass es gerade der Widerstand war, der es den Alliierten ermöglichte, Deutschland in das Bündnis aufzunehmen und als Partner zu akzeptieren. In seinem Tagesbefehl vom 20.7.1966 wies General Graf von Kielmansegg, neben Baudissin und de Maizière ebenfalls Vater der Inneren Führung, in seiner Funktion als Oberbefehlshaber der Verbündeten Streitkräften Europa-Mitte (CINCENT) auf die Bedeutung des Widerstandes gegen Hitler hin. Siehe dazu das Dokument in Karl Feldmeyer, Georg Meyer, Johann Adolf Graf von Kielmansegg 1906-2006. Deutscher Patriot, Europäer, Atlantiker, Bonn 2007, S. 125.

des mitdenkenden Gehorsams wurde vornehmste Aufgabe eines jeden Vorgesetzten. Damit war die Auftragstaktik oder, wie es heute heißt, das ‚Führen mit Auftrag', von Anfang an integraler Bestandteil der Inneren Führung. Dieses bereits im 19. Jahrhundert eingeführte Führungsprinzip meinte die selbstständige Ausführung von Aufträgen allein auf der Grundlage vorgegebener Ziele und zur Verfügung gestellter Mittel. Selbstständigkeit forderte zudem das Abweichen von Befehlen, wenn die Lage sich grundlegend geändert hatte und eine Rücksprache mit Vorgesetzten nicht möglich war. Dieses tradierte Führungsprinzip wurde durch die Innere Führung allerdings erweitert, indem ‚Führen mit Auftrag' nicht rein militärisch, sondern immer auch politisch verstanden wurde. Es sollte nicht nur um die möglichst effektive Ausführung eines militärischen Auftrags gehen, sondern auch um die vorherige Prüfung, ob die wahrscheinliche Wirkung seines Handelns auch tatsächlich dem politischen Zweck diente. Der Soldat wurde auf diese Weise mitverantwortlich für die zu erreichenden politischen Ziele. Führen mit Auftrag bzw. Auftragstaktik wurde also erweitert zu Führen mit *politisch* begründetem Auftrag. Politik ist damit ein unverzichtbares Element soldatischer Professionalität. Und dies zeigt sich nicht zuletzt im Traditionsverständnis der Bundeswehr selbst. Pflege und Weiterentwicklung des soldatischen Erbes müssen immer im Bewusstsein der Werte und Ziele, denen sich unser Staat verpflichtet hat, betrieben werden. Hierin liegt die eigentliche, tiefere Bedeutung des Leitbildes vom ‚Staatsbürger in Uniform'. Die Innere Führung stellt damit höchste geistige und charakterliche Anforderungen an die Soldaten aller Dienstgrade. Sie zeigt aber auch, dass der ‚Staatsbürger in Uniform' eine wesentliche Grundlage für die Kampfkraft und den Einsatzwert einer Armee ist. Dies zeigt sich besonders deutlich in den ‚politischen Gefechtsfeldern' von heute.[355]
Die Grundsätze für Selbstverständnis und Führungskultur sind in einer Vorschrift zur Inneren Führung verbindlich geregelt. Dennoch ist die Geschichte der Bundeswehr auch ein Kampf um deren Deutung und praktische Relevanz. Die Innere Führung wurde gezielt diffamiert, um den beabsichtigten Bruch mit der Vergangenheit so gering wie möglich zu halten – was nicht unbedingt mit rechtslastigen politischen Überzeugungen zu tun haben musste, sondern ganz einfach nur auf fehlender Veränderungsbereitschaft beruhen konnte. In der heutigen Bundeswehr

---

[355] Klaus Naumann, Das politische Gefechtsfeld. Militärische Berufsbilder in den neuen Kriegen. In: Mittelweg 36. Zeitschrift des Hamburger Instituts für Sozialforschung, H. 6. Dezember 2014/Januar 2015, S. 28-48. In diesem Sinne ist auch der Dreiklang der Inneren Führung von „freier Mensch, guter Staatsbürger und vollwertiger Soldat" zu verstehen.

leidet die Innere Führung nicht nur an den bereits chronischen Akzeptanzproblemen, sondern auch daran, dass Mangelwirtschaft und die daraus folgende extreme Bürokratisierung ihr keinen Platz mehr im täglichen Dienst lassen. Es ist daher nicht überraschend, wenn empirische Untersuchungen offen ans Tageslicht fördern, dass Kenntnis und Akzeptanz bei den Angehörigen der Bundeswehr, vor allem bei den unteren Dienstgraden, erschreckend gering sind.[356] Und das, obwohl nun auch die Mannschaften oftmals langjährige Verpflichtungszeiten haben. Die Meistererzählung über Innere Führung wird heute kaum mehr erzählt. Auch nicht von der militärischen Elite. So ist es nicht verwunderlich, dass selbst im Traditionserlass aus dem Jahre 2018 die werteorientierte Integration in den Westen („Westbindung") als das entscheidende Ergebnis des Lernens aus der Geschichte kaum noch Platz darin findet. Auch wenn der neue Erlass die Demokratie als Orientierungsrahmen klar herausstellt, so müssen in der praktischen Umsetzung drei Aspekte besonders betont werden: erstens, die europäische Dimension des soldatischen Erbes; zweitens der Auftrag, sich für die Demokratie auch in der innenpolitischen Auseinandersetzung zu engagieren[357]; und drittens die Anerkennung, dass Tradition, wenn sie nicht abstrakt und oberflächlich bleiben soll, immer eine persönliche Entscheidung ist. Dies impliziert, dass der Einzelne zur Stellungnahme aufgefordert ist und ihm diese Möglichkeit auch eingeräumt werden sollte.

4. *Kriegsbild*: Baudissin und seine Mitarbeiter gingen fest davon aus, dass moderne Kriege keine bloßen Neuauflagen des Zweiten Weltkriegs sein würden. Sie erarbeiteten vielmehr ein weitaus komplexeres Konfliktverständnis, das viele Elemente von dem aufnahm, was wir heute unter hybriden Bedrohungen verstehen. Damals prägten sie dafür den Begriff des „permanenten Weltbürgerkriegs".[358] Dieses Kriegsbild betont den zeitlich und regional entgrenzten politisch-ideologischen Charakter moderner Konflikte, die ihre Ziele in Herz und Verstand der Staatsbürger in und ohne Uniform fänden. Schlachten und Gefechte seien „... nur

---

[356] Siehe dazu Dörfler-Dierken/Kramer, Innere Führung in Zahlen, Berlin 2014.

[357] Siehe dazu die eindrucksvolle Formulierung im Traditionserlass 1965, S. I 3 und 4.

[358] Handbuch Innere Führung, S. 34-39. Siehe dazu detailliert Frank Nägler, Der gewollte Soldat und sein Wandel, a.a.O., S. 269-290. Eine Kritik an der Inneren Führung speiste sich nicht zuletzt aus unterschiedlichen Kriegsbildern. Der Baudissin-Kritiker Heinz Karst etwa orientierte sich in seinem Verständnis von Innerer Führung an einem Kriegsbild, das den Schlachten mechanisierter Verbände des Zweiten Weltkrieges gleichkam. Bogislaw von Bonin, der die Innere Führung im Baudissinschen Verständnis verachtete, ging dagegen von einer Kriegsführung aus, die auf bewegliche infanteristische Kräfte setzte. Zu den unterschiedlichen Kriegsbildern siehe Florian Reichenberger, Der gedachte Krieg. Vom Wandel der Kriegsbilder in der Bundeswehr, München 2018.

noch ein Teil einer auf allen Gebieten angreifenden geistigen Kampfführung, die keine grundsätzlichen Unterschiede zwischen Krieg und Frieden kennt".[359] Eine darauf ausgerichtete Innere Führung legte den Schwerpunkt folgerichtig auf die soldatische Erziehung und politische Bildung. „Geistige Rüstung" war unverzichtbar, um den Soldaten vor den zersetzenden Wirkungen von Indoktrination, Subversion und Desinformation zu schützen.

Diese Erweiterung bedeutete nun nicht, dass auf militärische Schlagkraft verzichtet werden könnte. Das Handbuch Innere Führung von 1957 stellt klar: „In unserer Situation des Neuaufbaues von Streitkräften lautet die einzig legitime Frage: Wie kann die deutsche Bundeswehr in der Mitte des 20. Jahrhunderts zu einem Instrument von höchster Schlagkraft gestaltet werden?" *Höchste* Schlagkraft ist allerdings mehr als die Kampfkraft, wie sie nach dem Urteil auch heutiger Experten die Wehrmacht hatte.[360] Schlagkraft musste auch die (gesellschafts-)politischen und ethischen Voraussetzungen von Verteidigung umfassen. Diese sollten durch die Innere Führung geschaffen und auf Dauer gestellt werden. Insofern stand die Innere Führung ganz im Einklang mit den damaligen strategischen Überlegungen in den USA und in der NATO. Diese beruhten auf der Eindämmung der Expansion der damaligen Sowjetunion, wobei die militärische Verteidigung als defensives Schild und die Überzeugungskraft der freiheitlichen Werte des Westens als offensiv eingesetztes Schwert dienten.

Dieses Kriegsbild ist angesichts der neuen Herausforderungen vor allem durch die hybride Kriegführung aktueller denn je. Hybrid agierende Akteure wenden komplexe militärische Mischformen an und synchronisieren diese u.a. mit Propaganda und wirtschaftlichen Druckmitteln sowie mit dem Schüren gesellschaftlicher Spannungen und mit Flüchtlingsbewegungen. Im Vergleich zu den 50-er Jahren des letzten Jahrhunderts haben sich die Vorzeichen allerdings verkehrt: damals hielt der Westen seine Werte für starke Waffen; heute sehen wir unsere Werte eher als Schwachstellen, nicht zuletzt deshalb, weil gegnerische Staaten und Organisationen diese gezielt zu diskreditieren versuchen. Um diese Angriffe abzuwehren, sind das selbstbewusste Einstehen für die freiheitlichen Werte einer offenen, aufgeklärten Gesellschaft, der Schulterschluss von Bürgern in und ohne Uniform sowie eine Politik, die Strategien zur Abwehr von Bedrohungen begründet und dafür das Gespräch mit den

---

[359] Wolf Graf von Baudissin, Grundwert Frieden in Politik – Strategie – Führung von Streitkräften, herausgegeben von Claus von Rosen, Berlin 2014, S. 170.
[360] Martin van Crefeld, Kampfkraft, a.a.O.

Menschen sucht, erforderlich. Auf diese Weise wächst die Widerstands-kraft (Resilienz) eines Landes auch gegen hybride Bedrohungen. Nicht nur das demokratische System Deutschlands und die Lehren aus der Geschichte, sondern auch das Kriegsbild fordern eine klare politische Begründung des Auftrags der Bundeswehr, eine dafür ausreichende fi-nanzielle Ausstattung, die tiefe Integration von Gesellschaft und Streit-kräften sowie einen menschenwürdigen Umgang. Auf diese Weise wird die Widerstandsfähigkeit von Politik, Gesellschaft und Streitkräften auch für den globalen Systemwettbewerb erhöht. Nur durch politische Handlungsstärke, sozialen Zusammenhalt und politische Bildung aller Staatsbürger, unter denen die Soldaten die „Speerspitze" bilden, gelingt es langfristig, Frieden zu wahren und Gegner zum Umdenken zu veran-lassen.[361] Dies ist damals wie heute wahr.

Wir haben nun einige wesentliche Lehren, die die Gründungsväter der Bun-deswehr aus der Geschichte gezogen haben und die bis heute gültig sind, herausgearbeitet. Sie sind Bestandteil der Inneren Führung genauso wie des Traditionsverständnisses der Bundeswehr, ohne dass sie jedoch in Gänze in eine Vorschrift oder einen Erlass gepresst werden können. Dabei haben wir erste Hinweise darauf gegeben, welche Rolle diese für uns heute und in Zukunft spielen. Sie sind also das selbstgeschaffene und weiterhin gültige Erbe des deutschen Soldaten im 21. Jahrhundert. Daher kommt es für uns heute darauf an, die Inhalte der Inneren Führung auch über das Traditions-verständnis der Bundeswehr und deren Pflege zu verinnerlichen. Was die Gründergeneration der Bundeswehr in enger Zusammenarbeit mit Politik und Gesellschaft geleistet hat, ist eine als historisch zu wertende Errungen-schaft. Dass die Militärreformer die Nähe zum Mythos der preußischen Heeresreformen suchten, veranschaulicht, dass sie sich der Größe der vor ihnen liegenden Herausforderung sehr bewusst waren. Heute dürfen wir auf deren Leistungen wirklich stolz sein. Daher möchten wir an dieser Stelle eine Bewertung der Inneren Führung durch den Politikwissenschaftler Win-fried von Bredow zitieren. Ihm zufolge ist sie „eine der innovativsten und kreativsten politischen Neuerungen der Bundesrepublik Deutschland, in ihrer Bedeutung durchaus vergleichbar der wirtschafts- und gesellschaftspo-litischen Konzeption der Sozialen Marktwirtschaft."[362] Deutschland und die Bundeswehr haben sich damit ihr eigenes Vorbild geschaffen. Darauf ist

---

[361] Siehe dazu Uwe Hartmann, Hybrider Krieg als neue Bedrohung von Freiheit und Frieden. Zur Relevanz der Inneren Führung in Politik, Gesellschaft und Streitkräften, Berlin 2015.
[362] Wilfried von Bredow, Militär und Demokratie in Deutschland. Eine Einführung, Wiesba-den 2008, S. 125.

dann auch ein Patriotismus gewachsen, der über den eher gefühlslosen Verfassungspatriotismus hinausgeht. Unabhängig, ob man den neuen deutschen Patriotismus wie im gültigen Traditionserlass als verfassungsorientierten oder wie in politischen Reden und einschlägigen Büchern als demokratischen, republikanischen oder aufgeklärten Patriotismus definiert – es ist ein Stolz auf das Geleistete, das so sicherlich am Anfang des großen Experiments, in den Jahren 1949 oder auch 1955, nicht erwartet werden konnte. Es ist das Verdienst des neuen Traditionserlasses, dass er diese eigene Erfolgsgeschichte in den Vordergrund rückt.[363] Es kommt nun darauf an, den Stolz auf diese Erfolgsgeschichte in der praktischen Arbeit mit Tradition zu verankern und erlebbar zu machen.

Die Innere Führung ist nach diesem Urteil also gewissermaßen eine der Grundlagen für die Erfolgsgeschichte der Bundeswehr und damit auch der Bundesrepublik Deutschland. Wer darauf nicht stolz ist, müsste sich fragen, ob sein soldatisches Selbstverständnis nicht zu eng auf traditionelle soldatische Tugenden, ein zu einfaches Verständnis von militärischer Professionalität, ein unterkomplexes Kriegsbild oder einen unreflektierten Umgang mit der deutschen Geschichte abgestellt ist. Die selbstkritische Frage lautet hier: Wie hält man es selbst mit der Bundesrepublik Deutschland als freiestem und bestem Staatswesen in der deutschen Geschichte, einem Staat und eine Gesellschaft, die den Vergleich mit weitaus älteren Demokratien nicht scheuen müssen?[364] Und wie hält man es mit der Inneren Führung, der Führungsphilosophie, welche die neuen deutschen Streitkräfte in den demokratischen Staat verankert hat?

Bereits gegen Ende der 1970-er Jahre sprach Wolf Graf von Baudissin vom Scheitern der Inneren Führung.[365] Zwar war sie trotz vielseitiger Widerstände erfolgreich als offizielle Führungsphilosophie eingeführt worden; ihre praktische Umsetzung litt jedoch von Anfang an unter dem eiligen Aufbau der Streitkräfte, dem in Quantität und Qualität unzureichendem Personal sowie der fehlenden Unterstützung vor allem durch die militärische Elite.[366] Viele Protagonisten der Inneren Führung führten ihr Scheitern vor allem auf

---

[363] Siehe Traditionserlass 2018, Nr. 4.2.

[364] An dieser Stelle sei dem geneigten Leser die Lektüre des Buches Josef Joffe, Der gute Deutsche. Die Karriere einer moralischen Supermacht, München 2018, insbesondere S. 224-226 sowie 234-239, empfohlen.

[365] Siehe dazu Claus von Rosen, Erfolg und Scheitern der Inneren Führung aus Sicht Wolf Graf von Baudissins. In: Rudolf J. Schlaffer u.a. (Hrsg.), Wolf Graf von Baudissin 1907-1993. Modernisierer zwischen totalitärer Herrschaft und freiheitlicher Ordnung, München 2007, S. 203-233. Siehe auch Dietrich Genschel, Wehrreform und Reaktion. Die Vorbereitung der Inneren Führung 1951-1956, Hamburg 1972.

[366] Siehe dazu Frank Nägler, Der gewollte Soldat und sein Wandel, a.a.O., S. 336-337.

die offenen Angriffe von Traditionalisten zurück. Heute ahnen wir, dass es noch ganz andere Gründe dafür gibt. Die Innere Führung verliert nicht nur an Anerkennung, weil sie bekämpft wird, sondern vor allem deshalb, weil sie zu wenige Unterstützer hat. Fehlende Kenntnisse, geringe Akzeptanz und vor allem die Indifferenz der militärischen Elite sind wesentliche Ursachen für ihre schwindende Relevanz nicht nur im Alltag der Truppe. Selbst die Politik trägt zur Meistererzählung der Inneren Führung heute kaum mehr bei.[367] Wir alle haben damit einen wichtigen Bestandteil des soldatischen Erbes im 21. Jahrhundert vernachlässigt.

Ein weiterer Grund könnte in der Über-Bürokratisierung der Bundeswehr liegen. Dieser Trend wurde schon in den 70er Jahren beklagt.[368] Immer wieder gab es Initiativen der militärischen Führung zur Entbürokratisierung. Sie verliefen alle im Sande. Als dann aufgrund der Haushaltslage des Bundes die Mittel für die Bundeswehr eingeschränkt wurden, nahm die Bürokratie in Form einer den täglichen Dienst dominierenden Verwaltung des personellen und materiellen Mangels weiter zu. Der Wehrbeauftragte des deutschen Bundestages stellte in seinen Jahresberichten von 2016 bis 2018 deutlich den Zusammenhang von Materiallage und Führungskultur dar.[369] Eine durch Mangelwirtschaft forcierte Bürokratisierung untergräbt das ‚Führen mit Auftrag' (Auftragstaktik) genauso wie die politische Bildung. Die starke Technologisierung, mit der der geringere personelle Umfang der deutschen Streitkräfte aufgefangen werden sollte, erwies sich als weiterer Beschleuniger der Mangelwirtschaft und damit der Bürokratie. Negativ wirkte sich auch die Orientierung der Reformen an Managementtheorien aus der Privatwirtschaft aus. Der Faktor Mensch und dessen Bildung gerieten immer mehr in den Hintergrund.

---

[367] Politiker sollten, so mahnt der ehemalige Bundestagsabgeordnete Winfried Nachtwei, „... den Prozess einer selbstbewussten und glaubwürdigen Traditionsbildung und Selbstvergewisserung in der Bundeswehr vermehrt konstruktiv und dialogisch begleiten und sich nicht bloß als reaktive ‚Linienrichter' zu Wort melden." (Winfried Nachtwei, Tradition und Politik, a.a.O., S. 106). Eine Ausnahme ist der Wehrbeauftragte des Deutschen Bundestages, der qua Amt eine Wächterfunktion über die Grundsätze der Inneren Führung ausübt.

[368] Siehe dazu den Bericht der sog. de Maiziére-Kommission aus dem Jahre 1979: BMVg (Hrsg.), Führungsfähigkeit und Entscheidungsverantwortung in den Streitkräften, Bonn 1979. Spätere Kommissionen wie die Weizsäcker-Kommission 2000 und die Weise-Kommission 2010 kamen bezogen auf das BMVg zu ähnlichen Ergebnissen.

[369] Siehe hierzu die Berichte des Wehrbeauftragte des Deutschen Bundestages 2016 und 2017; schon vorher: Pommerin, Innere Führung und Ausrüstung. In: Uwe Hartmann/Claus von Rosen/Christian Walther (Hrsg.), Jahrbuch Innere Führung 2012. Der Soldatenberuf im Spagat zwischen gesellschaftlicher Integration und sui generis-Ansprüchen, Berlin 2012, S. 162-172.

Auch die Aussetzung der Wehrpflicht hat ihren Anteil an der Misere. Die Nachteile einer reinen Freiwilligenarmee hinsichtlich Rekrutierung und gesellschaftlicher Integration hätten durchaus ausgeglichen werden können, wenn Analysen und Vorschläge ernst genommen und umgesetzt worden wären.[370] Die Aussetzung der Wehrpflicht wäre zudem ein guter Anlass für die Revitalisierung der Inneren Führung gewesen. Ihre Stärke als Führungsphilosophie für Streitkräfte im radikalen Wandel war jedoch offensichtlich in Vergessenheit geraten. Vielmehr wurde sie als fixe Größe mit Ewigkeitscharakter vorausgesetzt. Eine derartige Einstellung wird dem Wesen von Erinnern, Bewahren und Überliefern allerdings nicht gerecht. So geriet der Gedankenreichtum der Inneren Führung in Vergessenheit. Stolz auf die beste Führungsphilosophie, die deutsche Streitkräfte je hatten, konnte sich so nicht entwickeln. Dabei gibt es durchaus viele Soldaten, die stolz sind auf die Werte, die in der Bundeswehr gelebt werden, und auf Vorgesetzte, die vorbildlich führen.[371]

Viele in Politik, Gesellschaft und Militär müssen daran mitwirken, dass die Bundeswehr wieder auf die Beine kommt. Der neue Traditionserlass stellt noch stärker als seine Vorgänger und als die letzten Weißbücher heraus, dass die Bundeswehr ihre eigene Geschichte stärker in ihre Tradition aufnehmen müsse. Die Besinnung auf bundeswehreigene Traditionen muss konsequenterweise zu einer intensiveren Beschäftigung mit der Inneren Führung führen. Innere Führung gibt die Leitkategorien für Tradition vor. Denn für die Auswahl der Guten aus der Geschichte benötigen die Soldaten genauso wie alle anderen daran Beteiligten klare Maßstäbe.

Die Innere Führung ist noch immer der Ausweis dafür, dass die Bundeswehr als etwas ‚grundsätzlich Neues' aufgestellt wurde. Dies bedarf der steten Vergegenwärtigung gerade dann, wenn es um die selbstgeschaffenen Traditionen der Bundeswehr geht. Wer damals gegen den radikalen Bruch war, konnte die Innere Führung nicht unterstützen und musste sie sogar nach Kräften bekämpfen. Wer heute den historischen Hintergrund nicht kennt, kann ihre dauerhafte Relevanz nicht erkennen.

Andererseits darf Innere Führung nicht gegen Kritik abgeschirmt werden. Sie ist weder Ideologie noch Ikone. Ihr Vorzug liegt darin, dass sie die Plattform für kritische Stimmen bietet, die dadurch, dass sie sich konstruktiv einbringen, das militärische Gefüge nicht untergraben, sondern verbessern.

---

[370] Heiko Biehl, Aus den Augen, aus dem Sinn?, a.a.O., S. 58-68.

[371] Siehe zuletzt das Plädoyer von Nariman Hammouti-Reinke, Ich Diene Deutschland, a.a.O., S. 25, 36-38, 43. Zum soldatischen Dienst als „Glück" siehe Christian Göbel, Glücksgarant Bundeswehr? Ethische Schlaglichter auf einige neuere Studien des ZMSBw im Kontext von Sinn und Glück des Soldatenberufs, Innerer Führung und Einsatz-Ethos, Berlin 2016.

Innere Führung ist eine dynamische Konzeption, die gleichwohl feste, durch das Grundgesetz vorgegebene Leitplanken hat. Insgesamt verfügt sie über so viel Autorität, dass die Beweislast für Anpassungen bei den Veränderern liegt. Ein anschauliches Beispiel hierfür liefert das Buch „Innere Führung auf dem Prüfstand" von Marcel Bohnert.[372] Er stellt sie nicht in Bausch und Bogen in Frage, sondern prüft ihre Elemente kritisch hinsichtlich ihrer Zukunftsrelevanz. Auch wenn seine Studie inhaltlich auf die Auslandseinsätze begrenzt ist, so bringt sie doch klar die grundsätzliche Akzeptanz der Inneren Führung als der für die Zukunft der Bundeswehr und damit auch für die Traditionspflege maßgeblichen Konzeption zum Ausdruck.

4.4. Folgerungen für die militärische Praxis

Die Angehörigen der Bundeswehr sollten erkennen, dass ihr soldatisches Erbe, wie es Politik, Gesellschaft und Militär in einem nicht immer ganz einfachen Dialog seit 1949 erarbeitet haben, heute in Frage gestellt wird. Dazu trägt zunächst einmal der Zustand unserer Gesellschaft bei. Der in Israel lehrende Schweizer Psychologe Carlo Strenger veröffentlichte kürzlich eine Diagnose über die politische Kultur des Westens, die uns auch verständlich macht, warum Soldatsein heute so schwer ist und dass dies nicht allein durch das schwierige Vaterland der Deutschen zu erklären ist.[373] In den Mittelpunkt seiner Diagnose über die gegenwärtige politische Kultur in den westlichen Demokratien stellt Strenger eine auf den französischen Philosophen Jean-Jacques Rousseau zurückgehende „Illusion der Glücksberechtigung". Viele Menschen glaubten, dass Glück und Freiheit „Geburtsrechte" seien. Sie meinten, einen Anspruch darauf zu haben, den andere erfüllen müssten. Diese Haltung führe dazu, dass die Bereitschaft, an der Gestaltung der freiheitlichen Ordnung mitzuarbeiten, verschwunden sei. „Der Gedanke, dass *wir* die Gesellschaft sind, dass die Demokratie nicht nur eine Angelegenheit der Politiker, sondern auch der Bürger ist, scheint immer mehr auf dem Rückzug zu sein."[374] Verdrängt hätten viele das in Theologie, Philosophie und Psychologie verankerte Wissen über die tragische Existenz des Menschen. Heute, so stellt Strenger fest, klingt die „… Vorstellung, wir bräuchten existentielle Anstrengungen jenseits von Sport und Diät, … anachronistisch."[375] Es ist also kein Wunder, dass heutzutage Nihilismus und Angst beispielsweise vor einer Islamisierung eine die Freiheit untergrabene

[372] Marcel Bohnert, Innere Führung auf dem Prüfstand: Lehren aus dem Afghanistan-Einsatz der Bundeswehr, Hamburg 2017.
[373] Carlo Strenger, Abenteuer Freiheit. Ein Wegweiser für unsichere Zeiten, Frankfurt/M. 2017.
[374] Carlo Strenger, Abenteuer Freiheit, a.a.O., S. 44.
[375] Carlo Strenger, Abenteuer Freiheit, a.a.O., S. 21.

unheilige Allianz eingehen. Vielleicht liegt hier auch der Kern der wegen ihrer Wortwahl so stark kritisierten Analyse des jungen Offiziers Jan-Philipp Birkhoff in dem Buch „Armee im Aufbruch".[376] Strengers Gesellschaftsdiagnose hilft auch dabei, das innere Gefüge der Bundeswehr besser zu verstehen. Viele Soldaten fordern mehr Anerkennung ihres gefährlichen und stark belastenden Dienstes. Die Kritik dieser Forderungen als „Lamentieren" (Rühe) oder „Gier nach Anerkennung" (de Maizière) verdeckt das eigentliche Problem: die fehlende Bereitschaft von Soldaten, sich für ihre eigene Sache mit demokratischen Mitteln einzusetzen. Wenn sie Anerkennung und Akzeptanz ihres Dienstes als eine Bringschuld von Politik und Gesellschaft erwarten, unterliegen sie dann nicht auch der „Illusion der Glücksberechtigung"? Kommt darin nicht ein patriarchalisches Verständnis unserer politischen Kultur und auch der Inneren Führung selbst zum Ausdruck? Was bedeutet es eigentlich für den Zustand unserer Demokratie, wenn sogar die Bundesministerin der Verteidigung vor dem Hintergrund der letzten Skandale in der Bundeswehr feststellt, die Innere Führung habe versagt? Ist die Innere Führung eine gescheiterte politische Ideologie, weil sie ihr Versprechen nicht einhalten konnte, alle Probleme des Zusammenlebens ein für alle Mal zu lösen? Und zwar so, dass wir selbst nichts dazu beitragen müssen?

Hier geht es um das Selbstverständnis des Soldaten als Staatsbürger. Wer sich nicht mit demokratischen Mitteln engagiert, wird diesem selbstgeschaffenen Erbe und dem Vermächtnis der Gründungsväter der Bundeswehr nicht gerecht.

Gefahren für das Soldatsein in der Demokratie erwachsen auch aus der politischen Parteienlandschaft. Dabei geht es nicht wie in den 80-er Jahren des letzten Jahrhunderts um eine Kritik an einer sicherheitspolitischen Entscheidung wie beispielsweise dem NATO-Doppelbeschluss, sondern um eine grundsätzliche Abkehr von einer auf Multilateralität ausgerichteten Außen- und Sicherheitspolitik. Statt der Integration in den Westen wünschen sich manche mehr „Germany First". Eng damit verbunden ist eine neue Geschichtsdeutung, die deutsche Kriegsverbrechen relativiert. Mit populistischen Thesen, wonach die militärischen Leistungen der Wehrmacht traditionswürdig und die nationalsozialistische Phase nur ein „Vogelschiss" (Alexander Gauland) in der deutschen Geschichte wären, werden zentrale Lehren, die die Väter der Bundeswehr nach dem Zweiten Weltkrieg gezogen haben, abgelehnt. Dahinter steht die politische Absicht, die deutschen

---

[376] Jan-Philipp Birkhoff, Führen trotz Auftrag. Zur Rolle des militärischen Führers in der postheroischen Gesellschaft. In: Marcel Bohnert, Lukas J. Reistetter (Hrsg.), Armee im Aufbruch, a.a.O., S. 129-138.

Streitkräfte und ihr Selbstverständnis wieder an den Nationalstaat zu binden und ihren Soldaten eine althergebrachte Identität vorzugeben. Dass manche Angehörige der Bundeswehr und auch Reservisten mit dem Umgang mit der deutschen Militärgeschichte hadern und mehr Nationalstaat und weniger Europa wünschen, kommt der AfD und politisch noch extremeren Gruppierungen sehr entgegen.

Identität und Leitkultur unseres Landes sind schon seit längerer Zeit Gegenstand politischer Kontroversen. Die demographische Entwicklung Deutschlands aufgrund der Zuwanderung verschärft diese und mündet immer wieder in radikale Vorschläge. Für den Soldaten der Bundeswehr muss es dabei immer um einen Ausgleich zwischen Weltbürgertum, Europa und Nationalstaat gehen. Die freiheitliche demokratische Grundordnung mit Demokratie und Rechtsstaatlichkeit bleiben dabei unverrückbare Pfeiler. Extreme Positionen wie eine rein nationale oder eine weltbürgerliche Identität[377] sind damit nicht vereinbar.

Das Erbe des deutschen Soldaten im 21. Jahrhundert beruht weiterhin auf Deutschlands Politik der Selbstverpflichtung in einem vereinten Europa. Drei wesentliche Prinzipien, auf denen die deutsche Außen- und Sicherheitspolitik aufgebaut ist, sind auch für die Zukunft wichtig: (1) dass Deutschland auf eine hegemoniale Rolle in Europa verzichtet, obwohl es diese vielleicht wahrnehmen könnte; (2) dass Deutschland um die Ängste der Nachbarn vor einem übermächtigen Deutschland mit schlagkräftigen Panzerdivisionen, einem leistungsfähigen Generalstab und vielleicht sogar atomarer Bewaffnung weiß; (3) dass die Lehren aus der eigenen Geschichte weiterhin gültig sind und beherzigt werden für eine konstruktive Rolle Deutschlands in der Mitte Europas und als globaler Akteur.[378] Wenn Vorgesetzte über Tradition sprechen, sollten sie diese strategische Dimension mit bedenken.

Populisten und anti-demokratische Kräfte nutzen für ihre politischen Zwecke auch Folgewirkungen des deutschen Einigungsprozesses aus. Dass im

---

[377] In der Umbruchsphase nach dem Ende des Kalten Krieges gab es Versuche, den Bundeswehrsoldaten als „Weltbürger in Uniform" zu begründen. Diese Versuche konnten sich nicht durchsetzen. Siehe beispielsweise Joachim Arendt und Siegrid Westphal, „Staatsbürger in Uniform" + „out of area" = „Weltbürger in Uniform" – Ein kritischer Beitrag zum Politikbegriff im Reformkonzept Innere Führung. In: Uwe Hartmann, Meike Strittmatter (Hrsg.), Reform und Beteiligung. Ideen und innovative Konzepte für die Innere Führung in der Bundeswehr, Frankfurt/M. 1993, S. 125-136.

[378] Der Politikwissenschaftler Herfried Münkler bewertet diese Prinzipien als ‚Europaerzählung'. Siehe Herfried Münkler, Auf der Suche nach einer neuen Europaerzählung. In: Grit Straßenberger, Felix Wassermann (Hrsg.), Staatserzählungen. Die Deutschen und ihre politische Ordnung, Berlin 2018, S. 170.

Osten nicht wenige Bürger in und ohne Uniform anders dachten als im Westen, fiel nach den fremdenfeindlichen Aktionen der 1990-er Jahre in Rostock und Hoyerswerda zwar auf, führte aber nur zu wenig nachhaltigen Versuchen, diesem Denken entgegenzuwirken. Auch die Bundeswehr leistete deutlich weniger, als möglich und notwendig gewesen wäre. Nicht zuletzt durch ihre Unterfinanzierung und zunehmende Einsatzbelastungen standen andere Probleme im Vordergrund. Diese Institution des Staates, die am ehesten die Politik der Westbindung in den Osten Deutschlands hätte tragen können, nutzte ihr Potential nicht voll aus. Mit dem Ende der Wehrpflicht und dem Rekurs auf traditionelle soldatische Werte bei der ‚Generation Einsatz' wird das „schwierige Vaterland" wieder zu einem Problem für die Angehörigen der Bundeswehr. Der hier geforderte Perspektivenwechsel wurde dadurch deutlich erschwert und verzögert.

Was bedeutet die heutige Krisenlage nun für die Chefs und Kommandeure in der Bundeswehr und deren Umgang mit Tradition? Die schlechte Nachricht vorweg: Der Ausweg, ein eindeutiges Geschichtsbild mit klaren Weisungen für den Umgang mit unserer Geschichte zu erstellen, ist ein Irrweg. In Demokratien ist Geschichtspolitik nicht in Stein gemeißelt. Kontroverse Debatten über die Bewertungen von historischen Fakten sind Ausdruck für eine lebendige Demokratie. Identitätsstiftung erfolgt durch offenen Diskurs, nicht durch Setzen eines festumrissenen Geschichtsbildes. Es kennzeichnet vielmehr autoritäre Systeme, dass sie Geschichtsbilder vorgeben und Abweichungen davon nicht tolerieren.

Vorgesetzte sollten Angehörigen ihrer Dienststellen vermitteln, dass die kritische Auseinandersetzung über historische Ereignisse keine Schwäche, sondern eine Stärke der Demokratie ist. Davon profitiert auch der Einzelne, auch innerhalb der Bundeswehr. Die weitgehende Wahrung seiner Bürgerrechte auch in seiner Rolle als Soldat garantiert ihm, dass sein Verständnis von Identität und Tradition letztlich seine persönliche Entscheidung ist. Der Traditionserlass von 1982 hatte dies noch klargestellt. Im neuen Erlass fehlt diese Aussage. Er verzichtet aber weiterhin darauf, „starre Traditionslinien" oder „bereits gebilligte Vorbilder oder Traditionsnamen" vorzugeben, „aus denen wie aus einem Warenkatalog das Passende herausgesucht werden kann. (…) Der mündige Staatsbürger in Uniform bleibt zur persönlichen Auseinandersetzung mit unserer Geschichte aufgefordert."[379] Umso wichtiger ist es, dass Vorgesetzte ihren Soldaten diese Freiheit erklären, ermöglichen und vorleben. Gleichzeitig bedeutet dies, dass Vorgesetzte dem Erbe

---

[379] Sven Lange, Mehr Freiheit. Ein neuer Traditionserlass für die Bundeswehr. In: if Zeitschrift für Innere Führung Spezial, Nr. 2/2018, S. 13.

des deutschen Soldaten widersprechende Meinungen ernst nehmen und sich damit im partnerschaftlichen Gespräch auseinandersetzen. Wir empfehlen den Chefs und Kommandeuren, ihren Schwerpunkt in der Traditionsarbeit nicht ausschließlich auf Reden legen, auch wenn die üblichen Anlässe wie beispielsweise Verabschiedungs- und Beförderungsappelle dafür eine gute Gelegenheit bieten und auch Gäste aus dem zivilen Umfeld erreicht werden können. Sie sollten sich zudem davor hüten, ihren Soldaten und zivilen Mitarbeitern ein bestimmtes Geschichtsbild und ihr persönliches Traditionsverständnis vorzugeben. Gerade die vergleichende Darstellung von Traditions- und Historikerstreit zeigte doch, dass es unterschiedliche Auffassungen gibt, die durch Wissenschafts- und Meinungsfreiheit geschützt sind und diskutiert werden müssen. Reden vor der Front oder Frontalunterrichte sind dafür eher ungeeignet, es sei denn, den Zuhörern werden anschließend Möglichkeiten eingeräumt, diese zu diskutieren, vor allem auch mit den Vorgesetzten. Die Reden müssen also in irgendeiner Form verarbeitet werden – sei es durch andere, die in Diskussionen und Weiterbildungen darauf Bezug nehmen oder sei es in den sozialen Medien. Ein gutes Beispiel für die Nutzung sozialer Medien ist die viel beachtete Rede von Generalmajor Christian Trull bei der Übergabe der 14. Panzergrenadierdivision Hanse im Januar 2005.[380] Man mag über die Inhalte dieser Rede unterschiedlicher Meinung sein. Sie hat aber nicht nur bei den Teilnehmern der Veranstaltung, sondern auch in den sozialen Medien ein starkes Echo ausgelöst. Einer der Kommentare lautete: „Die Bundeswehr sollte mehr aus dieser Rede machen!"

Die Traditionserlasse der Bundeswehr weisen zu Recht darauf hin, dass Traditionen nicht nur den Verstand, sondern auch das Herz ansprechen. Vorgesetzte sind also aufgefordert, Möglichkeiten für emotionale Bindungen zu schaffen. Eine solche Bindung wäre beispielsweise der Stolz auf das eigene Land. Für Soldaten, die ihr Land, dem sie dienen, als „schwieriges Vaterland" beurteilen, ist dies allerdings nicht einfach. Für Vorgesetzte in der Bundeswehr bieten sich hier zwei grundsätzliche Handlungsmöglichkeiten an. (1) Sie nehmen die *ganze* deutsche Geschichte in den Blick. (2) Sie konzentrieren sich auf die *Bundeswehrgeschichte* mit den Ereignissen, Personen, Institutionen und Prinzipien, auf die die Angehörigen der Bundeswehr stolz

---

[380] Rede von Generalmajor Trull im Januar 2005 zur Übergabe der 14. Panzergrenadierdivision „Hanse".
https://www.youtube.com/results?search_query=trull+verabschiedungsrede.

sein können. Letzteres hebt der neue Traditionserlass deutlich hervor, und dies scheint auch den Bedürfnissen vieler Soldaten zu entsprechen.[381] Heute, nach rund 70 Jahren Erfolgsgeschichte des Staates Deutschland und seiner Streitkräfte, fällt es uns viel leichter, stolz auf unser Land zu sein, als dies noch bei der Aufbaugeneration der Bundeswehr der Fall war. Darauf wies auch Bundespräsident Joachim Gauck am Ende seiner wohl wichtigsten sicherheitspolitischen Rede auf der Münchner Sicherheitskonferenz 2014 hin: „Unser heutiges ‚ja' zur eigenen Nation gründet in dem, was dieses Land glaubwürdig und vertrauenswürdig macht – einschließlich des Bekenntnisses zur Zusammenarbeit mit unseren europäischen und nordatlantischen Freunden. Nicht weil wir die deutsche Nation sind, sondern weil wir *diese* (hervorgehoben; U.H.) deutsche Nation sind."[382] Wer den Lebensweg und weitere Reden von Joachim Gauck kennt und ihn selbst bei Vorträgen oder auch Truppenbesuchen in Afghanistan erlebt hat, weiß, wie wichtig für ihn die Freiheit ist.[383] Es ist gerade die Entwicklung dieses freiheitlichen Staates mit Streitkräften, die sich für Recht und Freiheit des deutschen Volkes einsetzen, worauf wir stolz sein können. Die Leistungen der Aufbaugeneration der Bundeswehr, auch wenn viele von ihnen in der Wehrmacht gedient hatten, gehört damit in die Mitte der Erzählung über die Erfolgsgeschichte der Bundeswehr.[384] Sie schafften es, etwas grundsätzlich Neues aufzubauen und auf Dauer zu stellen. Unsere Erinnerung daran ist ein wesentliches Hilfsmittel auch für den Schutz der Demokratie heute und in Zukunft.

Dass der Stolz auf das eigene Land wichtig ist für die heutigen Soldaten der Bundeswehr, unterstreicht die hohe Zustimmung, die der Slogan „Wir.Dienen.Deutschland." unter ihnen und auch in der Gesellschaft erfährt.[385] Was verstehen sie darunter? Versteht der Einzelne unter

---

[381] Traditionserlass 2018, Nr. 3.2.; siehe auch Kai Uwe Bormann, Bernd Lawall, Projekt „Tradition und Identifikation im HEER". Ein Arbeitsbericht. In: Jahrbuch Innere Führung 2018, a.a.O., S. 130-142.

[382] Joachim Gauck, Deutschlands Rolle in der Welt: Anmerkungen zu Verantwortung, Normen und Bündnissen, Rede zur Eröffnung der Münchner Sicherheitskonferenz 2014 am 31. Januar 2014.
www.bundespraesident.de/SharedDocs/Reden/DE/Joachim-Gauck/Reden/2014/01/140131-Muenchner-Sicherheitskonferenz.html

[383] Siehe u.a. sein Buch „Freiheit. Ein Plädoyer, Gütersloh 2012".

[384] Zur Aufbaugeneration der Bundeswehr siehe Helmut R. Hammerich, Rudolf J. Schlaffer (Hrsg.), Militärische Aufbaugeneration der Bundeswehr 1955 bis 1970. Ausgewählte Biographien, München 2011.

[385] Siehe Sozialwissenschaftliches Institut der Bundeswehr, Wahrnehmung und Bewertung des Claims „Wir.dienen.Deutschland.", Image der Bundeswehr sowie Haltungen zum Um-

„Wir.Dienen.Deutschland.", dass er *diesem* Deutschland dient oder steckt dahinter der Versuch, eine konventionelle Idee von Nation zu begründen? Der neue Traditionserlass spricht von einem „verfassungsorientierten Patriotismus". Tritt damit der Nationalstaat in den Hintergrund? Oder kommt er nicht gerade angesichts der unterschiedlichen Gefahren für die Sicherheit der einzelnen Staaten in Europa wieder stärker zum Vorschein? Und haben durch das Auseinanderdriften der EU Ideen für eine postnationale europäische Identität nicht an Überzeugungskraft verloren? Dies sind Fragen, die für das Selbstverständnis der Bundeswehr wie jeden einzelnen ihrer Angehörigen wichtig sind. Die Antworten dazu beruhen, wenn sie nicht rein äußerlich bleiben sollen, auf einer persönlichen Entscheidung.[386] Dies ist vor allem in der Didaktik und Methodik der politischen, historischen und ethischen Bildung zu beachten.

Die Meistererzählung über die Innere Führung verfügt über wichtige Botschaften, die Vorgesetzte kennen, bewahren und überliefern sollten. Dazu gehört: Dieser Staat wird seine Streitkräfte nur für die Zwecke des Friedens einsetzen, er wird sie nicht missbrauchen, und er wird seine Alliierten und Partner nicht bedrohen. Der schlechte Zustand der Inneren Führung könnte auch als Beleg dafür gedeutet werden, dass diese Botschaften den Menschen heute gleichgültig geworden sind. Dies ist gefährlich in einer Zeit, in der Deutschland de facto ein Hegemon ist und seine Führungsrolle in der Sicherheits- und Militärpolitik auch von anderen Staaten und auch von internationalen Organisationen gefordert wird.

Angesichts des deutschen Beitrages zu Freiheit und Frieden in Europa verändert sich auch der Blick auf die militärischen Niederlagen im 20. Jahrhundert. Die Niederlage im Zweiten Weltkrieg ist vielmehr ein gutes Beispiel dafür, wie die Menschen eines Landes eine politische, militärische und moralische Katastrophe in einen imposanten politischen Erfolg ummünzten.[387] Politisch gesehen spielen sie nur insofern eine Rolle, als sie deutliche Mahnung waren und immer noch sind, den eingeschlagenen Weg, der sich als erfolgreicher für Frieden und Wohlstand in Europa erwiesen hat, beherzt

---

gang mit Veteranen. Ergebnisse der Bevölkerungsumfrage 2012, Kurzbericht von Thomas Bulmahn, Strausberg Dezember 2012.

[386] Der Traditionserlass von 1982 sagte dazu in seiner Nr. 4: „Traditionsbewusstsein kann nicht verordnet werden. Es bildet sich auf der Grundlage weltanschaulicher Überzeugungen und persönlicher Wertentscheidungen. Dies gilt auch für die Bundeswehr mit ihrem Leitbild vom mündigen Soldaten, dem Staatsbürger in Uniform. Die Freiheit der Entscheidung in Traditionsangelegenheiten gilt innerhalb des Rahmens von Grundgesetz und Soldatengesetz."

[387] Siehe dazu Ulrich Gill, Winfried Steffani (Hrsg.), Eine Rede und ihre Wirkung. Die Rede des Bundespräsidenten Richard von Weizsäcker vom 8. Mai 1985, Berlin 1986.

fortzusetzen. Um an dieser Verpflichtung auch in turbulenten Zeiten fest-
zuhalten, kommt es darauf an, dass Vorgesetzte die Erinnerung an den
Neuanfang, mit dem grundsätzlich Neues gewagt wurde, wach halten.
Wie soll das geschehen? Damit kommen wir zur Frage nach den Staatserzählungen. „Staatserzählungen stiften – anders als das bloße Gerede über
den Staat – Orientierung. Sie erzählen uns davon, wer wir sind und wer wir
sein wollen. Sie berichten Freunden und Fremden, woher wir kommen und
wohin wir als politische Gemeinschaft gehen wollen. Sie geben Sinn und
stützen politische Entscheidungen in unübersichtlichen Zeiten. Sie beurteilen die politischen Wege, die eingeschlagen wurden, und sie erinnern uns an
die ausgeschlagenen Alternativen. Sie machen die Risiken politischen Handelns sichtbar, und sie zeigen auf, was wir aus historischen Erfahrungen
lernen können. Damit sind Staatserzählungen die eigentlichen Stützen der
politischen Ordnung. Sie helfen Staatslenkern und Staatsbürgern, den Überblick zu wahren und die politische Gemeinschaft auf ihrem Weg in eine
offene Zukunft zusammenzuhalten."[388] Staatserzählungen enthalten also
wichtiges Traditionsgut. Sie haben ähnliche Funktionen wie die Erlasse zur
Tradition in der Bundeswehr.
Wohlgemerkt: Es geht hier nicht um geschlossene Geschichtsbilder. Staatserzählungen sind keine Stiftung von oben per Erlass, sondern Angebote.
Gleichwohl zielen sie darauf ab, ihre Zuhörer zu überzeugen. Auch die Vorgesetzten in der Bundeswehr sollten sich eine Meistererzählung von ihrem
Staat und seinen Streitkräften erarbeiten, die sie authentisch weitertragen
können.[389] Im Kern steht die Frage: Was bedeutet es heute und morgen,
Staatsbürger in Uniform zu sein? Vorgesetzte müssen darauf eine Antwort
finden. Traditionspflege in der Bundeswehr schwebt zwischen dem Wachsenlassen von unten und den Staats- bzw. Meistererzählungen von Vorgesetzten. Traditionen werden in diesem Dialog gestiftet. Die Art und Weise,
wie Traditionen zustande kommen, sollte zudem ein Erlebnis sein, das demokratische Einstellungen des Einzelnen und damit die Demokratie insgesamt stärkt. Dann können die Angehörigen der Bundeswehr den gesellschaftlichen Pluralismus und sogar öffentliche Kritik besser verstehen und
akzeptieren. Dieser positiven Wirkungen stellen sich allerdings nur ein,
wenn Vorgesetzte sich die Zeit nehmen und den Mut aufbringen, sich vor

---

[388] Grit Straßenberger, Felix Wassermann, Vorwort. In: diess. (Hrsg.), Staatserzählungen. Die
Deutschen und ihre politische Ordnung, Berlin 2018, S. 9-10.
[389] Ein gelungenes Beispiel dafür ist die bereits angesprochene Rede des Parlamentarischen
Staatssekretärs bei der Bundesministerin der Verteidigung Peter Tauber unter
http://blog.petertauber.de.

ihren Soldaten oder in der Öffentlichkeit auch über Fragen der Tradition zu äußern.

Welche Rolle nimmt die Innere Führung in dieser Meistererzählung ein? Ganz eindeutig: Sie sollte in deren Mittelpunkt stehen. Als Umsetzung der Werte des Grundgesetzes für die Streitkräfte, für deren Selbstverständnis und Führungskultur, ist sie in mehrfacher Hinsicht ein Garant: für die Westbindung Deutschlands, ihre demokratische Verfasstheit, und für vertrauensvolle zivil-militärische Beziehungen. Damit soll die Innere Führung nicht sankrosankt erklärt werden. Zu ihrer Meistererzählung gehören Erfolge und genauso ihre Defizite. Ganz entscheidend ist allerdings ihre politische Zweckbindung: dass sie die Bundeswehr dauerhaft an die freiheitliche demokratische Grundordnung Deutschlands sowie die westliche Wertewelt bindet.

Die Vorgesetzten in der Bundeswehr stehen in dieser Spannung zwischen Wachsenlassen und Staats- bzw. Meistererzählung. Sie sollten jederzeit wissen, dass ihre Soldaten von öffentlichen Debatten, geschichtsrevisionistischen Verführungen und vereinfachenden medialen Aufbereitungen mit Hollywood-Klischees beeinflusst werden. Heute, angesichts hybrider Bedrohungen, populistischer Agitation und der berechtigten Suche nach Vorbildern für Kampf und Gefechte, sind Erlebnisse mit dem richtigen Umgang mit dem gültigen Erbe des deutschen Soldaten wichtiger als jemals zuvor. Gespräche, Diskussionen und Projekte sollten Vorgesetzte aus Angst, dass Politik und Gesellschaft intervenieren könnten, weder verbieten noch selbst beiseite stehen.

Vorgesetzten müssen vielleicht auch akzeptieren, dass sich manche ihrer Soldaten und Mitarbeiter nicht überzeugen lassen wollen. Das Beharren auf eigene Ansichten liegt nicht immer an Ignoranz und Orientierungslosigkeit. Manchmal sind es einfach andere persönliche Entscheidungen. Falsch wäre es zudem, junge Soldaten aufgrund ihrer geringen Lebens- und Berufserfahrung das Recht auf eigene Ansichten abzusprechen.[390] Solchen Forderungen liegt eine völlige Fehldeutung der Inneren Führung zugrunde.

---

[390] Ein Beispiel dafür sind die Reaktionen einiger Generale auf das Buch „Armee im Aufbruch". Siehe dazu im Detail: Steven Beardsley, The Bundeswehr's Innere Führung and the Cold War Divide, S. 25-27.
https://www.boschalumni.org.wp-content/uploads/2016/03/Steven-Beardsley_Citizens-in-Uniform.-the-Bundeswehrs-Innere-Fuehrung-and-the-Cold-War-divide.pdf.

5. Schluss

Lassen Sie uns nun die wichtigsten Erkenntnisse, die wir in dieser Einführung in die Tradition der Bundeswehr erarbeitet haben, zusammenfassen. Beginnen wir zunächst mit unseren Erkenntnissen über das Wesen sowie über Sinn und Zweck soldatischer Traditionen:

1) Unser Denken über das gültige soldatische Erbe, über seine inhaltliche Ausformulierung und praktische Ausgestaltung, kreist um *fünf Magnete.* Diese sind die (1) Politik, die (2) Gesellschaft und das (3) Militär sowie (4) Alliierte und Partner und schließlich auch (5) Gegner. Es kommt darauf an, diese Magnete in einem Schwebegleichgewicht zu halten. Dies gilt sowohl für die Theorie als auch für die Praxis der Tradition. Kritisch sollten wir nach den Ursachen forschen, wenn einzelne Magnete an Kraft verlieren und an den Rand gedrängt werden.

2) Der Mensch steht in einem Überlieferungsgeschehen, in dem auch die dunklen Seiten der Geschichte, ihre Zäsuren und Brüche, eine Rolle spielen. Für die Deutschen ist vor allem die NS-Vergangenheit ein „mentaler Rucksack"[391]. Dieser hat bereits die Aufbaugeneration der Bundeswehr stark beeinflusst und zeigt noch heute Wirkung – bei den einzelnen Soldaten, in der Öffentlichkeit und auf die deutsche Sicherheitspolitik.[392] Hierbei dürfen auch die Alliierten und Partner sowie mögliche Gegner und Konkurrenten nicht vergessen werden. So fragen sich Alliierte und Partner manchmal mit Sorge, inwieweit die Vergangenheit die deutsche Außen- und Sicherheitspolitik weiterhin bestimmt.[393] Andere fordern, dass die Bundeswehr doch besser eine „Bundesmacht" geworden wäre.[394] Und Gegner der Demokratie und

---

[391] Helmut R. Hammerich, Rudolf J. Schlaffer, Einleitung. In: Helmut R. Hammerich, Rudolf J. Schlaffer (Hrsg.), Militärische Aufbaugeneration der Bundeswehr 1955 bis 1970. Ausgewählte Biographien, München 2011, S. 2.

[392] Siehe dazu Sarah Katharina Kayß, Tradition und Identität: Die Vergangenheit der Bundeswehr als Motivationsimpuls für die Gegenwart des zukünftigen Offizierskorps der Bundeswehr. In: Donald Abenheim, Uwe Hartmann (Hrsg.), Tradition in der Bundeswehr. Zum Erbe des deutschen Soldaten und zur Umsetzung des neuen Traditionserlasses, Berlin 2018, S. 232-244.

[393] Siehe u.a. Eric Langenbacher, Does Collective Memory still influence German Foreign Policy? In: Brown Journal of World Affairs, Spring/Summer 2014, S. 55-71. Selbst die zahlreichen Beiträge zum Historikerstreit der 1980er Jahre, auf den wir in Kapitel 4 eingingen, wurden in Englische übersetzt. Siehe dazu James Knowlton, Forever in the Shadow of Hitler? Original Documents of the Historikerstreit, the Controvery concerning the Singularity of the Holocaust, Prometheus Books 1993.

[394] Roger Cohen, Time for the Bundesmacht. In: New York Times vom 25. Oktober 2007. https://nytimes.com/2007/10/25/opinion/25cohen.html. In der Gründungsphase der Bundeswehr gab es Erwartungen der Westmächte, dass sie dem Ethos und den Leistungen

Konkurrenten im weltweiten Systemwettbewerb nutzen die Schwierigkeiten, die unsere Geschichte uns bereitet, konsequent für ihre Ziele aus.

3) Wir können uns soldatische Traditionen auf vielfältige Weise zunutze machen. Zunächst und vor allem sind sie eine *Lebenshilfe,* in gewisser Weise sogar eine *Überlebenshilfe.* Soldaten benötigen diese Hilfe, weil das Element der Gefahr zu ihrem Beruf gehört. Sie müssen bereit und fähig sein, Gewalt einzusetzen und mit dem gewaltsamen Handeln anderer umzugehen. Dabei werden sie mit Ungewissheit und hohen physischen und psychischen Belastungen konfrontiert. Traditionen dienen hierbei als ,Helfer-in-der-Not'. Sie sind ein verlässlicher moralischer Kompass (für richtiges, gutes Handeln) und eine schnell einsetzende ethische Bremse (gegen falsches, unmoralisches Handeln). Überlieferte Werte und Vorbilder sind also ,Faustregeln'; sie ermöglichen dem Soldaten ein schnelles Denken und Handeln. Er darf sich zudem darauf verlassen, dass sein daran orientiertes Handeln Anerkennung und Wertschätzung findet – bei Vorgesetzten und Kameraden, aber auch in Politik und Gesellschaft sowie bei Alliierten und Partnern. Traditionen geben dem Soldaten also (Selbst-) Vertrauen. Dies ist eine ganz wesentliche Voraussetzung für die praktische Umsetzung des ,Führens mit Auftrag' (Auftragstaktik), dem aus dem 19. Jahrhundert tradierten und weiterhin gültigen Führungsprinzip in der Bundeswehr. Für den Soldaten ist es vielleicht sogar noch wichtiger, dass er sich darauf verlassen darf, dass er mit den Folgen seines Handelns auch noch lange nach dem Einsatz- bzw. Kriegsende gut leben und seinem Land weiter dienen kann.

4) Tradition verhilft der gesamten Truppe zu gemeinsamen Denkhaltungen und Handlungsorientierungen, zu Verlässlichkeit und Selbstvertrauen. Sie ist damit ein wesentlicher Faktor für Kampfkraft und Einsatzwert. Diese beiden Begriffe sind nicht nur eine Funktion aus Ausbildung und Ausrüstung, sondern umfassen das, was Clausewitz als die „kriegerische Tugend des gesamten Heeres" bezeichnete. Hier zeigt sich sehr deutlich, wie Tradition auch zur Abschreckung beiträgt.

5) Diese auf die Soldaten und die besonderen Bedingungen ihres Dienens zielenden Aufgaben von Traditionen sind mit einer ihrer weiteren Funktionen, nämlich der Vertrauensbildung gegenüber Politik und Gesellschaft, in Einklang zu bringen. Das ist oftmals nicht einfach. Es kommt darauf an, die Spannungen zwischen den Erwartungen von Soldaten nach einer stärkeren Berücksichtigung der Besonderheiten ihres Diens-

---

der deutschen Armeen im Ersten und Zweiten Weltkrieg ebenbürtig sein sollte. Siehe dazu Frank Nägler, Der gewollte Soldat und sein Wandel, a.a.O., S. 103.

tes und dem, was die Zivilgesellschaft für wünschenswert und akzeptabel hält, weitestmöglich zu mindern. Dies geht am besten durch öffentliche Debatten, wissenschaftliche Analysen und vertrauensvolle Gespräche. Traditionspflege bedeutet daher immer auch ein Im-Gespräch-Bleiben von Politik, Gesellschaft und Militär. Dies hilft ihnen auch dabei, ihre Rolle in Staat und Gesellschaft besser zu verstehen und ihre politische Mitverantwortung zu verinnerlichen. Im Zuge der Erarbeitung des neuen Traditionserlasses und dessen Umsetzung innerhalb der Bundeswehr zeigten das BMVg und die Kommandos der Organisationsbereiche einen Weg auf, wie die Arbeit mit der Tradition die vertrauensvollen demokratischen zivil-militärischen Beziehungen festigt: durch Workshops, an denen neben Soldaten aller Dienstgradgruppen auch Vertreter der Zivilgesellschaft und wissenschaftliche Experten teilnehmen; und durch die Beteiligung des Parlaments genauso wie der interessierten Öffentlichkeit. Auf diese Weise trägt die Arbeit an der Tradition auch zur Widerstandsfähigkeit (Resilienz) von Politik, Gesellschaft und Militär gegenüber hybriden Bedrohungen und inneren Spaltungsversuchen bei.

6) Tradition ist ein wichtiger Katalysator für Integration. Diese findet auf mehreren Ebenen statt: es geht um die Aufnahme des Einzelnen in die militärische Gemeinschaft, um die Kohäsion einer gesamten Truppe, aber auch um die Verankerung des einzelnen Soldaten wie der gesamten Bundeswehr in Politik und Gesellschaft. Für den Einzelnen bedeutet Tradition die harmonische Integration seiner Rollen als freier Mensch, guter Staatsbürger und vollwertiger Soldat.

7) Tradition verfügt über Autorität. Sie ist das, was, oftmals über Generationen hinweg, kluge Menschen für uns aus der Geschichte ausgewählt und überliefert haben, weil sie glauben, dass es uns hilft, unsere Zukunft zu meistern. In unserem Land wird diese natürlich gegebene Autorität soldatischer Traditionen durch eine politische Entscheidung verstärkt. Unsere demokratisch gewählte Regierung gibt uns per Erlass einen Rahmen vor, innerhalb dessen wir bestimmen können, was Tradition für uns sein soll. Aus dieser doppelt abgesicherten Autorität lässt sich ein allgemeiner Grundsatz ableiten, der lautet: „Die Beweislast hat der Veränderer". Dieser Grundsatz ist in mehrfacher Hinsicht praxisrelevant: (1) Wir dürfen darauf vertrauen, dass das überlieferte Erbe des deutschen Soldaten uns hilft, unsere Aufgaben zu erfüllen. (2) Derjenige, der das Traditionsverständnis ändern möchte, muss dies begründen und dafür in Politik, Gesellschaft und Bundeswehr um Unterstützung werben. (3) Traditionen dürfen weder vernachlässigt noch ohne gute

Gründe beendet werden. Stellt sich heraus, dass bestimmte Traditionen nicht mehr zukunftsfähig sind, müssen schnell neue Traditionen „erfunden" werden. (4) Eine Beherzigung dieses Grundsatzes schützt die Bundeswehr vor übertriebenem Reformeifer und verhilft ihren Angehörigen zu einer gesunden Portion Skepsis gegenüber gut gemeinten Ratschlägen aus der Öffentlichkeit oder von Beraterfirmen.

8) Tradition ist manchmal ein Stolperstein. Dann fordert sie zum Innehalten und Nachdenken auf. Dies ist ein wichtiges Gegengewicht zu einer bereits weiter oben beschriebenen Funktion von Tradition: nämlich Faustregeln für das schnelle Denken und Handeln zu geben. Als Stolperstein bildet sie auch ein Gegengewicht zu Emotionen, die ja ebenfalls durch Traditionen und deren Pflege geweckt werden sollen. Zu viel Pathos macht unklug. Dies hätte negative Auswirkungen auf Kampfkraft und Einsatzwert sowie auf vertrauensvolle demokratische zivilmilitärische Beziehungen. Letztlich wäre davon auch die Strategiefähigkeit unseres Landes in Mitleidenschaft gezogen. In diesen beiden Funktionen – Faustregel und Stolperstein zugleich zu sein – zeigt sich besonders anschaulich der dialektische Charakter von Tradition. Es bleibt den Vorgesetzten überlassen, diese Dialektik mit Hilfe ihrer Urteilskraft in der Praxis aufzuheben.

9) Tradition steht in einem unmittelbaren Zusammenhang mit unserem Kriegs- und Konfliktbild. Unsere Auswahl von Traditionsinhalten wird davon geleitet. Als kritisch denkende Menschen sollten wir uns daher Klarheit über unser unterschwellig immer vorhandenes Kriegs- und Konfliktbild verschaffen. Wenn darüber allerdings öffentlich kaum diskutiert wird, wirkt sich dies negativ auf das Verständnis, die richtige Auswahl und auch auf die Akzeptanz soldatischer Traditionen aus. In der Folge dürfte auch die soldatische Perspektive auf sicherheits- und militärpolitische Herausforderungen in Politik und Gesellschaft geringgeschätzt werden. Andererseits gilt: Wenn das Kriegs- und Konfliktbild unter den Soldaten auf verkürzten Vorstellungen eines mit taktischer Raffinesse und operativer Kunst geführten Krieges beruht, dann geraten die Rollen von Politik und Gesellschaft aus dem Blickfeld. Traditionen, deren Bezugspunkte bzw. Magnete eigentlich in einem Schwebezustand gehalten werden sollten, verlieren so ihre Balance. Darüber hinaus sollten auch die Soldaten zur sachlichen Debatte über Kriegs- und Konfliktbilder beitragen und dabei verdeutlichen, dass Gespräche und Debatten darüber nichts mit Kriegstreiberei zu tun haben. Sie stellen vielmehr eine Vergewisserung dar, wofür Politik und Soldaten bereit sind, ggf. auch militärische Gewaltmittel einzusetzen. Auf diese Weise könn-

ten Kriegsvermeidung und Gewaltkontrolle als zentrale Elemente des Erbes des deutschen Soldaten im 21. Jahrhundert deutlicher herausgearbeitet werden.

10) Traditionen sind nicht in Stein gemeißelt. Wie die Werte einer Gesellschaft oder auch die Sicherheitspolitik eines Landes sich ändern und Kriegs- und Konfliktbilder sich wandeln, so werden auch soldatische Traditionen angepasst und manchmal sogar neu gestiftet. Sie fallen allerdings nicht vom Himmel. Traditionen werden vielmehr von Menschen erfunden und konstruiert. Diese Erkenntnis macht Mut und gibt Raum für Eigeninitiative. Werte können sich allerdings so stark ändern, dass beispielsweise die Legitimation von bereits abgeschlossenen Auslandseinsätzen kritisch hinterfragt und vielleicht sogar nachträglich in Frage gestellt wird. Ein derartig radikaler Wandel unterminierte die vertrauensbildende Funktion von Tradition. Die Strategiefähigkeit eines Landes bzw. eines Bündnisses ist Voraussetzung dafür, dass Traditionen im gewünschten Sinne wirken können.

11) Die Bundeswehr versteht Tradition als eine Auswahl des Guten aus der Geschichte. Maßstab dafür ist das Grundgesetz. Damit wird zweierlei deutlich. Zum einen: Soldatische Traditionen sind nicht mit Geschichte oder Geschichtswissenschaft gleichzusetzen. Und zweitens: Sie sind von ihrem Wesen her das Ergebnis einer Selektion. Sie grenzen bestimmte Personen, Ereignisse und Institutionen aus und verneinen deren Sinn- und Zweckhaftigkeit für die Auftragserfüllung des Soldaten heute und in Zukunft. Vorgesetzte in der Bundeswehr sollten dieses spezifische Begriffsverständnis in den öffentlichen Debatten sowie in Bildungsveranstaltungen erläutern. Dabei sollten sie auch darauf hinweisen, warum Tradition weiterhin als wertebezogene Auswahl und nicht etwa als Reflexion über Geschichte verstanden werden sollte. Zwei Gründe leuchten hierbei unmittelbar ein: (1) Als Auswahl des Guten kann Tradition weitaus überzeugender Lehren aus den Traumata und Niederlagen ziehen als eine reine Reflexion dies könnte. (2) Die Auswahl des Guten bietet verbindlichere Orientierungspunkte für das soldatische Handeln, insbesondere auch für die soldatische Erziehung bzw. Selbsterziehung. Voraussetzung ist allerdings, dass die negativen Gegenbilder bekannt sind, von denen sich soldatische Traditionen in der Bundeswehr abgrenzen. Das ist nicht immer einfach; denn in den Medien werden Ereignisse und Personen oftmals aus dem Kontext gerissen und wertneutral, manchmal sogar positiv dargestellt, obwohl sie nicht traditionswürdig sind. Dies stellt die politische, historische und ethische Bildung vor große Herausforderungen. Tradition ist auch etwas anderes als Brauch-

tum, Sitte oder Symbolik. Soldaten sollten diese Begriffe genauso auseinander halten können wie die Begriffe der Strategie, Operation und Taktik oder von Führung, Ausbildung, Bildung und Erziehung. Begriffsklarheit gehörte schon immer zur soldatischen Professionalität.

12) Das Traditionsverständnis der Bundeswehr grenzte sich vor allem von militaristischen Tendenzen, der unmenschlichen Disziplinierung von Soldaten in der militärischen Ausbildung sowie den Angriffskriegen mit den darin stattfindenden Kriegsverbrechen ab. Im Mittelpunkt stand dabei die Wehrmacht als Institution und Instrument des nationalsozialistischen Gewaltregimes. Der Umgang von Angehörigen der Bundeswehr mit Personen oder Relikten der Wehrmacht war wesentlicher Anlass für die Erarbeitung neuer Traditionserlasse. Es kommt künftig darauf an, die Weiterentwicklung von Traditionsinhalten stärker an sicherheitspolitischen und strategischen Herausforderungen auszurichten.

13) Soldatische Traditionen spiegeln Werte wider. Deren Pflege ist ein Wertebekenntnis. In ihrer Gesamtheit sind sie Ausdruck für das soldatische Selbstverständnis bzw. für das Dienstethos als Soldat in der Demokratie. Sie reflektieren also die Aufgaben des Soldaten in Krieg, Frieden und Einsatz genauso wie die demokratischen zivil-militärischen Beziehungen. Brauchtum und Konventionen haben damit oftmals nicht viel gemeinsam. Bereits das Handbuch Innere Führung von 1957 wies darauf hin und forderte, dass „…soldatische Tradition … sich vom Gefecht, von der spezifischen Situation und der soldatischen Aufgabe ableiten (sollte), um einen Sinn zu haben, der von Soldat und Nichtsoldat erkannt und anerkannt wird."[395] Tradition geht auf Forderungen von Gegenwart und Zukunft ein, während Konvention diese manchmal abblocken will. Tradition ist daher immer auch eine kritische Überprüfung von Brauchtum und Sitte. Andererseits transportieren gerade Symbole die für den soldatischen Dienst gültigen Werte. Mit ihnen verbinden Soldaten oftmals Emotionen. Das Eiserne Kreuz ist dafür ein anschauliches Beispiel.

14) Traditionspflege ist weder eine intellektuelle Spielerei noch eine bloße Repräsentation der Streitkräfte in der Öffentlichkeit. Sie ist vielmehr eine kritische Selbstvergewisserung und auch eine emotionale Verankerung. Die Balance zwischen der Rolle des Soldaten als Mensch, Staatsbürger und Soldat ist genauso zu wahren wie zwischen den verschiedenen Organisationsbereichen oder den nationalen und multinationalen Bezügen.

---

[395] BMVg, Handbuch Innere Führung, a.a.O., S. 57-58.

15) In der Erinnerungskultur in Deutschland zeichnet sich ein bereits deutlich wahrnehmbarer Perspektivenwechsel ab. Diese Einführung möchte dazu beitragen, dass daraus ein Paradigmenwechsel wird. Unsere Absicht ist es also, ein Gedankengebäude aufzustellen, das künftig unsere gemeinsame Arbeit mit soldatischen Traditionen leitet. Darin steht anstelle des „schwierigen Vaterlandes" nunmehr der „Stolz auf das beste Deutschland, das es je gab" im Vordergrund und verbindet sich mit den Ansporn, das Errungene nicht zu verspielen. Dies macht den Weg frei, weitaus stärker als in den letzten Jahrzehnten auf das zu schauen, was Deutschland nach 1949 geschaffen hat – ein eigenes Vorbild, das größte Anerkennung auch aus dem Ausland erhält. Teil dieses selbstgeschaffenen Vorbilds sind die Leistungen der Bundeswehr im Kalten Krieg, als Armee der Einheit sowie als Einsatzarmee. Die Blickwendung auf die bundeswehreigene Geschichte wurde schon im 1982-er Traditionserlass gefordert, und diese Forderung wurde mit großer Regelmäßigkeit in mehreren offiziellen Dokumenten wiederholt. Sie blieb leider ohne praktische Folgen. Seit kurzem gibt es allerdings deutlich wahrnehmbare Anzeichen dafür, dass der Perspektivenwechsel tatsächlich Unterstützung findet. Die Anzeichen dafür kommen zum einen aus der Bundeswehr selbst. Das Bewusstsein, dass vor allem die Truppe mehr tun müsse, ist heute so stark ausgeprägt wie niemals zuvor. Hinzu kommen Initiativen und Appelle von Politikern und zivilgesellschaftlichen Gruppen. Sie heben das stärker ins allgemeine Bewusstsein, worauf wir zu Recht stolz sein können. Mögliche Gründe dafür sind die hybriden Bedrohungen durch staatliche und nicht-staatliche Gegner, die Gefahr eines Auseinanderfallens des Westens sowie zunehmende innenpolitische Spaltungsversuche. Die Demokratie ist in Gefahr. Dass wir stolz sein dürfen, hängt auch mit der nunmehr 70-jährigen Erfolgsgeschichte unseres Landes und seines Grundgesetzes zusammen. Deutschland ist es gelungen, aus den Schattenseiten seiner Vergangenheit das Gute abzuleiten und sein politisches, gesellschaftliches und militärisches Handeln daran zu orientieren. Darauf kann auch unser Verständnis von Nation und Patriotismus aufbauen. Tradition wird damit wieder anschlussfähig für diese Begriffe. Sie können eine zentrale Position in der Traditionspflege einnehmen.

16) Der berechtigte Stolz wird jedoch öffentlich in Frage gestellt und bisweilen gezielt untergraben. Von außen gelenkte Propaganda und Desinformation sowie populistische Stimmungsmache im Innern oder Liedertexte rechtsradikaler Bands dienen dazu, die jüngste Geschichte Deutschlands in ein schlechtes Licht zu rücken. Unser Stolz muss daher immer wieder bestätigt werden. Für die Angehörigen der Bundeswehr

eignet sich dafür u.a. die Geschichte der Bundeswehr, insbesondere die Aufbauleistung der Bundeswehroffiziere mit Reichswehr- und Wehrmachtserfahrung. Es kommt darauf an, deren Lebenswerk vor politisch interessierter Diffamierung zu schützen.

17) Für das Erinnern und Verinnerlichen des soldatischen Erbes ist das Gespräch zwischen den Soldatengenerationen wichtig. In der Geschichte der Bundeswehr war dieser Austausch zuletzt allerdings nur schwach ausgeprägt. Es kommt darauf an, die Gesprächsbereitschaft und die Gelegenheiten dazu zu vergrößern und die Leistungen *aller* Soldatengenerationen sowie des Zivilpersonals der Bundeswehr zu würdigen. Dabei darf die jüngere Generation auf keinen Fall auf die Rolle des Zuhörers reduziert werden. Die ‚Generation Einsatz' hat viel für die Tradition der Bundeswehr geleistet: Sie hat das Schuldtrauma von 1945 historisiert, ohne die Verantwortung für die im deutschen Namen begangenen Verbrechen in Frage zu stellen. Und sie gibt kritische Impulse für unser Gespräch über Tradition, die künftig konstruktiver aufgenommen werden sollten.

18) Die Bundeswehr benutzt einen ‚wertebezogenen' Traditionsbegriff. Dies ist eine Ursache dafür, weshalb die Wissenschaften für die Auswahl von Traditionsinhalten und deren Pflege nur eingeschränkt Hilfe anbieten können. Die Geschichtswissenschaften dienen in Fragen der Tradition als eine Überprüfungsinstanz, d.h. sie kommen als kritische Beratung ins Spiel. Die Auswahl von Traditionen bleibt immer eine Entscheidung der politischen Leitung und militärischen Führung. Gleichwohl könnten die Militärhistoriker der Bundeswehr über ihre Beratungsaufgabe hinaus deutlich mehr tun. Zum einen sollten sie ihre Arbeit stärker auf die politisch-historische Bildung in der Truppe fokussieren. Zum anderen könnten sie intensiver mit zivilgesellschaftlichen Historikern, Sozialwissenschaftlern und Offizieren im Truppen- und General-/Admiralstabsdienst zusammenarbeiten. Dann fiele es leichter zu ermitteln, welche Traditionsinhalte gesellschaftliche Akzeptanz finden und wie den soldatischen Erwartungen nach Sinnstiftungsangeboten besser entsprochen werden könnte.

19) Für die Qualität unserer Arbeit mit und an der soldatischen Tradition ist ganz entscheidend, dass der jeweilige Kontext beachtet wird. Dies gilt für gesellschaftliche Debatten genauso wie für Bildungsveranstaltungen innerhalb der Truppe. Der Kontext besteht aus den jeweiligen sicherheitspolitischen Lagen, den gültigen Militärstrategien, dem mehr oder weniger bewussten Kriegs- und Konfliktbild, den innenpolitischen

Kräfteverhältnissen und Auseinandersetzungen sowie aus den Interessen und Eigenschaften der Generationen und handelnden Personen.

20) Das soldatische Traditionsverständnis und dessen Pflege wird immer von der Öffentlichkeit begleitet werden. Auf kritische Fragen müssen Soldaten ihr Tun verantworten, d.h. sie müssen bereit zum Gespräch sein. Kritiker werden nicht immer sachlich argumentieren; denn manchmal geht es ihnen nicht so sehr um die soldatischen Traditionen als vielmehr um die Sicherheitspolitik der jeweiligen Bundesregierungen. Ideologiekritisches Denken, das nach verdeckten Interessen bei Kritikern fragt, ist daher auch für Soldaten unverzichtbar. Zudem gibt es auch in der Zivilgesellschaft Deutungen der deutschen Militärgeschichte, die die Westbindung genauso wie die Leistungen der Aufbaugeneration der Bundeswehr in Frage stellen. Es kommt darauf an, den Diskurs darüber zu führen und das Erbe des deutschen Soldaten im 21. Jahrhundert auch gegenüber Kritikern aus dem extremen Parteienspektrum zu begründen.

21) Eine Sinnstiftung von oben durch Vorgabe eines Geschichtsbildes widerspricht sowohl dem diskursiven Charakter von Tradition als auch der von der Inneren Führung betonten geistigen Freiheit des Einzelnen. Tradition beruht vor allem auf dem Im-Gespräch-Bleiben der verschiedenen Akteure. Wesentlich ist dabei, Missverständnisse zu beheben und folgende Erkenntnisse zu vermitteln:

a. Tradition ist selbst dann möglich, wenn Armeen einen radikalen Bruch mit ihrer Vergangenheit vollzogen haben.

b. Grundsätzlich können Armeen Kampfkraft auch ohne bewusst herausgestellte und gelebte soldatische Traditionen entfalten.

c. Militärische Niederlagen verhindern soldatische Traditionen nicht, wenn Politik, Gesellschaft und Militär daraus verpflichtende Werte und Vorbilder ableiten. Dies ist Westdeutschland nach 1949 beispielhaft gelungen.

d. Symbole sind selbst keine Werte oder Vorbilder, sondern nur ein Transportmittel dafür.

e. Debatten über Kriegs- und Konfliktbilder sind von ihrem Makel des politisch Unerwünschten zu befreien. Ein im breiten Diskurs erarbeitetes und auch in Politik und Gesellschaft weithin akzeptiertes Kriegs- und Konfliktbild trägt dazu bei, dass die richtigen Traditionen ausgewählt bzw. gestiftet werden. Nur so können sie in dem gewünschten Maße für den Soldaten hilfreich sind.

22) Der Einzelne besitzt ein Vorverständnis über Traditionsfragen, das mehr oder weniger reflektiert ist. Persönliche Betroffenheit (z.b. Großvater als Wehrmachtssoldat, Vertreibung aus dem Osten, Familientraditionen, Einsatzerfahrungen) oder auch politische Überzeugungen können zu Verfestigungen von Einstellungen und Meinungen geführt haben, die selbst in vertrauensvollen Gesprächen und unter Hinweis auf wissenschaftliche Erkenntnisse kaum veränderbar sind. Letztlich ist Tradition immer auch eine persönliche Entscheidung des Einzelnen, ob dies nun in einem Erlass so steht oder auch nicht. Erlasskonformes Verhalten bedeutet noch lange nicht, dass auch die entsprechenden Überzeugungen „verinnerlicht" dahinter stehen. Manchmal gibt es Loyalitäten, die höher sind als die Erlasse der Bundeswehr und gute Argumente des Vorgesetzten. Andererseits gilt: Die Aussage, dass, wenn Soldaten der Bundeswehr einen Bezug zur Wehrmacht herstellen, auch deren Geist betroffen sei, ist in dieser Allgemeinheit nicht richtig. Oftmals verbirgt sich dahinter nur naive Effekthascherei oder unreflektierte Sehnsucht nach emotionaler Bindung. Mit Re-Nationalisierungstendenzen sowie gesellschafts- und parteipolitischen Polarisierungen nehmen jedoch die externen Einflüsse auf die Angehörigen der Bundeswehr zu. Die Macht der Bilder in den Medien wirkt hierbei verstärkend. Individuelle und gemeinschaftliche Selbstvergewisserung bietet einen wichtigen Schutz vor Verführung und Versuchungen. Formen der Traditionspflege, welche die Verbindung von demokratischen Werten und soldatischen Tugenden symbolisieren, sind heute genauso wie die politische, historische und ethische Bildung wichtiger denn je: für individuelle Überzeugungen sowie für den Zusammenhalt der Truppe.

23) Traditionen sind Teil der individuellen Lebensführung, weil sie dem Menschen helfen, in der komplexen und komplizierten Welt zurechtzukommen. Soldatische Traditionen müssen überzeugend und über längere Zeiträume wirken, wenn sie Verhalten und Einstellungen ändern sollen.[396] Dann werden sie zu einem ‚Helfer-in-der-Not'. Es ist daher kein Wunder, dass das Bedürfnis nach Traditionen in unseren unsicheren Zeiten wächst. Traditionen weisen nicht nur in die Zukunft, sie geben auch Optimismus, dass wir die Probleme von Freiheit und Frieden durch harte Arbeit lösen können. Friedrich Hölderlin sagte dazu: „Wo aber Gefahr ist, wächst das Rettende auch!"[397]

---

[396] Hier liegt einer der Vorteile einer Freiwilligenarmee mit längeren Verpflichtungszeiten selbst der Mannschaftsdienstgrade.
[397] Mit diesem Zitat beendete Wolfgang Ischinger sein Buch Welt in Gefahr, a.a.O., S. 288.

In unseren Überlegungen über Sinn und Zweck soldatischer Traditionen konnten wir verdeutlichen, dass die demokratischen zivil-militärischen Beziehungen eine ganz wesentliche Rolle für das Traditionsverständnis der Bundeswehr sowie dessen Pflege und Weiterentwicklung spielen. Und umgekehrt gilt: Soldatische Traditionen sind ein Bekenntnis zu vertrauensvollen demokratischen zivil-militärischen Beziehungen. Deshalb wollen wir an dieser Stelle die Herausforderungen, vor denen Soldaten in der Gestaltung solcher Beziehungen heute stehen, herausstellen:

1) Debatten über das gültige soldatische Erbe und dessen Pflege leiden seit dem Kaiserreich darunter, dass militärische Symbolik und soldatisches Brauchtum von anti-demokratischen und illiberalen Kräften als Waffe in der innenpolitischen Auseinandersetzung verwendet wurden. Den Traditionskult der Reichswehr beispielsweise nutzte das NS-Regime, um seine Ideologie in die Wehrmacht hineinzutragen. Dieser Missbrauch soldatischer Traditionen bestimmt noch heute das Denken derjenigen Bürger, die das Militär aus pazifistischen Überlegungen ablehnen oder dem Einsatz militärischer Gewalt skeptisch gegenüber stehen.

2) Im Mittelpunkt des Traditionsverständnisses der Bundeswehr steht die Frage nach dem staatsbürgerlichen Selbstverständnis als Soldat in der Demokratie. So ist die Debatte über das Vermächtnis des deutschen Soldaten gleichermaßen ein Disput über seine Rolle in Staat und Gesellschaft. Dies betonten vor allem die Autoren des 2014 erschienenen Sammelbandes „Armee im Aufbruch". Die Debatte dreht sich offenkundig *nicht* ausschließlich um Abzeichen oder Kasernennamen, sondern vielmehr um berufliche Werte, die gegenüber Politik und Gesellschaft ins Feld geführt werden.

3) Die jüngsten öffentlichen Debatten konnten das zwischen den 1950-er und frühen 1980-er Jahren erreichte Niveau in Bezug auf Intellekt, Reflexion und praktischen Nutzen nicht erreichen. Unter denen, die im Zweiten Weltkrieg gedient und die Niederlage unmittelbar erlebt hatten, herrschte Einmütigkeit über die zentrale Bedeutung von Werten. Der heutige Bruch in den zivil-militärischen Beziehungen, herbeigeführt durch die abnehmende Präsenz der Streitkräfte im nationalen Alltag, die ihren Tiefpunkt mit der Aussetzung der Wehrpflicht erreichte, hatte zur Folge, dass die Frage nach soldatischen Werten und Vorbildern für politische und gesellschaftliche Verantwortungsträger und auch für die breite Masse der Bürger kaum noch Relevanz hat.

4) Innerhalb der Bundeswehr, aber auch in Politik und Gesellschaft, zeichnet sich eine allgemeine Vernachlässigung der Führungsphilosophie der Inneren Führung ab. Die vielen Artikel, Sendungen, Blogs etc.

der Jahre 2017 und 2018 konzentrierten sich vor allem auf nunmehr fragwürdige Persönlichkeiten der Vergangenheit oder darauf, wessen Namen die Kasernentore schmücken. Damit wird der verstärkten Pflege bundeswehreigener Traditionen eine wichtige Grundlage entzogen. Wichtiger wäre es gewesen, sich dem Leitbild vom ,Staatsbürger in Uniform' zu widmen und ein Berufsethos zu begründen, das darauf abzielt, das Selbstverständnis des guten Bürgers und Soldaten zu bewahren. Sowohl Regierung und Parlament als auch die höhere militärische Führung unternahmen seit Mitte der 1990-er Jahre nur wenig, um die Konzeption der Inneren Führung weiter zu entwickeln und Kenntnis und Akzeptanz unter den Soldaten zu verbessern. Dies wäre jedoch vonnöten gewesen, nicht zuletzt, um der öffentlichen Kritik entgegentreten zu können, dass militaristische oder nationalistische Umtriebe den Charakter junger Offiziere vergifteten.

5) Die Auswirkungen von Auslandseinsätzen auf die demokratischen zivilmilitärischen Beziehungen in Deutschland sind weitaus stärker, als Beobachter dieses Prozesses dies zugestehen wollen. Kampfeinsätze in abgelegenen Einsatzgebieten führen tendenziell dazu, dass sich Soldaten hinsichtlich innenpolitischer Aspekte radikalisieren und Dolchstoßfantasien hervorbringen. Die Historie der Imperialkriege Frankreichs, Großbritanniens, der USA und auch Deutschlands zeugt davon, wie in den Einsatzgebieten praktizierte *Counterinsurgency*-Taktiken von den Soldaten für die politische Auseinandersetzung in der Heimat genutzt werden.

6) Kontroverse Debatten über das soldatische Erbe sind oftmals Stellvertreterstreite. Seit den 1950-er Jahren sind militärische Symbole und Rituale Zielscheibe für Kritiker, die es eigentlich auf die Sicherheitspolitik der Regierungen absehen. Die vermeintliche Nähe der Bundeswehr und ihrer Soldaten zur Wehrmacht bietet hierfür eine hervorragende politische Waffe. Die Vernachlässigung der Inneren Führung und der von ihr begründeten ,negativen Tradition' führte zu offenen Flanken, in die Kritiker der Sicherheitspolitik ohne größeren Widerstand hineinstoßen konnten.

7) Wie in Europa insgesamt, so gibt es auch in Deutschland erneut Nationalisierungstendenzen. Sie stellen einen Gegenpol zur Globalisierung dar. In dieser neuerlichen Krisenzeit, in der Nationalismus und auch Neonazismus erschreckend ungestört wiederaufleben können[398], sind die Grundfesten der deutschen Politik und Gesellschaft aus den Angeln

---

[398] Siehe Norbert Frei, Franka Maubach, Christina Morina, Maik Tändler, Zur rechten Zeit. Wider die Rückkehr des Nationalismus, Berlin 2019.

gehoben. Das soldatische Erbe wird mühelos von jenen Kräften verein-nahmt, die kein aufrichtiges Interesse am Soldaten selbst haben, son-dern lediglich die Vergangenheit als Waffe in der Innenpolitik nutzen wollen. Die sozialen Medien sind voll von Personen, die Wehrmachts-vorstellungen für Absichten hervorholen, die dem Selbstbild des heuti-gen Soldaten wesensfremd sind. Symbolik und Insignien der Zeit des totalen Krieges sind Teil der Propagandasprache des 21. Jahrhunderts geworden, ohne dass Bürger ohne und in Uniform diese hinreichend erkennen können. Die zivil-militärischen Beziehungen in Deutschland stehen angesichts dieser Krise vor der Herausforderung, eine Koexis-tenz von funktionierender Demokratie und einsatzbereiten Streitkräften zu schaffen – wie dies in der Vergangenheit bereits gelungen ist. Die öf-fentliche Debatte und ministerielle Reflexion zeugen, wenn überhaupt, von einem mittelmäßigen Verständnis der Bedürfnisse des Soldaten und der Erfordernis, eine brauchbare Vergangenheit für den Soldaten als Verteidiger der Demokratie gegenüber ihren vielen Feinden zu finden, ohne dabei den Sirenengesängen von Militarismus und Nationalismus zum Opfer zu fallen. Innere Führung bleibt das legitime Erbe des deut-schen Soldaten; gerade auch, wenn Pflicht und Schicksal verlangen, sein Leben im Gefecht zu riskieren.

Was folgert aus diesen Erkenntnissen für das praktische Handeln von Vor-gesetzten, vor allem von Chefs und Kommandeuren:

1. *Persönliches Engagement:* Tradition fordert von militärischen Führungskräf-ten einen hohen Einsatz. Dazu gehören zunächst einmal umfassende Bildungs- und Selbsterziehungsbemühungen. Diese sind grundsätzlich unabschließbar. Sodann ist es deren Aufgabe, das spezifische Traditi-onsverständnis der Bundeswehr und ihre Inhalte zu kommunizieren – innerhalb der Bundeswehr sowie im Dialog mit Politik und Gesell-schaft. Kreatives Engagement ist auch in der Pflege und Weiterentwick-lung von Traditionen und deren Inhalten erforderlich. Beispiele (*best practices*), die veranschaulichen, dass und wie Traditionen „erfunden" und gestiftet werden, ermutigen dazu. Für ihre Soldaten und Mitarbeiter sollten Vorgesetzte einen Rahmen schaffen, in dem diese überlieferte Werte ‚erleben' können. All dies kostet Zeit. Es lohnt sich jedoch, diese wertvolle Ressource dafür zu investieren. Berufssoldaten sollten sich als *Stewards* (Pfleger und Hüter) des Erbes des deutschen Soldaten im 21. Jahrhundert verstehen. Sie dürfen und sollen mit Stolz das soldatische Erbe pflegen und weiterentwickeln. Umfassende Bildung, kommunika-tive Kompetenzen und Mut sind dafür unerlässliche Voraussetzungen. Kritik an soldatischen Traditionen sollten sie als Aufforderung zum Ge-

spräch verstehen und nicht reflexartig abwehren als Beleg dafür, dass die Gesellschaft kein Interesse an den Soldaten und kein Verständnis für ihre besonderen Aufgaben habe. Gleichwohl sollten sie ideologiekritisch fragen, welche Interessen hinter der öffentlich geäußerten Kritik an der Tradition der Bundeswehr liegen könnten.

2. *Revitalisierung der Inneren Führung:* Die Bundeswehr steht vor enormen Herausforderungen in der materiellen und personellen Einsatzbereitschaft. Allerdings gibt es ein noch größeres Problem: Dies sind deren negative Auswirkungen auf die Führungskultur in den Streitkräften. Überbordende Bürokratisierung, Verantwortungsdiffusion und die Abhängigkeit von externer Beratung sind jedoch keine neuen Phänomene. Sie sind seit den 1970er Jahren bekannt; ihre Ursachen dürften bis in die Aufbauphase der Bundeswehr zurückreichen. Es besteht nunmehr die Gefahr, dass die Innere Führung und dabei vor allem die Auftragstaktik bzw. das ,Führen mit Auftrag', deren Wurzeln im 19. Jahrhundert liegen und auf die die Soldaten der Bundeswehr zu Recht besonders stolz sind, irreparablen Schaden nehmen. Es liegt in der Verantwortung der Chefs und Kommandeure, die deutsche Führungskultur gegenüber diesen negativen Einflüssen widerstandsfähiger (resilient) zu machen. Konkret bedeutet dies: Kenntnisse und Akzeptanz der Inneren Führung bei den Soldaten und zivilen Mitarbeitern ihres jeweiligen Verantwortungsbereiches erhöhen; ihre Grundsätze erklären und begründen; und schließlich diese beispielgebend in Führung, Ausbildung und Organisation anwenden und vorleben. Vorgesetzte gehen auf diese Weise eine Selbstverpflichtung ein: Sie bemühen sich nach besten Kräften, sich in ihrem Handeln daran zu halten. Gleichzeitig zeigen sie sich offen für Selbstkritik und Kritik. Dafür sollten sie sich auch eine Meistererzählung der Inneren Führung erarbeiten. Sie ist nicht nur eine Anleitung zur Menschenführung für Vorgesetzte, sondern zunächst einmal eine Hilfe für die Persönlichkeitsentwicklung des Einzelnen, unabhängig von seinem Dienstgrad. Sie ist also eine Hilfe zur Selbsterziehung. Daher stehen im Traditionsverständnis der Bundeswehr auch Werte und Vorbilder im Vordergrund. Die innere Freiheit des Einzelnen, die im Zentrum preußischer Militärtraditionen steht, wird über das Leitbild des ,Staatsbürgers in Uniform' mit der äußeren Freiheit in der Demokratie verbunden. Daraus erwächst seine persönliche Verantwortung, die immer auch den Schutz des freiheitlichen demokratischen deutschen Staatswesens und darüber hinaus des liberalen Westens umfasst. Vorgesetzte sollen diese Verantwortung in der Art und Weise, wie sie führen und ausbilden, erlebbar machen. Daher sollten sie sich u.a. auf den traditionellen soldati-

schen Erziehungsbegriff besinnen. Erziehung im militärischen Kontext meint, dass der Vorgesetzte einen Rahmen schaffen muss, in dem der Einzelne sich selbst erziehen kann. Wenn es den Vorgesetzten nicht gelingt, den Kern der Inneren Führung freizulegen und ihren Gedankenreichtum in Form einer Meistererzählung zu vermitteln, dann wird auch die Traditionspflege darunter leiden. Die Innere Führung steht im Mittelpunkt der bundeswehreigenen Traditionen. Sie ist zudem die Brücke zu den soldatischen Traditionen aus der Zeit vor 1945, die auch künftig noch relevant sein werden. Das beste Beispiel für eine für die Bundeswehr ausgewählte und übernommene Tradition ist die Auftragstaktik (heute: ‚Führen mit Auftrag').

3. *Aufwertung der politischen, historischen und ethischen Bildung:* Um zu verhindern, dass mitgebrachte oder in die Bundeswehr hineingespülte Meinungen in den Köpfen herumspuken und falsche Handlungsorientierungen geben, empfehlen wir den Vorgesetzten, ihre Bildungsanstrengungen in den Ausbildungs- und Bildungseinrichtungen sowie in der Truppe zu intensivieren. Darin sollten sie u.a. die in den (sozialen) Medien sowie in der öffentlichen Debatte diskutierten Themen mit aufnehmen. Viele Angehörige der Bundeswehr bringen ein anderes Vorverständnis über Tradition mit. Vorgesetzte müssen daher ihren Soldaten und Mitarbeitern erläutern, warum die Bundeswehr Tradition als Auswahl versteht und welch entscheidende Rolle das Grundgesetz als verbindliche politisch-ethische Norm dabei spielt. Auch die fünf Bezugspunkte für das Traditionsverständnis (Politik, Gesellschaft, Bundeswehr, Alliierte und Partner sowie mögliche Gegner) und deren Bedeutung für die Traditionspflege sollten sie erläutern. Besonderes Augenmerk erfordern die Rückkopplungen von Einsätzen zur Aufstandsbekämpfung auf die politischen Einstellungen von Soldaten. Kritisch sollte vor allem die militärische Führung prüfen, ob die Führerausbildung in der Bundeswehr ausreichend auf diese Aufgaben vorbereitet. Lücken in der geisteswissenschaftlicher Bildung, die vor allem darauf zurückzuführen sind, dass die akademische Ausbildung von Offizieren sehr stark zivilberufsbezogen ist, müssen Chefs und Kommandeure selbständig füllen.

4. *Tradition als Lebenshilfe bzw. Überlebenshilfe, Helfer-in-der-Not sowie vertrauensbildende Maßnahme erlebbar machen:* In der Art und Weise, wie Vorgesetzte führen und ausbilden, spiegeln sich die oben genannten Funktionen soldatischer Traditionen. Davon profitieren Vorgesetzte sowie deren Soldaten und Mitarbeiter. Denn Traditionen machen Verhalten erwartbar, d.h. Vorgesetzte wissen, wie ihre Soldaten ticken. Und umgekehrt

wissen Soldaten, auf welcher Wertebasis ihre Vorgesetzten führen und was diese von ihnen erwarten. Dies stärkt das gegenseitige Vertrauen, das in letzter Zeit gelitten hat. Was bedeutet dies konkret praktisch? In die militärische Ausbildung genauso wie in Bildungsveranstaltungen könnten Vorgesetzte beispielsweise Situationen aus der Bundeswehrgeschichte integrieren, in denen selbst abstrakte Werte wie Frieden und Mitmenschlichkeit ihr eigenes Handeln oder das Handeln ihrer Soldaten beeinflusst haben und ihnen dabei halfen, ihre Aufgaben zu erfüllen und auch später noch mit sich selbst im Reinen zu sein.[399] Es gehört zur Fürsorge von Vorgesetzten, ihren Soldaten in der heutigen Zeit zunehmender Verunsicherungen und steigender Komplexität Traditionen als verlässlichen inneren Kompass und funktionstüchtige ethische Bremse anzubieten.

5. *Tradition als Vertrauensbeweis gegenüber Politik und Gesellschaft verstehen*: Vorgesetzte sollten die Notwendigkeit vertrauensvoller demokratischer zivil-militärischer Beziehungen erkennen und einen eigenen aktiven Beitrag für deren nachhaltige und belastbare Ausgestaltung leisten. Soldatische Traditionen und deren Pflege sind dafür ein besonders geeignetes Medium. Sie sind ein Wertebekenntnis des Soldaten auch nach außen hin. Angesichts belasteter zivil-militärischer Beziehungen nicht zuletzt durch den Rückzug der Truppe aus der Fläche ist hierbei ein verstärktes Engagement dringend erforderlich. Vor allem Chefs und Kommandeure sollten dazu das Gespräch mit Vertretern aus Politik und Gesellschaft in ihren jeweiligen Verantwortungsbereichen suchen. Gespräche dienen u.a. dem Abgleich soldatischer Erwartungen und ziviler Bedenken. Vorgesetzte sollten sich dabei als Experten ausweisen, die mit dem aktuellen genauso wie mit den älteren Traditionserlassen vertraut sind und deren Kontexte kennen.

6. *Tradition als generationenübergreifende Aufgabe umsetzen:* Vorgesetzte können für ihre Arbeit mit Traditionsfragen die publizierten Erlebnisse und Erfahrungen von aktiven oder ehemaligen Angehörigen der Bundeswehr nutzen. Soldaten unterschiedlichen Dienstgrades haben in den letzten Jahren Bücher und Artikel über ihre Erfahrungen im Kalten Krieg genauso wie in den Einsatzgebieten geschrieben. Sie wollen etwas überlie-

---

[399] Der bereits im ersten Kapitel zitierte Bericht des damaligen Hauptfeldwebels Schultze aus seinem Afghanistan-Einsatz im Jahre 2010 ist hierfür ein beeindruckendes Beispiel. Siehe dazu Stefan Schultze, Führen unter Feuer. In: Hans-Christian Beck, Christian Singer (Hrsg.)., Entscheiden Führen Verantworten. Soldatsein im 21. Jahrhundert, Berlin 2011, S. 228-229. In diesem Sammelband sowie in Alois Bach, Walter Sauer (Hrsg.), Schützen.Retten.Kämpfen. Dienen für Deutschland, Berlin 2016, finden sich weitere Beispiele.

fern, was sie für wichtig halten. Sie mussten es sich von der Seele schreiben, nicht so sehr aus Gründen der Selbstdarstellung, sondern aus dem Wunsch heraus, damit zur Wertebindung jüngerer Soldatengenerationen beizutragen. Vorgesetzte sollten diese Veröffentlichungen für ihre Aufgaben nutzen und diese zum Anlass nehmen, den Austausch unter den Soldatengenerationen zu verbessern.

7. *Tradition pragmatisch, nicht ideologisch betrachten:* Tradition wird allzu oft als negativ besetzter politischer Kampfbegriff verwendet. Schon das Handbuch Innere Führung von 1957 bemerkte dazu: „Dennoch leiden unsere Gespräche häufig darunter, dass wir mit ihm die verschiedenartigsten Wertungen verbinden. Tradition wird dann – ohne Prüfung im Einzelnen – entweder heiliggesprochen und zum letzten Halt in einer entarteten Welt erklärt, oder aber lächerlich gemacht: ein Verkehrshindernis zwischen uns und einer besseren Zukunft."[400] Vorgesetzte sollten sich dieses Missbrauchs des Traditionsbegriffs bewusst sein und ein gemeinsames, auf den grundlegenden Funktionen soldatischer Tradition beruhendes Verständnis in ihren Verantwortungsbereichen erarbeiten. Ein derartiges Verständnis würde auch die Weiterführung von Traditionen trotz häufiger Chef- und Kommandeurswechsel ermöglichen. Tradition sollte grundsätzlich Teil von Übergabe-/Übernahmegesprächen sein.

8. *Praktische Urteilskraft zeigen:* Tradition ist durch eine Dialektik gekennzeichnet, die sich theoretisch nicht völlig auflösen lässt. Es bleibt der Urteilskraft des Vorgesetzten überlassen, praktische Lösungen zu finden. Dies betrifft beispielsweise die Funktion soldatischer Traditionen als ‚Helfer-in-der-Not' oder als Stolperstein. Oder ihr Appell an Herz oder Verstand. Besonderes Augenmerk sollten Vorgesetzte auf den hier vorgenommenen Perspektiven- und Paradigmenwechsel legen. Denn der Stolz auf das beste Deutschland, das es je gab, wird berechtigte Fragen auslösen. Wie kann es sein, dass das beste Deutschland, das es je gab, seine Streitkräfte so vernachlässigt und die Leistungen ihrer Angehörigen so geringschätzt? Hinzu kommt: Die militärgeschichtliche Forschung wird weiterhin Personen oder Ereignisse, die für die Truppe sinnstiftend sind, kritisch beleuchten und ggf. deren Traditionswürdigkeit in Frage stellen. Sie wird dabei nur selten freilegen, was den Soldaten ihren Dienst erleichtern könnte. Die Chefs und Kommandeure stehen mitten in diesem Spannungsverhältnis zwischen Traditionspflege und geschichtswissenschaftlicher Forschung. Es ist nicht empfehlenswert, Maßnahmen zur Traditionspflege und zur historischen Bildung

---

[400] Handbuch Innere Führung, a.a.O., S. 49.

ohne Rücksicht auf wissenschaftlich gesicherte Erkenntnisse durchzuführen. Sie können und sollten allerdings darauf pochen, dass Politik genauso wie die Geschichtswissenschaften und die kritische Öffentlichkeit[401] sinnstiftende Inhalte anbieten. Und selbstverständlich können und sollen sie diese auch selbst erarbeiten. Der neue Traditionserlass gibt ihnen dafür Freiräume und weist auf Unterstützungsmöglichkeiten hin.

9. *Paradoxien aushalten:* Die wertende Auswahl aus der Geschichte ist durch Paradoxien gekennzeichnet. Der ehemalige Bundeskanzler und Wehrmachtsoffizier Helmut Schmidt ist dafür ein anschauliches Beispiel: Er ist Vorbild wegen seines politischen Lebenswerkes und den darin zum Ausdruck gekommenen Werten. Seine Wehrmachtszeit erscheint vielen wie ein Fremdkörper in diesem gelungenen Lebensbild. Helmut Schmidt repräsentiert allerdings ein deutsches Leben im 20. Jahrhundert in seiner Widersprüchlichkeit. Dies gilt so auch für viele Angehörige der Aufbaugeneration der Bundeswehr. Sie führten die neuen deutschen Streitkräfte auf den richtigen Weg, obgleich sie zuvor den falschen Weg des Nationalsozialismus mitgegangen sind. Wer die Prüfung der Gesamtpersönlichkeit rigoros betrachtet, wird nicht nur in der Zeit vor 1945, sondern auch noch Jahrzehnte danach kaum Vorbilder finden. Dann ist selbst die bundeswehreigene Tradition amputiert. Vorgesetzte sollten sich bemühen, diese Ambivalenz zu erklären und ein Beispiel geben, wie damit umgegangen werden kann.

Am Schluss unseres Buches wollen wir nicht verhehlen, dass *dieses* Deutschland, das „beste", das wir je hatten und das es zu bewahren gilt, vor großen außen- und innenpolitischen Herausforderungen steht. In unseren Ausführungen stellten wir die zahlreichen Krisensignale deutlich heraus. Wir sehen auch die Gefahr, dass wir dieses „beste Deutschland" leichtfertig verspielen. Manche mögen sogar mit voller Absicht darauf hinarbeiten. Wir glauben, dass die Beschäftigung mit unserer Geschichte und darauf aufbauend eine an unserer freiheitlichen demokratischen Grundordnung orientierte Auswahl an Werten, Vorbildern, Ereignissen und Prinzipien uns davor schützen kann. Für die Soldaten der Bundeswehr, die ihren Eid auf die Verfassung abgelegt haben, erwächst daraus eine besondere Verantwortung. Unser Traditionsverständnis und unser gemeinsames Engagement in der Pflege des Erbes des deutschen Soldaten im 21. Jahrhundert helfen uns, dieser Verantwortung gerecht zu werden.

---

[401] Jüngstes Beispiel hierfür ist die Zeitschrift „KOMPASS" der katholischen Militärseelsorge. In den monatlichen Ausgaben werden neuerdings mögliche Vorbilder für den Soldaten vorgestellt.

10. Anhang:

„Bundeswehr und Tradition". Erlass vom 1. Juli 1965.
Bundesminister der Verteidigung Fü B I 4 – Az 35-08-07

Der Bundesminister der Verteidigung
Fü B I 4 – Az 35-08-07   Bonn, den 1. Juli 1965

„Bundeswehr und Tradition"

I. Grundsätze

1. Tradition ist Überlieferung des gültigen Erbes der Vergangenheit. Traditionspflege ist Teil der soldatischen Erziehung. Sie erschließt den Zugang zu geschichtlichen Vorbildern, Erfahrungen und Symbolen; sie soll den Soldaten befähigen, den ihm in Gegenwart und Zukunft gestellten Auftrag besser zu verstehen und zu erfüllen.

2. Die Bundeswehr ist die erste Wehrpflicht-Streitmacht in einem deutschen demokratischen Staat. Es ist der Auftrag des Soldaten der Bundeswehr, „der Bundesrepublik Deutschland treu zu dienen und Recht und Freiheit des deutschen Volkes tapfer zu verteidigen". Dieser Auftrag ist Maßstab für die gültige Tradition der Bundeswehr.

3. Recht und Freiheit werden nicht nur durch Gewaltanwendung, sondern auch in der Gesellschaft und im persönlichen Bereich bedroht. Unerschrockenheit und Standhaftigkeit gegenüber dieser Gefährdung gehören daher ebenso in die gültige Tradition der Bundeswehr wie Entschlussfreude, Mut und Tapferkeit vor dem Feinde. Entscheidend ist die Bereitschaft zum Opfer für Freiheit und Recht.

4. Um der inneren und äußeren Bedrohung von Recht und Freiheit standzuhalten, bedarf es begründeter sittlicher Überzeugungen. Wer die Geschichte menschlicher Ordnungen kennt, wird sittliche Überzeugungen als Voraussetzung für ein menschenwürdiges Leben begreifen. Er wird eher bereit sein, vorbehaltlos für sie einzutreten.

5. Traditionspflege dient nicht der Selbstrechtfertigung; sie erlaubt kein Ausweichen vor selbstkritischen Erkenntnissen. Nur Soldaten, die auch als Menschen ihrer Verantwortung genügt haben, sind Vorbilder, die Bestand haben. Sich an ihrem Beispiel zu orientieren, hilft dem Soldaten, einen festen Standort zu gewinnen, von dem aus er für die freiheitliche Lebensordnung eintritt.

6. In der Geschichte nehmen alle Menschen teil an Glück und Verdienst wie an Verhängnis und Schuld. Diese Einsicht schützt vor einfältiger Bewunderung ebenso wie vor blinder Verkennung. Sie öffnet die Augen für den Reichtum der Tradition, macht tolerant, bescheiden und zugleich mutig, selber Tradition zu bilden.

II. Gültige Überlieferungen der deutschen Wehrgeschichte

7. Vater, Mutter und Stunde der Geburt, Vaterland, Muttersprache und eigene Stellung in der Geschichte sind jedem Menschen vorgegeben. Niemand kann sich ihnen nach Belieben entziehen.

8. Rechte Traditionspflege ist nur möglich in Dankbarkeit und Ehrfurcht vor den Leistungen und Leiden der Vergangenheit.
Was aber heute aus der Überlieferung wirkt, hat sich meist selbst einmal als Neues durchsetzen müssen. Aufgeschlossenheit und Vorurteilslosigkeit gehören deshalb zu lebendiger Tradition.

9. Die deutsche Wehrgeschichte umfasst in Frieden und Krieg zahllose soldatische Leistungen und menschliche Bewährungen, die überliefert zu werden verdienen. Als Gelegenheit zur Bewährung ist der Krieg jedoch nicht zu rechtfertigen, insbesondere nicht angesichts der modernen Waffenentwicklung. Die Bewährung des Soldaten liegt in seiner soldatischen Tüchtigkeit und in seiner Kampfentschlossenheit. Sie sollen jeden Gegner vom Angriff abschrecken und den Angreifer schlagen.

10. Nationales Bewusstsein ist eine Triebkraft, die sich seit frühen Anfängen in der europäischen Geschichte entfaltet hat; wir Deutschen haben an dieser Entwicklung teilgenommen. Das nationale Bewusstsein macht auch heute noch wirksame Kräfte innerhalb und außerhalb Europas frei.

Die Übersteigerung und Entartung des Nationalbewusstseins hat aber fälschlich die eigene Nation zum Maß aller Dinge gemacht. Solcher Nationalismus hat in unserem Jahrhundert die Welt in das Unglück zweier großer Kriege gestürzt.

Wissenschaft, Technik und Wirtschaft, das Mühen um Frieden und nicht zuletzt gemeinsame Vorstellungen von Auftrag, Würde und Glück des Menschen führen heute zu übernationalen Zusammenschlüssen freier Völker, die zu ihrer gemeinsamen Verantwortung finden.

Die Einbeziehung der Bundesrepublik in das Atlantische Bündnis führt die Soldaten der Bundeswehr in die Kameradschaft und in die geistige Auseinandersetzung mit Soldaten anderer Nationen; sie gibt ihnen Gelegenheit, zur Verständigung der Völker beizutragen und daran mitzuwirken, dass der Schutz von Frieden und Freiheit als gemeinsame Aufgabe verstanden wird.

11. Vaterlandsliebe gründet in den natürlichen Bindungen des Menschen an Heimat, Land, Volk, deren Geschichte und Kultur. Vaterlandsliebe ist nicht Nationalismus und hat sich meist mit freiheitlicher Gesinnung verbunden. Zu den kleinen Räumen, denen sie ursprünglich galt, sind im Laufe der Geschichte immer größere hinzugetreten. Diese Erweiterung vollzieht sich auch im werdenden Europa. Vaterlandsliebe bleibt auch im Zeitalter weltweiter Zusammenarbeit Wurzelboden politischer Verantwortung.

12. Zur besten Tradition deutschen Soldatentums gehört gewissenhafte Pflichterfüllung um des sachlichen Auftrages willen. Sie weiß sich unabhängig von Lob und Tadel und ist eine sichere Grundlage persönlicher Freiheit. Sie hat ihre Bedeutung im Großen wie im dienstlichen Alltag.

13. Gehorsam und Pflichterfüllung gründeten stets in der Treue des Soldaten zu seinem Dienstherrn, der für ihn Recht, Volk und Staat verkörperte. Diese Treue wird im Eid gelobt. Er bindet beide, Soldaten und Dienstherrn, im Gewissen.

Der Bruch des Eides durch den Dienstherrn rechtfertigt Widerstand aus Verantwortung. Widerstand kann und darf jedoch nicht zum Prinzip werden.

In unserem Rechtsstaat bleiben beiderseitige Treue der Repräsentanten der Bundesrepublik Deutschland und der Soldaten der Bundeswehr Grundlage des Dienens. Der so geforderte Gehorsam des Soldaten ist dem Recht im Gesetz unterworfen und an das Gewissen gebunden.

14. Nach deutscher militärischer Tradition beruhen Leistungen und Würde des Soldaten in besonderem Maße auf seiner Freiheit im Gehorsam. Die Erziehung zur Selbstzucht, die Anforderungen an das Mitdenken und die Art der Führung, wie sie sich in der Auftragstaktik zeigte, gaben dieser Freiheit mehr und mehr Raum. Erst das nationalsozialistische Regime missachtete sie. An diese Freiheit im Gehorsam gilt es wieder anzuknüpfen. Die eigene Verantwortung im Wagnis von Leben, Stellung und Ruf gab und gibt dem Gehorsam des Soldaten seinen menschlichen Rang. Zuletzt nur noch dem Gewissen verantwortlich, haben sich Soldaten im Widerstand gegen Unrecht und Verbrechen der nationalsozialistischen Gewaltherrschaft bis zur letzten Konsequenz bewährt.

Solche Gewissenstreue gilt es in der Bundeswehr zu bewahren.

15. Der Soldat bewährt sich im Handeln meist unter Zeitdruck und oft in unübersichtlicher Lage. Zur Tradition soldatischer Wertung gehört daher, dass den Soldaten Zögern schwerer belastet als ein Fehlgreifen im Entschluss. Wer handeln muss, kann schnell, sichtbar und folgenreich schuldig werden. Nach gewissenhafter Entscheidung darf er sich trotzdem gelassen dem Urteil der Um- und Nachwelt stellen.

16. Jedes Handeln sucht den Erfolg, darf aber nicht allein an ihm gemessen werden. Soldatische Tradition kann sich deshalb nicht nur an Gestalten halten, denen Sieg vergönnt war.

17. Politisches Mitdenken und Mitverantwortung gehören seit den preußischen Reformen zur guten Tradition deutschen Soldatentums. Nur als politisch denkender und handelnder Staatsbürger gehört der Soldat zu den geistig und gesellschaftlich verantwortlichen und bewegenden Kräften seiner Zeit.

Der Soldat, der sich, als unpolitischer Soldat einer falschen Tradition folgend, auf das militärische Handwerk beschränkt, versäumt einen wesentlichen Teil seiner beschworenen Dienstpflicht als Soldat in einer Demokratie. Der Wert seines Dienstes wird weitgehend bestimmt durch die politische Zielsetzung.

18. Geistige Bildung gehört zum besten Erbe europäischen Soldatentums. Sie befreit den Soldaten zu geistiger und politischer Mündigkeit und befähigt ihn, der vielschichtigen Wirklichkeit gerecht zu werden, in der er handeln muss. Ohne Bildung bleibt Tüchtigkeit blind.

19. In der Tradition der deutschen Bundeswehr gehören neben den soldatischen auch alle anderen Überlieferungen der Geschichte, die von der Bereitschaft berichten, für Freiheit und Recht Opfer zu bringen.

Sie bestätigen die Grundhaltungen, auf die es für den Soldaten ankommt:

Wahrhaftigkeit und Gerechtigkeit,

Achtung vor der Würde des Menschen,

Großherzigkeit und Ritterlichkeit,

Kameradschaft und Fürsorge,

Mut zum Eintreten für das Rechte.

Tapferkeit und Hingabe,

Gelassenheit und Würde in Unglück und Erfolg.

Zurückhaltung in Auftreten und Lebensstil,

Zucht des Geistes, der Sprache und des Leibes.

Toleranz, Gewissenstreue und Gottesfurcht.

III. Traditionspflege in der Bundeswehr

Im Sinne der vorstehenden Grundsätze werden im Einzelnen folgende Richtlinien gegeben.

20. Die Verbundenheit mit der Geschichte findet ihren sichtbaren Ausdruck in Symbolen, die für den deutschen Soldaten besondere Bedeutung haben. Diese sind:

- die schwarz-rot-goldene Fahne als Sinnbild staatsbürgerlicher Verantwortung und des Strebens der Deutschen nach „Einigkeit und Recht und Freiheit", wie es im „Lied der Deutschen" Ausdruck fand
- der Adler des deutschen Bundeswappens als ältestes Sinnbild der Souveränität und des Rechtsgedankens
- das Eiserne Kreuz als Sinnbild sittlich gebundener soldatischer Tapferkeit.

21. Besondere Gelegenheiten, im Soldaten das Traditionsbewusstsein durch Wort und Symbol zu wecken, bieten sich

- bei täglichen und feierlichen Flaggenparaden
- bei Vereidigung und feierlichem Gelöbnis
- bei der Waffenübergabe an junge Soldaten

- bei der Beförderung zum Unteroffizier und Offizier, die in feierlicher Form vorzunehmen ist
- bei der Entlassung von Soldaten
- beim Spiel des Großen Zapfenstreichs
- beim Besuch geschichtlicher Stätten
- bei Gedenken an Mahn- und Ehrenmalen
- bei der Feier von Gedenktagen
- bei Stapelläufen oder Indienststellungen.

22. Soldatische Tradition ist im Unterricht an Beispielen aus der Geschichte lebendig zu machen. In der Ausbildung zum soldatischen Führer sind mit der Kenntnis geschichtlicher Tatsachen auch Wert und Inhalte der Traditionspflege zu vermitteln.

23. Verbände, Schiffe und Unterkünfte der Bundeswehr können mit Zustimmung des Bundesministers der Verteidigung nach Persönlichkeiten benannt werden, die in Haltung und Leistung beispielhaft waren.

24. Auswahl, Deutung und Pflege des Liedes und der Militärmusik sollen Wesenszüge soldatischen Verhaltens und Empfindens sichtbar machen.

25. Art und Stil der Aufbewahrung von Fahnen, Waffen, Darstellungen, Urkunden und anderen Erinnerungsstücken sollen den jungen Soldaten zu den Traditionsinhalten hinführen.
Symbole, die das Hakenkreuz enthalten, werden nicht aufgestellt und nicht gezeigt. Bei besonderen Veranstaltungen zur Traditionspflege und zur Gefallenenehrung können Fahnen ehemaliger Truppenteile von der Bundeswehr begleitet werden, wenn die Truppenfahne geführt wird.

26. Traditionen ehemaliger Truppenteile werden an Bundeswehr-Truppenteile nicht verliehen.

27. Die Pflege kameradschaftlicher Beziehungen zu ehemaligen Soldaten ist auch ohne eine offizielle Zuteilung von Traditionen möglich und erwünscht. Sie sollten in erster Linie die in der Umgebung der Garnisonen wohnenden ehemaligen Soldaten einbeziehen. Sie soll niemanden ausschließen, weder örtliche Kameradschafts- und Traditionsvereine der ehemaligen Wehrmacht noch einzelne ehemalige Soldaten, die nicht organisiert sind. Dabei muss

klar bleiben, dass die Bundeswehr sich in ihrer politischen Einordnung, ihrer Aufgabe und ihrer Struktur von den Streitkräften früherer Wehrverfassungen unterscheidet.

28. Persönliche Beziehungen zu ehemaligen Wehrmachtsverbänden dürfen für die Kameradschaftspflege mit bestimmten Traditionsvereinen nicht ausschlaggebend sein. Solche zufälligen Kontakte erlöschen erfahrungsgemäß mit dem Wechsel der Personen. Die Pflege der Tradition von Truppenverbänden ist nur sinnvoll, wenn der Traditionsträger der Bundeswehrgarnison nahe liegt oder ein sachlicher Zusammenhang, etwa eine ähnliche Aufgabenstellung, den früheren Wehrmachtsverband mit dem heutigen Bundeswehr-Truppenteil verbindet.

29. Die ehemaligen Soldaten sollen erkennen, dass die Bundeswehr ihre soldatische Leistung und ihr Opfer würdigt. Begegnung und Erfahrungsaustausch zwischen ehemaligen und aktiven Soldaten sollen Verständnis und Achtung voreinander vertiefen. Um die kameradschaftliche Verbundenheit aller Soldaten zu pflegen, sind ehemalige Soldaten und Reservisten der Bundeswehr zu geeigneten dienstlichen Veranstaltungen und kameradschaftlichen Zusammenkünften einzuladen.

30. Bei Vorbereitung und Durchführung von Veranstaltungen ehemaliger Soldaten zur Pflege von Tradition und Kameradschaft, an denen sich Bundeswehr-Truppenteile beteiligen, ist der jeweilige Kommandeur oder Einheitsführer dafür verantwortlich, dass die Zurückhaltung, die das Auftreten des Soldaten in der Öffentlichkeit verlangt, und die Forderungen des guten Geschmacks beachtet werden.

Alle Veranstaltungen zur Traditionspflege sollen der Erziehung dienen und den Soldaten fester an seinen gegenwärtigen Auftrag binden.

gez. v. Hassel

„Richtlinien zum Traditionsverständnis und zur Traditionspflege in der Bundeswehr". Gültiger Erlass vom 20. September 1982. Bundesminister der Verteidigung Fü S I 3 – Az 35-08-07

Der Bundesminister der Verteidigung   Bonn, 20. September 1982
Fü S I 3 – Az 35-08-07

Richtlinien zum Traditionsverständnis und zur Traditionspflege der Bundeswehr

I. GRUNDSÄTZE

1. Tradition ist die Überlieferung von Werten und Normen. Sie bildet sich in einem Prozess wertorientierter Auseinandersetzung mit der Vergangenheit. Tradition verbindet die Generationen, sichert Identität und schlägt eine Brücke zwischen Vergangenheit und Zukunft.
Tradition ist eine wesentliche Grundlage menschlicher Kultur. Sie setzt Verständnis für historische, politische und gesellschaftliche Zusammenhänge voraus.

2. Maßstab für Traditionsverständnis und Traditionspflege in der Bundeswehr sind das Grundgesetz und die der Bundeswehr übertragenen Aufgaben und Pflichten. Das Grundgesetz ist Antwort auf die deutsche Geschichte. Es gewährt große Freiräume, zieht aber auch eindeutige Grenzen.
Die Darstellung der Wertgebundenheit der Streitkräfte und ihres demokratischen Selbstverständnisses ist die Grundlage der Traditionspflege der Bundeswehr.

3. In der pluralistischen Gesellschaft haben historische Ereignisse und Gestalten nicht für alle Staatsbürger gleiche Bedeutung, geschichtliche Lehren und Erfahrungen nicht für alle den gleichen Grad an Verbindlichkeit. Tradition ist auch eine persönliche Entscheidung.

4. Traditionsbewusstsein kann nicht verordnet werden. Es bildet sich auf der Grundlage weltanschaulicher Überzeugungen und persönlicher Wertentscheidungen.

Dies gilt auch für die Bundeswehr mit ihrem Leitbild vom mündigen Soldaten, dem Staatsbürger in Uniform. Die Freiheit der Entscheidung in Traditionsangelegenheiten gilt innerhalb des Rahmens von Grundgesetz und Soldatengesetz.

5. Politisch-historische Bildung trägt entscheidend zur Entwicklung eines verfassungskonformen Traditionsverständnisses und einer zeitgemäßen Traditionspflege bei. Dies fordert, den Gesamtbestand der deutschen Geschichte in die Betrachtung einzubeziehen und nichts auszuklammern.

6. Die Geschichte deutscher Streitkräfte hat sich nicht ohne tiefe Einbrüche entwickelt. In den Nationalsozialismus waren Streitkräfte teils schuldhaft verstrickt, teils wurden sie schuldlos missbraucht. Ein Unrechtsregime, wie das Dritte Reich, kann Tradition nicht begründen.

7. Alles militärische Tun muss sich an den Normen des Rechtsstaats und des Völkerrechts orientieren. Die Pflichten des Soldaten – Treue, Tapferkeit, Gehorsam, Kameradschaft, Wahrhaftigkeit, Verschwiegenheit sowie beispielhaftes und fürsorgliches Verhalten der Vorgesetzten – erlangen in unserer Zeit sittlichen Rang durch die Bindung an das Grundgesetz.

8. Die Bundeswehr dient dem Frieden. Der Auftrag der Streitkräfte, den Frieden in Freiheit zu sichern, fordert Bereitschaft und Fähigkeit, für die Bewahrung des Friedens treu zu dienen und im Verteidigungsfall für seine Wiederherstellung tapfer zu kämpfen.
Die Verpflichtung auf den Frieden verleiht dem Dienst des Soldaten eine neue politische und ethische Dimension.

9. Für die Traditionsbildung in den Streitkräften ist von Bedeutung, dass die Bundeswehr
- die erste Wehrpflichtarmee in einem demokratischen deutschen Staatswesen ist;
- ausschließlich der Verteidigung dient;
- in ein Bündnis von Staaten integriert ist, die sich zur Demokratie, der Freiheit der Person und der Herrschaft des Rechts bekennen.
Diese politischen und rechtlichen Bindungen verlangen, dass die Bundeswehr ihre militärische Tradition auf der Grundlage eines freiheitlichen demokratischen Selbstverständnisses entwickelt.

10. Viele Formen, Sitten und Gepflogenheiten des Truppenalltages sind nicht Tradition, sondern militärisches Brauchtum. Es handelt sich um Gewohnheiten und Förmlichkeiten, wie sie in jeder großen gesellschaftlichen Einrichtung anzutreffen sind. Meist haben sie sich vor langer Zeit herausgebildet. Ihr ursprünglicher Sinn ist oft in Vergessenheit geraten, der Bedeutungszusammenhang zerfallen. Formen, Sitten und Gepflogenheiten tragen jedoch zur Verhaltenssicherheit im Umgang miteinander bei.

Nicht jede Einzelheit militärischen Brauchtums, das sich aus früheren Zeiten herleitet, muss demokratisch legitimiert sein. Militärisches Brauchtum darf aber den vom Grundgesetz vorgegebenen Werten und Normen nicht entgegenstehen.

II. ZIELSETZUNGEN

11. Traditionsbewusstsein zu wecken, ist eine wichtige Aufgabe der Vorgesetzten.

12. Traditionspflege ist Teil der soldatischen Ausbildung. Sie soll die geistige und politische Mündigkeit des Soldaten und die Einbindung der Bundeswehr in Staat und Gesellschaft fördern. Die Pflege von Traditionen soll der Möglichkeit entgegenwirken, sich wertneutral auf das militärische Handwerk zu beschränken.

13. Traditionsbewusstsein und Traditionspflege sollen dazu beitragen, die ethischen Grundlagen des soldatischen Dienstes in der heutigen Zeit zu verdeutlichen. Sie sollen dem Soldaten bei der Bewältigung seiner Aufgabe helfen, durch Bereitschaft und Fähigkeit zum Kampf seinen Beitrag zur Sicherung des Friedens zu leisten und die damit verbundenen Belastungen zu tragen.

14. In der Ausbildung zum militärischen Führer sind mit der Kenntnis geschichtlicher Tatsachen auch Werte und Inhalte der Traditionspflege zu vermitteln.

15. In der Traditionspflege der Bundeswehr sollen solche Zeugnisse, Haltungen und Erfahrungen aus der Geschichte bewahrt werden, die als ethische und rechtsstaatliche, freiheitliche und demokratische Traditionen auch für unsere Zeit beispielhaft und erinnerungswürdig sind.

16. In der Traditionspflege soll auch an solche Geschehnisse erinnert werden, in denen Soldaten über die militärische Bewährung hinaus an politischen Erneuerungen teilhatten, die zur Entstehung einer mündigen Bürgerschaft beigetragen und den Weg für ein freiheitliches, republikanisches und demokratisches Deutschland gewiesen haben.

17. In der Traditionspflege der Bundeswehr soll auf folgende Einstellungen und Verhaltensweisen besonderer Wert gelegt werden:
- kritisches Bekenntnis zur deutschen Geschichte, Liebe zu Heimat und Vaterland, Orientierung nicht allein am Erfolg und den Erfolgreichen, sondern auch am Leiden der Verfolgten und Gedemütigten;
- politisches Mitdenken und Mitverantworten, demokratisches Wertbewusstsein, Vorurteilslosigkeit und Toleranz, Bereitschaft und Fähigkeit zur Auseinandersetzung mit den ethischen Fragen des soldatischen Dienstes, Wille zum Frieden;
- gewissenhafter Gehorsam und treue Pflichterfüllung im Alltag, Kameradschaft, Entschlussfreude, Wille zum Kampf, wenn es der Verteidigungsauftrag erfordert.

18. Menschlichkeit hat nach unserem Grundgesetz einen hohen Rang. Das Selbstverständnis der Bundeswehr ist dem verpflichtet. Es gibt auch in der Vergangenheit viele Beispiele menschlich vorbildlichen Verhaltens, die unseren Respekt verdienen. Sie sollen daran erinnern, dass der Grundwert der Humanität auch unter schwierigen Bedingungen bewahrt werden muss.

19. Soldatische Erfahrungen und militärische Leistungen der Vergangenheit können für die Ausbildung der Streitkräfte von Bedeutung sein. Dabei ist stets zu prüfen, inwieweit Überliefertes angesichts ständig sich wandelnder technischer und taktischer, politischer und gesellschaftlicher Gegebenheiten an Wert behält. Die Geschichte liefert keine Anweisungen für künftiges Verhalten, wohl aber Maßstäbe und Orientierungen für Haltungen.

20. Die Bundeswehr pflegt bereits eigene Traditionen, die weiterentwickelt werden sollen. Dazu gehören vor allem:
- der Auftrag zur Erhaltung des Friedens in Freiheit als Grundlage des soldatischen Selbstverständnisses;
- der Verzicht auf ideologische Feindbilder und auf Hasserziehung;

- die Einbindung in die Atlantische Allianz und die kameradschaftliche Zusammenarbeit mit den verbündeten Streitkräften auf der Grundlage gemeinsamer Werte;
- das Leitbild des „Staatsbürgers in Uniform" und die Grundsätze der Inneren Führung;
- die aktive Mitgestaltung der Demokratie durch den Soldaten als Staatsbürger;
- die Offenheit gegenüber gesellschaftlichen Entwicklungen und die Kontaktbereitschaft zu den zivilen Bürgern;
- die Hilfeleistungen für die Zivilbevölkerung bei Notlagen und Katastrophen im In- und Ausland.

Das sind unverwechselbare Merkmale der Bundeswehr.

III. HINWEISE

21. Die Traditionspflege liegt in der Verantwortung der Kommandeure und Einheitsführer. Sie verfügen über Ermessens- und Entscheidungsfreiheit vor allem dort, wo es sich um regionale und lokale Besonderheiten handelt.

Kommandeure und Einheitsführer treffen ihre Entscheidungen auf der Grundlage von Grundgesetz und Soldatengesetz im Sinne der hier niedergelegten Richtlinien selbständig.

22. Begegnungen im Rahmen der Traditionspflege dürfen nur mit solchen Personen oder Verbänden erfolgen, die in ihrer politischen Grundeinstellung den Werten und Zielvorstellungen unserer verfassungsmäßigen Ordnung verpflichtet sind.

Traditionen von Truppenteilen ehemaliger deutscher Streitkräfte werden an Bundeswehrtruppenteile nicht verliehen. Fahnen und Standarten früherer deutscher Truppenteile werden in der Bundeswehr nicht mitgeführt oder begleitet.

Dienstliche Kontakte mit Nachfolgeorganisationen der ehemaligen Waffen-SS sind untersagt.

Nationalsozialistische Kennzeichen, insbesondere das Hakenkreuz, dürfen nicht gezeigt werden. Ausgenommen von diesem Verbot sind Darstellungen, die der Auseinandersetzung mit dem Nationalsozialismus in der politischen oder historischen Bildung dienen, Ausstellungen des Wehrgeschichtlichen Museums sowie die Verwendung dieser Kennzeichen im Rahmen der Forschung und Lehre.

23. Tradition braucht Symbole, Zeichen und Zeremonielle. Sie können die inneren Werte der Tradition nicht ersetzen, wohl aber auf sie verweisen und ihre zeitgemäße Bewahrung sichern. In der Traditionspflege der Bundeswehr haben besondere Bedeutung:

- die schwarz-rot-goldene Flagge als Symbol freiheitlich-republikanischen Bürgersinns und staatsbürgerlich-demokratischer Mitverantwortung;
- unsere Nationalhymne als Ausdruck des Strebens der Deutschen nach Einigkeit, Recht und Freiheit;
- der Adler des deutschen Bundeswappens als Zeichen nationaler Souveränität, der dem Recht dienenden Macht und der geschichtlichen Kontinuität;
- das Eiserne Kreuz als nationales Erkennungszeichen und als Sinnbild für Tapferkeit, Freiheitsliebe und Ritterlichkeit;
- der Diensteid und das feierliche Gelöbnis der Soldaten als Bekenntnis und Versprechen, der Bundesrepublik Deutschland treu zu dienen und das Recht und die Freiheit des deutschen Volkes tapfer zu verteidigen.

Die Bedeutung der Symbole, Zeichen und Zeremonielle muss in der soldatischen Ausbildung erklärt und wachgehalten werden.

So haben auch der Große Zapfenstreich als Ausdruck des Zusammengehörigkeitsgefühls und das Lied vom guten Kameraden als Abschiedsgruß ebenfalls einen festen Platz in der Traditionspflege.

24. Die deutsche Geschichte hat eine Fülle landsmannschaftlicher, regionaler und lokaler Besonderheiten hervorgebracht. Die Vielfalt ist eine deutsche historische Eigentümlichkeit.

Bei der Traditionspflege hat es sich als sinnvoll erwiesen, an solche Besonderheiten anzuknüpfen, insbesondere durch

- Abschluss und Pflege von Patenschaften mit Städten und Gemeinden;
- Übernahme und Pflege von Gedenkstätten, Mahn- und Ehrenmalen;
- Begehen von Fest- und Gedenktagen des Verbandes und der Garnison;
- Sammeln von Dokumenten und Ausstellungsstücken;
- Erstellen und Fortschreiben einer Chronik der Einheit oder des Verbandes unter Berücksichtigung regionaler und lokaler Ereignisse.

25. Das Sammeln von Waffen, Modellen, Urkunden, Fahnen, Bildern, Orden und Ausrüstungsgegenständen ist erlaubt. Es dient der Kenntnis und dem Interesse an der Geschichte und belegt, was gewesen ist.

Die Art und Weise, in der wehrkundliche Exponate gezeigt werden, muss die Einordnung in einen geschichtlichen Zusammenhang erkennen lassen. Die äußere Aufmachung muss diesen Richtlinien entsprechen.

26. Das Zusammengehörigkeitsgefühl und Auftragsverständnis der Truppe kann durch feierliche Appelle, vor allem anlässlich nationaler Gedenktage, der Aufnahme und Entlassung von grundwehrdienstleistenden Soldaten, beim Abschluss von Übungen sowie anlässlich der Verleihung von Orden und Ehrenzeichen gestärkt werden.
Die Reservisten der Bundeswehr sollen zu geeigneten Veranstaltungen und kameradschaftlichen Zusammenkünften eingeladen werden.

27. Das Singen in der Truppe ist ein alter Brauch, der bewahrt werden soll. Das Liedgut ist im Liederbuch der Bundeswehr zusammengestellt. Diese Sammlung ist Richtschnur für die Auswahl.

28. Die Militärmusik hat eine lange und reiche Geschichte. Sie dient der Ausgestaltung dienstlicher Veranstaltungen und der Repräsentation der Bundeswehr im In- und Ausland.

29. Kasernen und andere Einrichtungen der Bundeswehr können mit Zustimmung des Bundesministers der Verteidigung nach Persönlichkeiten benannt werden, die sich durch ihr gesamtes Wirken oder eine herausragende Tat um Freiheit und Recht verdient gemacht haben.

30. Vereidigungen und feierliche Gelöbnisse unter Anteilnahme der zivilen Bürger sind ein öffentliches Bekenntnis der Soldaten zum demokratischen Staat. Sie sind Bestandteil einer gewachsenen Tradition der Bundeswehr. Im Mittelpunkt der Veranstaltung stehen diejenigen, die sich zu ihren gesetzlichen Pflichten bekennen sollen. Ihnen muss der Sinn ihres Dienstes deutlich werden.
Die Beteiligung der Öffentlichkeit am Leben der Truppe fördert die Integration der Streitkräfte in die Gesellschaft. An „Tagen der offenen Tür" und bei anderen Gelegenheiten sind die Bürger einzuladen, den Alltag und das Leistungsvermögen der Truppe kennen zu lernen.

gez. Hans Apel

Die Tradition in der Bundeswehr. Richtlinien zum Traditionsverständnis und zur Traditionspflege, Berlin, 28. März 2018.

1. GRUNDSÄTZE

1.1 Funktion

Die Tradition der Bundeswehr ist der Kern ihrer Erinnerungskultur. Sie ist die bewusste Auseinandersetzung mit der Vergangenheit in gewachsenen Ausdrucksformen. Tradition ist damit Bestandteil des werteorientierten Selbstverständnisses der Bundeswehr mit ihren militärischen und zivilen Anteilen. Sie festigt deren Verankerung in der Gesellschaft. Als geistige Brücke zwischen Vergangenheit und Zukunft verbindet Tradition die Generationen und gibt Orientierung für das Führen und Handeln.

1.2 Wirkung

Mit ihrer Tradition überliefert und pflegt die Bundeswehr die Erinnerung an Ereignisse, Personen, Institutionen und Prinzipien aus der Gesamtheit der deutschen (Militär-)Geschichte, sofern diese vorbildlich und richtungsweisend für ihren heutigen Auftrag wirken. Der innere Zusammenhalt der Bundeswehr beruht auf gemeinsamen Werten und überlieferten Vorbildern, die durch Tradition symbolisiert und bewahrt werden. Tradition dient so der Selbstvergewisserung. Sie schafft und stärkt Identifikation, unterstützt eine verantwortungsvolle Auftragserfüllung und erhöht Einsatzwert und Kampfkraft. Um ihre integrative und motivierende Wirkung entfalten zu können, muss die Tradition der Bundeswehr geistiges Gut aller Angehörigen der Bundeswehr sein. Sie ist im dienstlichen Alltag sichtbar und erlebbar zu machen. Gelebte Tradition spricht nicht nur Kopf und Verstand an, sondern in besonderer Weise auch Herz und Gemüt. Traditionsinhalte können daher auch durch Symbole und Zeremonien anschaulich vermittelt und erlebt werden.

1.3 Eigenschaften

Die Tradition der Bundeswehr bewahrt deren Erbe auf der Grundlage der Werteordnung des Grundgesetzes und, daraus abgeleitet, des Soldatengesetzes. Sie ist integraler Bestandteil der Konzeption der Inneren Führung. Tradition bildet sich in einem fortlaufenden und schöpferischen Prozess wertegeleiteter Auseinandersetzung mit der Vergangenheit. Tradition ist nicht Geschichte, sondern eine absichtsvolle und sinnstiftende Auswahl aus ihr.

1.4 Voraussetzungen

Die Tradition der Bundeswehr beruht auf der kritischen Auseinandersetzung mit der Vergangenheit, auf den ethischen Geboten der Konzeption der Inneren Führung und auf ihrer gesellschaftlichen Integration als Armee der Demokratie. Geschichtsbewusstsein und Kenntnis der eigenen Geschichte sind Voraussetzungen für das werteorientierte Traditionsverständnis der Bundeswehr und Grundlage für eine verantwortungsvolle Traditionspflege.

1.5 Gegenwartsbezug

Traditionsstiftung und Traditionspflege sind dynamisches und niemals abgeschlossenes Handeln, das sich allen Versuchen entzieht, es zentral oder dauerhaft festlegen zu wollen. Sie setzen staatsbürgerliches Bewusstsein sowie Verständnis für historische, politische und gesellschaftliche Zusammenhänge voraus und fordern zur persönlichen Auseinandersetzung auf. Lebendige Tradition muss gegenwarts- und auftragsbezogen sein. Sie ist daher ständig zu überprüfen und fortzuentwickeln. Tradition und Auftrag der Bundeswehr greifen so ineinander.

2. HISTORISCHE GRUNDLAGEN

2.1 Tradition und Geschichte

Die deutsche (Militär-)Geschichte ist geprägt von Brüchen und Zäsuren. Wegen des folgenschweren Missbrauchs militärischer Macht, insbesondere während der nationalsozialistischen Gewaltherrschaft, gibt es keine geradlinige deutsche Militärtradition. Die Bundeswehr ist sich des widersprüchlichen Erbes der deutschen (Militär-)Geschichte mit ihren Höhen, aber auch ihren Abgründen bewusst. Tradition und Identität der Bundeswehr nehmen daher die gesamte deutsche (Militär-)Geschichte in den Blick. Sie schließen aber jene Teile aus, die unvereinbar mit den Werten unserer freiheitlichen demokratischen Grundordnung sind.

2.2 Deutsche Streitkräfte bis 1918

Bis zum 20. Jahrhundert waren deutsche Streitkräfte stabilisierender Bestandteil einer vornehmlich kleinstaatlichen und überwiegend dynastischen Ordnung. Dies begründete ihre herausgehobene Stellung in Staat und Gesellschaft. Ihre vielfältige Geschichte spiegelt die Entwicklung Deutschlands und ist Quelle erinnerungs- und damit bewahrenswürdiger Vorbilder und Geschehnisse der deutschen (Militär-)Geschichte. So entwickelten deutsche

238

Streitkräfte zahlreiche fortschrittliche und richtungsweisende Verfahren, Strukturen und Prinzipien, die noch heute Bedeutung haben, etwa die moderne Stabsarbeit, das Führen mit Auftrag, das Führen von vorne oder das Generalstabswesen.

2.3 Deutsche Streitkräfte zwischen 1919 und 1945

In der Weimarer Republik gab es erstmals gesamtdeutsche Streitkräfte. Die Reichswehr legte ihren Eid auf die Verfassung ab, wahrte jedoch eine weitgehende innere Distanz und blieb Zeit ihres Bestehens zu großen Teilen einem antirepublikanischen Geist verhaftet. Der demokratisch verfassten Weimarer Republik blieb sie fremd und bildete letztlich einen „Staat im Staate".

Mit Wiedereinführung der Wehrpflicht im Nationalsozialismus ging 1935 aus der Reichswehr die Wehrmacht hervor. Die Wehrmacht diente dem nationalsozialistischen Unrechtsregime und war in dessen Verbrechen schuldhaft verstrickt, die in ihrem Ausmaß, in ihrem Schrecken und im Grad ihrer staatlichen Organisation einzigartig in der Geschichte sind. Im Zweiten Weltkrieg wurde sie zu einem Instrument der rassenideologischen Kriegsführung.

2.4 Deutsche Streitkräfte nach 1945

2.4.1 Nationale Volksarmee

Die Nationale Volksarmee (NVA) war eine sozialistische Klassen- und Parteiarmee, die mit ihrer Aufstellung fest in das Bündnissystem der sozialistischen Staaten, den Warschauer Pakt, eingefügt wurde. Ihr Selbstverständnis orientierte sich an der Staatsideologie der DDR. Die NVA wurde von der SED geführt, handelte im Sinne ihrer Politik und trug maßgeblich zu ihrer Herrschaftssicherung bei. Während der Friedlichen Revolution 1989 ging sie jedoch nicht gegen das Freiheitsstreben der Bevölkerung vor. Ausgewählte ehemalige NVA-Angehörige wurden 1990 in die Bundeswehr übernommen und trugen zum Gelingen der Deutschen Einheit bei.

2.4.2 Bundeswehr

Die Bundeswehr ist eine Bündnisarmee unter parlamentarischer Kontrolle und mit unabhängiger Gerichtsbarkeit. Streitkräfte und Bundeswehrverwaltung sind in die demokratische Verfassungsordnung der Bundesrepublik Deutschland eingebunden und die Bundeswehr ist tief in das Nordatlantische Verteidigungsbündnis integriert. Ihr Selbstverständnis vereint militärische Leistungsfähigkeit und soldatische Pflichten mit demokratischen Rechten. Soldatinnen und Soldaten sind mündige Staatsbürgerinnen und Staatsbürger in Uniform. Aus diesen Grundsätzen leitet sich die Innere Führung als ziel- und werteorientierte Konzeption für die Stellung der Streitkräfte in Staat und Gesellschaft ab.

3. DAS TRADITIONSVERSTÄNDNIS DER BUNDESWEHR

3.1 Wertebindung

Grundlage sowie Maßstab für das Traditionsverständnis der Bundeswehr und für ihre Traditionspflege sind neben den der Bundeswehr übertragenen Aufgaben und Pflichten vor allem die Werte und Normen des Grundgesetzes. Zu ihnen zählen insbesondere die Achtung der Menschenwürde, die Wahrung von Rechtsstaatlichkeit und Völkerrecht, der Ausschluss jeder Gewalt- und Willkürherrschaft sowie die Verpflichtung auf Freiheit und Frieden. Die Angehörigen der Bundeswehr sind zudem der Menschlichkeit verpflichtet, auch unter Belastung und im Gefecht.

Die Ursprünge der Werte und Normen des Grundgesetzes reichen weit in die Vergangenheit zurück. In diesem Verständnis lassen sich aus allen Epochen der deutschen (Militär-)Geschichte vorbildliche soldatisch-ethische Haltungen und Handlungen sowie militärische Formen, Symbole und Überlieferungen in das Traditionsgut der Bundeswehr übernehmen.

3.2 Zentraler Bezugspunkt

Zentraler Bezugspunkt der Tradition der Bundeswehr sind ihre eigene, lange Geschichte und die Leistungen ihrer Soldatinnen und Soldaten, zivilen Angehörigen sowie Reservistinnen und Reservisten. Dazu zählen insbesondere

• der Schutz der Bundesrepublik Deutschland und ihrer Bürgerinnen und Bürger,

• treues Dienen in Freiheit, das soldatisches Handeln an das Gewissen bindet und dem Gehorsam Grenzen setzt,

• die Konzeption der Inneren Führung mit ihrem Leitbild des Staatsbürgers in Uniform,

• der gemeinsame Beitrag zur Einsatzbereitschaft der Bundeswehr durch Streitkräfte und Bundeswehrverwaltung,

• der Beitrag der Bundeswehr zum internationalen Krisenmanagement sowie ihre Bewährung in Einsätzen und im Gefecht,

• das Bewahren von Freiheit und Frieden im Kalten Krieg und das Eintreten für die deutsche Einheit,

- das Erbe der allgemeinen Wehrpflicht und die Leistungen der über acht Millionen Grundwehrdienstleistenden,

- die Einbindung in multinationale Strukturen und Verbände der NATO und der Europäischen Union,

- der Beitrag der Bundeswehr zur Aussöhnung Deutschlands mit ehemaligen Kriegsgegnern,

- die erfolgreiche Hilfeleistung in humanitären Notsituationen im In- und Ausland,

- die Integrationsleistung der Bundeswehr bei der Wiedervereinigung Deutschlands.

Diese Geschichte zu würdigen und ihr Erbe weiterzuentwickeln, ist Aufgabe aller Angehörigen der Bundeswehr. Die Bundeswehr verfügt selbst über einen breiten Fundus, um mit Stolz Tradition zu stiften.

3.3 Traditionsstiftendes Verhalten

Historische Beispiele für zeitlos gültige soldatische Tugenden, etwa Tapferkeit, Ritterlichkeit, Anstand, Treue, Bescheidenheit, Kameradschaft, Wahrhaftigkeit, Entschlussfreude und gewissenhafte Pflichterfüllung, aber auch Beispiele für 6 militärische Exzellenz, z.B. herausragende Truppenführung, können in der Bundeswehr Anerkennung finden und in Lehre und Ausbildung genutzt werden. Sie sind jedoch immer im historischen Zusammenhang zu bewerten und nicht zu trennen von den politischen Zielen, denen sie dienten. Die Bundeswehr ist freiheitlichen und demokratischen Zielsetzungen verpflichtet. Für sie kann nur ein soldatisches Selbstverständnis mit Wertebindung, das sich nicht allein auf professionelles Können im Gefecht reduziert, sinn- und traditionsstiftend sein.

3.4 Ausschlüsse

Die Bundeswehr pflegt keine Tradition von Personen, Truppenverbänden und militärischen Institutionen der deutschen (Militär-)Geschichte, die nach heutigem Verständnis verbrecherisch, rassistisch oder menschenverachtend gehandelt haben.

3.4.1 Wehrmacht

Der verbrecherische NS-Staat kann Tradition nicht begründen. Für die Streitkräfte eines demokratischen Rechtsstaates ist die Wehrmacht als Institution nicht traditionswürdig. Gleiches gilt für ihre Truppenverbände sowie Organisationen, die Militärverwaltung und den Rüstungsbereich.

Die Aufnahme einzelner Angehöriger der Wehrmacht in das Traditionsgut der Bundeswehr ist dagegen grundsätzlich möglich. Voraussetzung dafür ist immer eine eingehende Einzelfallbetrachtung sowie ein sorgfältiges Abwägen. Dieses Abwägen muss die Frage persönlicher Schuld berücksichtigen und eine Leistung zur Bedingung machen, die vorbildlich oder sinnstiftend in die Gegenwart wirkt, etwa die Beteiligung am militärischen Widerstand gegen das NS-Regime oder besondere Verdienste um den Aufbau der Bundeswehr.

3.4.2 NVA

Die NVA begründet als Institution und mit ihren Verbänden und Dienststellen keine Tradition der Bundeswehr. In ihrem eigenen Selbstverständnis war sie Hauptwaffenträger einer sozialistischen Diktatur. Sie war fest in die Staatsideologie der DDR eingebunden und wesentlicher Garant für die Sicherung ihres politisch-gesellschaftlichen Systems.

Grundsätzlich ist jedoch die Aufnahme von Angehörigen der NVA in das Traditionsgut der Bundeswehr möglich. Sie setzt ebenfalls immer eine eingehende Einzelfallbetrachtung sowie ein sorgfältiges Abwägen voraus. Dieses Abwägen muss die Frage nach persönlicher Schuld berücksichtigen und eine Leistung zur Bedingung machen, die vorbildlich oder sinnstiftend in die Gegenwart wirkt, etwa die Auflehnung gegen die SED-Herrschaft oder besondere Verdienste um die Deutsche Einheit.

4. TRADITIONSPFLEGE IN DER BUNDESWEHR

4.1 Historische Bildung

Historische Bildung ist Voraussetzung für eine werteorientierte Traditionspflege. Sie vermittelt Orientierungswissen, Identität sowie die Fähigkeit zur kritischen Auseinandersetzung mit der eigenen Geschichte. An den Schulen und Bildungseinrichtungen der Bundeswehr, aber auch im täglichen Dienst ist dem Vermitteln von Traditionsverständnis und Traditionsgut ausreichend Gelegenheit und Zeit zu geben.

4.2 Zweck der Traditionspflege

Die Traditionspflege in der Bundeswehr stärkt das Bewusstsein für ihre eigene Geschichte und den Stolz auf ihre Leistungen. Sie verfolgt insbesondere folgende Ziele:

• demokratisches Wertebewusstsein und Verfassungstreue,

- einen verfassungsorientierten Patriotismus,

- das Bejahen des Auftrags zum Erhalt oder zur Wiederherstellung des Friedens in Freiheit als Grundlage des soldatischen Selbstverständnisses der Bundeswehr,

- das Vermitteln soldatischer Tugenden und soldatischer Haltung,

- Einsatzbereitschaft und den Willen zum Kampf, wenn es der Auftrag erfordert,

- die Identifikation mit der Teilstreitkraft, dem Organisationsbereich, der Truppengattung oder dem Dienstbereich,

- das Auseinandersetzen mit der ethischen Dimension des Dienstes in der Bundeswehr als Voraussetzung für die Bereitschaft und die Fähigkeit zum Kampf sowie für das Tragen der damit verbundenen Belastungen,

- für die zivilen Angehörigen die Identifikation mit der Bundeswehr als staatlicher Institution mit Verfassungsrang unter besonderer Berücksichtigung ihrer nicht-militärischen Aufgaben,

- die Stärkung der Gemeinschaft aller Angehörigen der Bundeswehr unabhängig von Status oder Dienst- und Arbeitsverhältnis.

4.3 Verantwortung und Dienstaufsicht

Traditionspflege und historische Bildung sind Führungsaufgaben. Sie liegen in der Verantwortung der Inspekteure bzw. Inspekteurinnen und Leiter bzw. Leiterinnen der Organisationsbereiche der Bundeswehr sowie insbesondere der Kommandeure bzw. Kommandeurinnen, Dienststellenleiter bzw. Dienststellenleiterinnen und Einheitsführer bzw. Einheitsführerinnen. Diese sorgen für das Beachten und Verwirklichen dieser Richtlinien. Bei der Traditionspflege sollen sie die truppengattungs- und verbandsspezifischen Alleinstellungsmerkmale im Grundbetrieb und Einsatz betonen sowie regionale Bezüge oder Besonderheiten hervorheben. Dazu verfügen sie über Ermessens- und Entscheidungsfreiheit vor allem bei regionalen und lokalen Besonderheiten.

Die verantwortlichen Vorgesetzten treffen ihre Entscheidungen auf Grundlage dieser Richtlinien selbständig. Sie sind damit auch für das Einhalten der einschlägigen rechtlichen Bestimmungen verantwortlich.

4.4 Hilfsmittel

Vorgaben und Inhalte der spezifischen Traditionspflege in den militärischen und zivilen Organisationsbereichen erlassen deren Inspekteure bzw. Inspekteurinnen und Leiter bzw. Leiterinnen. Hilfsmittel und Handreichungen zur Traditionspflege auf Grundlage dieses Erlasses sind bis auf die Dienststellen-/ Einheitsebene zu verteilen.

4.5 Regionaler Bezug

Die Traditionspflege in den Standorten und Dienststellen soll regionale Besonderheiten berücksichtigen. Dies entspricht dem föderalen Charakter unserer Verfassungsordnung und der vielfältigen deutschen Landesgeschichte. Regionale Ausstellungen sind besonders geeignet, die Geschichte des Standortes, der Dienststelle und der dort stationierten Verbände und Einheiten zu bewahren.

4.6 Symbole, Zeichen und Zeremoniell

Tradition braucht Symbole, Zeichen und Zeremonielle. Sie prägen das Bild der Bundeswehr in Staat und Gesellschaft. Viele überlieferte Rituale, Sitten und Gepflogenheiten sind nicht Tradition, sondern gehören zum Brauchtum. Sie spiegeln militärische Verhaltensweisen und Formen. Meist haben sie sich vor langer Zeit herausgebildet. Sie stehen stellvertretend für den historischen und militärischen Kontext, der sie hervorgebracht hat oder der ihnen zugeschrieben wird. Als Überlieferung auf vornehmlich emotionaler Ebene können Symbole, Zeichen und Zeremonielle auf das Traditionserbe der Bundeswehr verweisen und dazu beitragen, es zu bewahren.

Besondere Bedeutung in der Traditionspflege der Bundeswehr haben:

- die schwarz-rot-goldenen Nationalfarben als Symbol demokratischen Selbstverständnisses,

- die Nationalhymne als Ausdruck des Bewahrens von Einigkeit, Recht und Freiheit,

- der Adler des deutschen Bundeswappens als Zeichen nationaler Souveränität und der dem Recht dienenden Macht,

- das Eiserne Kreuz als nationales Erkennungszeichen und als Sinnbild für Tapferkeit, Freiheitsliebe und Ritterlichkeit,

- der Diensteid und das Feierliche Gelöbnis der Soldatinnen und Soldaten als öffentliches Bekenntnis und Versprechen, der Bundesrepublik Deutschland treu zu dienen und das Recht und die Freiheit des deutschen Volkes tapfer zu verteidigen,

- das Ehrenkreuz der Bundeswehr für Tapferkeit als höchste Form des Ehrenzeichens der Bundeswehr,

- der Große Zapfenstreich als höchstes Zeremoniell der Bundeswehr,

244

- das Lied vom guten Kameraden als letztem Abschiedsgruß und Herzstück jeder militärischen Trauerfeier,

- Europahymne und Europafahne als Bekenntnis zur europäischen Verteidigungsidentität.

4.7 Totengedenken, Mahn- und Ehrenmale

Das Einrichten und Pflegen von Gedenkstätten sowie Mahn- und Ehrenmalen für die Toten vergangener Kriege dient der Erinnerung an die Opfer von Krieg und Gewalt. Zentraler Erinnerungsort, um aller militärischen und zivilen Angehörigen der Bundeswehr zu gedenken, die in Folge der Ausübung ihrer Dienstpflichten ihr Leben verloren haben, ist das Ehrenmal der Bundeswehr am Dienstsitz des Bundesministeriums der Verteidigung in Berlin. Es wird durch den Wald der Erinnerung in Geltow ergänzt. Heer, Marine und Luftwaffe gedenken ihrer Toten zusätzlich an eigenen Ehrenmalen und regionalen Gedenkorten.

Die Bundeswehr unterstützt und beteiligt sich an der Arbeit des Volksbundes Deutsche Kriegsgräberfürsorge e.V. sowie an den Veranstaltungen am Volkstrauertag im Sinne eines allgemeinen Totengedenkens. Damit pflegt sie jedoch keine Tradition früherer Streitkräfte.

4.8 Traditionen ehemaliger Verbände der Bundeswehr

Traditionen ehemaliger Verbände der Bundeswehr können von Truppenteilen und Dienststellen der Bundeswehr übernommen werden. Vereine und Organisationen, die der Pflege der Tradition ehemaliger Verbände der Bundeswehr dienen, können gefördert und unterstützt werden. Die Zusammenarbeit ist durch die verantwortlichen Vorgesetzten zu genehmigen.

4.9 Traditionen ehemaliger deutscher Streitkräfte

Traditionen von Verbänden ehemaliger deutscher Streitkräfte werden an Truppenteile und Dienststellen der Bundeswehr nicht verliehen; ihre Fahnen und Standarten werden in der Bundeswehr nicht mitgeführt oder begleitet. Es ist verboten, nationalsozialistische Symbole und Zeichen, insbesondere das Hakenkreuz, zu zeigen. Ausgenommen davon sind Darstellungen, die der Auseinandersetzung mit dem Nationalsozialismus in der politischen oder historischen Bildung dienen, etwa in Ausstellungen, Lehrsammlungen und militärgeschichtlichen Sammlungen sowie im Rahmen von Forschung und Lehre. Dienstliche Kontakte mit Nachfolgeorganisationen der Waffen-SS oder der Ordensgemeinschaft der Ritterkreuzträger sind untersagt.

4.10 Museumswesen

Das Darstellen und Bewahren der deutschen Militärgeschichte in Museen und Sammlungen der Bundeswehr dient der historischen Bildung und auch der Traditionspflege. Geschichtsdarstellung und Traditionspflege sind deutlich voneinander abzugrenzen.

4.11 Verwendung historischer Exponate

Dokumente und Ausrüstungsgegenstände aus der Bundeswehr, etwa Uniformen, Sockelfahrzeuge oder Truppenfahnen aufgelöster Verbände, dürfen gesammelt und ausgestellt werden. Objekte (z.B. Uniformen, Ausrüstungsgegenstände oder Orden) sowie Bilder und Darstellungen früherer Streitkräfte, die zur fachlichen Aus- und Weiterbildung genutzt werden, der historischen Unterweisung oder der Ausschmückung dienen, müssen durch die Betrachter in ihren historischen Kontext einzuordnen sein.

Das Ausschmücken von Diensträumen mit Exponaten und Darstellungen aus der Wehrmacht und der NVA ist außerhalb von Ausstellungen in Militärgeschichtlichen Sammlungen grundsätzlich nicht gestattet, sofern es sich nicht um traditionsstiftende Persönlichkeiten im Sinne von 3.3 handelt. Ausnahmen von dieser Festlegung kann der bzw. die nächste Disziplinarvorgesetzte genehmigen, wenn ein Bezug der Exponate zur betroffenen Einheit oder eine persönliche Bindung gegeben ist (z.B. Bilder enger Familienangehöriger). Die Ausgestaltung darf den Vorgaben dieses Erlasses nicht widersprechen. Im Zweifel und bei Fragen ist die Ansprechstelle für militärhistorischen Rat des Zentrums für Militärgeschichte und Sozialwissenschaften hinzuzuziehen.

Waffen, Sockelfahrzeuge und Munition sind nur schieß- oder funktionsunfähig auszustellen. Kulturgüter, also besonders bewahrens- oder schützenswerte Objekte, müssen hingegen in ihrem historischen Zustand verbleiben.

4.12 Denkmalschutz

Historischer Bauschmuck in Kasernen und Liegenschaften sowie an Gebäuden der Bundeswehr ist nicht Gegenstand der Traditionspflege. Als historische Artefakte ist ihr Erhalt dennoch anzustreben. Eine historische Einordnung, z.B. durch eine Informationstafel, ist erforderlich. Denkmäler in Kasernen müssen den Richtlinien dieses Erlasses entsprechen.

4.13 Diensteid und Feierliches Gelöbnis

Diensteid und Feierliches Gelöbnis unter Anteilnahme der Bevölkerung sind ein öffentlich abgelegtes Bekenntnis der Soldatinnen und Soldaten zur freiheitlichen demokratischen Grundordnung. Vereidigungen und Feierliche Gelöbnisse im öffentlichen Raum sind Ausdruck der gesellschaftlichen Verankerung der Bundeswehr und gewachsener Teil ihrer Tradition.

Mit dem Feierlichen Gelöbnis am 20. Juli in Berlin ehrt die Bundeswehr den militärischen Widerstand gegen das NS-Regime und bekundet dessen herausgehobene Bedeutung für die Tradition der Bundeswehr.

4.14 Militärmusik

Militärmusik dient dem Ausgestalten dienstlicher und öffentlicher Veranstaltungen und damit der Repräsentation der Bundeswehr im In- und Ausland. Sie pflegt überliefertes Kulturgut. Die Begleitung mit Militärmusik entspricht militärischer Gepflogenheit und ist Teil des Zeremoniells der Bundeswehr. Das Singen in der militärischen Gemeinschaft ist ein alter Brauch, der bewahrt werden soll. Das Liedgut der Bundeswehr ist ein wichtiger Teil ihrer Identität. Es unterliegt der Wertebindung der Traditionspflege in der Bundeswehr (vgl. 3.1).

4.15 Traditionsnamen

Das Benennen von Liegenschaften, Kasernen und Verbänden/Dienststellen stärkt die Identifikation und ist Teil der Traditionspflege der Bundeswehr. Das Verfahren zum Benennen und Umbenennen von Liegenschaften und Kasernen ist in der ZDv A-2650/2 festgelegt und bedarf der abschließenden Genehmigung durch das Bundesministerium der Verteidigung. Über das Benennen von Verbänden und Dienststellen entscheiden die Inspekteure bzw. Inspekteurinnen oder die Leiter bzw. Leiterinnen des betroffenen Organisationsbereiches.

Bestehende Benennungen müssen diesem Traditionserlass entsprechen. Bei erforderlichen Überprüfungen und Umbenennungen ist das Zentrum für Militärgeschichte und Sozialwissenschaften der Bundeswehr über das Bundesministerium der Verteidigung einzubeziehen.

4.16 Beratung

Als Ansprechstelle für militärhistorischen Rat unterstützt das Zentrum für Militärgeschichte und Sozialwissenschaften der Bundeswehr die verantwortlichen Vorgesetzten im Umgang mit historischen Ausstellungs- und Erinnerungsstücken. Außerdem verfügen die militärischen Kommandobehörden, Bundesämter und Schulen/ Ausbildungseinrichtungen über Historiker bzw. Historikerinnen, die bei militärhistorischen Fragen im Zusammenhang mit der Traditionspflege fachlich beraten sollen.

Dank

Wir danken Herrn Dr. Klaus Naumann, Oberst i.G. Reinhold Janke und Oberstleutnant a.D. Prof. Dr. Claus von Rosen sowie Prof. Dr. Peter Paret, Oberstleutnant i. G. Dr. Peter Andreas Popp, Oberstleutnant i.G. Dr. Stefan Klein und Oberstleutnant i.G. Marc-André Walther für die Durchsicht und die hilfreichen Verbesserungen des Manuskripts. Wir freuen uns, den dadurch entstandenen intensiven Gedankenaustausch fortzusetzen.

Unserer Verlegerin, Dipl. Kff. Carola Hartmann, danken wir, dass sie uns immer wieder aufgefordert hat, unsere Gedanken noch klarer und verständlicher zu formulieren.

Für alles, was nach intensiven Gesprächen in diesem Buch steht, tragen wir allein die Verantwortung.

Donald Abenheim und Uwe Hartmann
Monterey, im Mai 2019

Personenregister

Donald Abenheim und Uwe Hartmann (Hrsg.): Tradition in der Bundeswehr. Zum Erbe des deutschen Soldaten und zur Umsetzung des neuen Traditionserlasses, Berlin 2018.

Hardcover mit Schutzumschlag und Lesestreifen, 312 Seiten, 29,80 Euro, ISBN 978-3-945861-75-2

Die Bundeswehr war bisher eine vergleichsweise traditionsarme Armee. Nicht wenigen gilt sie gar als „Armee ohne Pathos". Mit dem neuen Traditionserlass soll sich dies ändern und zwar so, dass die bundeswehreigene Tradition in den Vordergrund tritt. Die Truppe ist nun gefordert, der Traditionspflege neue inhaltliche und methodische Impulse zu geben. Allerdings ist Tradition nicht allein Sache der Soldaten.

Auch Politik und Gesellschaft können dabei eine aktivere und konstruktivere Rolle spielen als dies in der Vergangenheit der Fall war.

Für die praktische Umsetzung des neuen Traditionserlasses sind grundlegende Analysen genauso wichtig wie truppentaugliche Vorschläge. Die Autoren dieses Sammelbandes haben sich daher zum Ziel gesetzt, dem Leser die Funktionen von Tradition zu erläutern, wichtige Begriffe zu erklären, größere Zusammenhänge aufzuzeigen, kritisch auf mögliche Defizite hinzuweisen und Ratschläge für eine verbesserte Praxis zu geben. Sie diskutieren das gültige Erbe des deutschen Soldaten im Zusammenhang mit Ethik, Erziehung und Europa sowie mit Kampf, Kommunikation und Identität. Ihre zentrale Botschaft lautet: Es ist sinnvoll und wichtig, sich persönlich auf die Arbeit mit Tradition einzulassen.

Mit Beiträgen von Donald Abenheim, Heiko Biehl, Eberhard Birk, Dirk Freudenberg, Helmut R. Hammerich, Uwe Hartmann, Reinhold Janke, Sarah Katharina Kayss, Stefan Klein, Nina Leonhard, Winfried Nachtwei, Klaus Naumann, Reiner Pommerin, Peter Andreas Popp, Claus von Rosen und Marc-André Walther.

Carola Hartmann Miles-Verlag

Militär und Gesellschaft

Uwe Hartmann, *Innere Führung. Erfolge und Defizite der Führungsphilosophie für die Bundeswehr,* Berlin 2007.

Hans-Christian Beck, Christian Singer (Hrsg.), *Entscheiden – Führen – Verantworten. Soldatsein im 21. Jahrhundert,* Berlin 2011.

Eberhard Birk, Winfried Heinemann, Sven Lange (Hrsg.), *Tradition für die Bundeswehr. Neue Aspekte einer alten Debatte,* Berlin 2012.

Angelika Dörfler-Dierken, *Führung in der Bundeswehr,* Berlin 2013.

Wolf Graf von Baudissin, *Grundwert Frieden in Politik – Strategie – Führung von Streitkräften,* hrsg. von Claus von Rosen, Berlin 2014.

Marcel Bohnert, Lukas J. Reitstetter (Hrsg.), *Armee im Aufbruch. Zur Gedankenwelt junger Offiziere in den Kampftruppen der Bundeswehr,* Berlin 2014.

Angelika Dörfler-Dierken, Robert Kramer, *Innere Führung in Zahlen. Streitkräftebefragung 2013,* Berlin 2014.

Phil C. Langer, Gerhard Kümmel (Hrsg.), *„Wir sind Bundeswehr." Wie viel Vielfalt benötigen/vertragen die Streitkräfte?,* Berlin 2015.

Alois Bach, Walter Sauer (Hrsg.), *Schützen.Retten.Kämpfen. Dienen für Deutschland,* Berlin 2016.

Marcel Bohnert, Björn Schreiber (Hrsg.), *Die unsichtbaren Veteranen. Kriegsheimkehrer in der deutschen Gesellschaft,* Berlin 2016.

Angelika Dörfler-Dierken (Hrsg.), *Hinschauen! Geschlecht, Rechtspopulismus, Rituale: Systemische Probleme oder individuelles Fehlverhalten?,* Berlin 2019.

Erinnerungen und Tradition

Blue Braun, *Erinnerungen an die Marine 1956–1996,* Berlin 2012.

Harald Volkmar Schlieder, *Kommando zurück!,* Berlin 2012.

Klaus Grot, *So war's, damals. Dienstchronik eines Pionieroffiziers im Kalten Krieg 1954–1991,* Berlin 2014.

Gustav Lünenborg, *Bürger und Soldat. Innere Führung hautnah 1956–1993, 1993–2015,* Berlin 2015.

Adolf Brüggemann, *Als Offizier der Bundeswehr im Auswärtigen Dienst. Meine Erinnerungen als Militärattaché in Seoul (Republik Korea) 1978–83 und in Prag (Tschechoslowakei/Tschechien) 1988–1993,* Berlin 2015.

Rainer Buske, *Eine Reise ins Innere der Bundeswehr. Wundersame Geschichten aus einer anderen Welt,* Berlin 2016.

Heinz Laube, *Duell am Himmel,* Berlin 2016.

Viktor Toyka, *Dienst in Zeiten des Wandels. Erinnerungen aus 40 Jahren Dienst als Marineoffizier 1966-2000,* Berlin 2017.

Joachim Welz, *Vom Kontingentsheer zum Reichsheer: Militärkonventionen als Motor der Wehrverfassung,* Berlin 2018.

Donald Abenheim, Uwe Hartmann (Hrsg.), *Tradition in der Bundeswehr. Zum Erbe des deutschen Soldaten und zur Umsetzung des neuen Traditionserlasses,* Berlin 2018.

Hans-Eckhard Tribess (Hrsg.), *Im Leben unterwegs – für den Frieden. Festschrift für Wolfgang Altenburg zum 90. Geburtstag am 22. Juni 2018,* Berlin 2019.

Jahrbuch Innere Führung

Uwe Hartmann, Claus von Rosen, Christian Walther (Hrsg.), *Jahrbuch Innere Führung 2009. Die Rückkehr des Soldatischen,* Eschede 2009.

Helmut R. Hammerich, Uwe Hartmann, Claus von Rosen (Hrsg.), *Jahrbuch Innere Führung 2010. Die Grenzen des Militärischen,* Berlin 2010.

Uwe Hartmann, Claus von Rosen, Christian Walther (Hrsg.), *Jahrbuch Innere Führung 2011. Ethik als geistige Rüstung für Soldaten,* Berlin 2011.

Uwe Hartmann, Claus von Rosen, Christian Walther (Hrsg.), *Jahrbuch Innere Führung 2012. Der Soldatenberuf zwischen gesellschaftlicher Integration und suis generis-Ansprüchen,* Berlin 2012.

Uwe Hartmann, Claus von Rosen (Hrsg.), *Jahrbuch Innere Führung 2013. Wissenschaften und ihre Relevanz für die Bundeswehr als Armee im Einsatz,* Berlin 2013.

Uwe Hartmann, Claus von Rosen (Hrsg.), *Jahrbuch Innere Führung 2014. Drohnen, Roboter und Cyborgs – Der Soldat im Angesicht neuer Militärtechnologien,* Berlin 2014.

Uwe Hartmann, Claus von Rosen (Hrsg.), *Jahrbuch Innere Führung 2015. Neue Denkwege angesichts der Gleichzeitigkeit unterschiedlicher Krisen, Konflikte und Kriege,* Berlin 2015.

Uwe Hartmann, Claus von Rosen (Hrsg.), *Jahrbuch Innere Führung 2016. Innere Führung als kritische Instanz,* Berlin 2016.

Uwe Hartmann, Claus von Rosen (Hrsg.), *Jahrbuch Innere Führung 2017. Die Wiederkehr der Verteidigung in Europa und die Zukunft der Bundeswehr,* Berlin 2017.

Uwe Hartmann, Claus von Rosen (Hrsg.), *Jahrbuch Innere Führung 2018. Innere Führung zwischen Aufbruch, Abbau und Sbschaffung: Neues denken, Mitgestaltung fördern, Alternativen wagen,* Berlin 2018.

Standpunkte und Orientierungen

Daniel Giese, *Militärische Führung im Internetzeitalter,* Berlin 2014.

Dirk Freudenberg, *Auftragstaktik und Innere Führung. Feststellungen und Anmerkungen zur Frage nach Bedeutung und Verhältnis des inneren Gefüges und der Auftragstaktik unter den Bedingungen des Einsatzes der Deutschen Bundeswehr,* Berlin 2014.

Uwe Hartmann (Hrsg.), *Lernen von Afghanistan. Innovative Mittel und Wege für Auslandseinsätze,* Berlin 2015.

Fouzieh Melanie Alamir, *Vernetzte Sicherheit – Quo Vadis?,* Berlin 2015.

Hartwig von Schubert, *Integrative Militärethik. Ethische Urteilsbildung in der militärischen Führung,* Berlin 2015.

Uwe Hartmann, *Hybrider Krieg als neue Bedrohung von Freiheit und Frieden. Zur Relevanz der Inneren Führung in Politik, Gesellschaft und Streitkräften,* Berlin 2015.

Klaus Beckmann, *Treue.Bürgermut.Ungehorsam. Anstöße zur Führungskultur und zum beruflichen Selbstverständnis in der Bundeswehr,* Berlin 2015.

Florian Beerenkämper, Marcel Bohnert, Anja Buresch, Sandra Matuszewski, *Der innerafghanische Friedens- und Aussöhnungsprozess,* Berlin 2016.

Martin Sebaldt, *Nicht abwehrbereit. Die Kardinalprobleme der deutschen Streitkräfte, der Offenbarungseid des Weißbuchs und die Wege aus der Gefahr,* Berlin 2017.

Christian J. Grothaus, *Der „hybride Krieg" vor dem Hintergrund der kollektiven Gedächtnisse Estlands, Lettlands und Litauens,* Berlin 2017.

Uwe Hartmann, *Der gute Soldat. Politische Kultur und soldatisches Selbstverständnis heute,* Berlin 2018.

Christian Bauer, Marcel Bohnert, Jan Pahl, *Vitalis Innere Führung! Zum Status Quo der Führungskultur in den deutschen Streitkräften,* Berlin 2018.

Militärgeschichte

Eberhard Kliem, Kathrin Orth, *"Wir wurden wie blödsinnig vom Feind beschossen". Menschen und Schiffe in der Skagerrakschlacht 1916,* Berlin 2016.

Eberhard Birk, *"Auf Euch ruht das Heil meines theuern Württemberg!". Das Gefecht bei Tauberbischofsheim am 24. Juli 1866 im Spiegel der württembergischen Heeresgeschichte des 19. Jahrhunderts,* Berlin 2016.

Hans Frank, Norbert Rath, *Kommodore Rudolf Petersen. Führer der Schnellboote 1942–1945. Ein Leben in Licht und Schatten unteilbarer Verantwortung,* Berlin 2016.

Eckhard Lisec, *Der Völkermord an den Armeniern im 1. Weltkrieg – Deutsche Offiziere beteiligt?,* Berlin 2017.

Ingo Pfeiffer, *Heinz Neukirchen. Marinekarriere an wechselnden Fronten,* Berlin 2017.

Siegfried Lautsch, *Grundzüge des operativen Denkens in der NATO. Ein zeitgeschichtlicher Rückblick auf die 1980er Jahre,* Berlin ²2018.

Joachim Welz, *Erfolgsstory oder Trauma – die Übernahme von Armeen. Lehren aus der Übernahme des österreichischen Bundesheeres in die Wehrmacht 1938 und der Reste der NVA in die Bundeswehr 1990,* Berlin 2018.

Georg Neuhaus, *Am Anfang war ein Speer. Eine Chronographie der Kriegs- und Militärtechnologien,* Berlin 2018.

Hans Delbrück / Peter Paret, *Krieg, Geschichte, Theorie. Zwei Studien über Clausewitz, herausgegeben von Peter Paret,* Berlin 2018.

Schriften zur Geschichte der Deutschen Luftwaffe

Eberhard Birk, Heiner Möllers, Wolfgang Schmidt (Hrsg.), *Die Luftwaffe zwischen Politik und Technik, Bd. 2,* Berlin 2012.

Eberhard Birk, Heiner Möllers (Hrsg.), *Luftwaffe und Luftkrieg, Bd. 3,* Berlin 2015.

Claas Siano, *Die Luftwaffe und der Starfighter. Rüstung im Spannungsfeld von Politik, Wirtschaft und Militär, Bd. 4,* Berlin 2016.

Eberhard Birk, Peter Andreas Popp (Hrsg.), *Luftwaffenoffizier 21. Das Selbstverständnis des Luftwaffenoffiziers zu Beginn des 21. Jahrhunderts, Bd. 5,* Berlin 2016.

Eberhard Birk, Heiner Möllers (Hrsg.), *Luftwaffe und Luftverteidigung, Bd. 6,* Berlin 2017.

Dirk Schreiber, *Die Luftwaffe und ihre Doktrin. Einsatzkonzeptionen bis 1971, Bd. 7,* Berlin 2018.

Hans-Werner Ahrens, *Die Transportflieger der Luftwaffe 1956 bis 1971. Konzeption – Aufbau – Einsatz,* Berlin 2019.

Einsatzerfahrungen

Kay Kuhlen, *Um des lieben Friedens willen. Als Peacekeeper im Kosovo,* Eschede 2009.

Sascha Brinkmann, Joachim Hoppe (Hrsg.), *Generation Einsatz, Fallschirmjäger berichten ihre Erfahrungen aus Afghanistan,* Berlin 2010.

Artur Schwitalla, *Afghanistan, jetzt weiß ich erst… Gedanken aus meiner Zeit als Kommandeur des Provincial Reconstruction Team FEYZABAD,* Berlin 2010.

Uwe Hartmann, *War without Fighting? The Reintegration of Former Combatants in Afghanistan seen through the Lens of Strategic Thought,* Berlin 2014.

Rainer Buske, *KUNDUZ. Ein Erlebnisbericht über einen militärischen Einsatz der Bundeswehr in AFGHANISTAN im Jahre 2008*, Berlin ²2016.

Marcel Bohnert, Andy Neumann, *German Mechanized Infantry on Combat Operations in Afghanistan*, Berlin 2017.

Monterey Studies

Uwe Hartmann, *Carl von Clausewitz and the Making of Modern Strategy*, Potsdam 2002.

Zeljko Cepanec, *Croatia and NATO. The Stony Road to Membership*, Potsdam 2002.

Ekkehard Stemmer, *Demography and European Armed Forces*, Berlin 2006.

Sven Lange, *Revolt against the West. A Comparison of the Current War on Terror with the Boxer Rebellion in 1900-01*, Berlin 2007.

Klaus M. Brust, *Culture and the Transformation of the Bundeswehr*, Berlin 2007.

Donald Abenheim, *Soldier and Politics Transformed*, Berlin 2007.

Michael Stolzke, *The Conflict Aftermath. A Chance for Democracy: Norm Diffusion in Post-Conflict Peace Building*, Berlin 2007.

Frank Reimers, *Security Culture in Times of War. How did the Balkan War affect the Security Cultures in Germany and the United States?*, Berlin 2007.

Michael G. Lux, *Innere Führung – A Superior Concept of Leadership?*, Berlin 2009.

Marc A. Walther, *HAMAS between Violence and Pragmatism*, Berlin 2010.

Frank Hagemann, *Strategy Making in the European Union*, Berlin 2010.

Ralf Hammerstein, *Deliberalization in Jordan: the Roles of Islamists and U.S.-EU Assistance in stalled Democratization*, Berlin 2011.

Jochen Wittmann, *Auftragstaktik*, Berlin 2012.

Michael Hanisch, *On German Foreign und Security Policy. Determinants of German Military Engagement in Africa since 2011*, Berlin 2015.

Grégoire Monnet, *The Evolution of Strategic Thought Since September 11, 2001*, Berlin 2016.

Stefan Klein, *America First? Isolationism in U.S. Foreign Policy from the 19th to the 21st Century*, Berlin 2017.

Torsten Gojowsky, Sebastian Kögler, *Building Special Operations Relationships with Fragile Partners. Best practices from Iraq, Syria, and Afghanistan*, Berlin 2019.

www.miles-verlag.jimdo.com